D1226427

CHARLES LE TÉMÉRAIRE

UN SAUT DANS LE VIDE

YVES BEAUCHEMIN

CHARLES LE TÉMÉRAIRE

** Un saut dans le vide

ROMAN

L'auteur tient à remercier pour leur aide généreuse et leurs précieux conseils Antoine Del Busso, Georges Aubin, Diane Martin, Viviane St-Onge, Michel Therrien, ainsi que l'infatigable Michel Gay.

L'auteur tient à remercier pour son aide financière la Société de développement des arts et de la culture de Longueuil.

SODAC
SOCIÉTÉ DE DÉVELOPPEMENT DES ARTS ET DE LA CULTURE DE LONGUEUIL

Le couplet de la chanson *Attends-moi 'tit-gars*, de Félix Leclerc, cité à la page 38, est reproduit avec l'aimable autorisation de madame Gaétane Leclerc. L'extrait de *L'Odyssée* qui figure à la page 265 est adapté de la traduction de l'œuvre d'Homère réalisée par le poète Leconte de Lisle (1818-1894).

www.quebecloisirs.com

UNE ÉDITION DU CLUB QUÉBEC LOISIRS INC.

Dépôt légal — Bibliothèque nationale du Québec, 2005
ISBN 2-89430-721-7
(publié précédemment sous ISBN 2-7621-2647-9 (caisse))

Imprimé au Canada

À mon fils Renaud

1

Le poing s'abattit sur la table. Une tasse bondit de sa soucoupe et se renversa, laissant couler un long filet de café qui se rendit presque au poing crispé capable, semblait-il, de fendre une bûche en deux.

Lucie s'avança vers Fernand, les mains levées comme pour écarter un malheur. Écarlate, frémissant, le quincaillier fixait le notaire Parfait Michaud, assis en face de lui, avec l'air de vouloir le dépecer en quartiers comme une carcasse de bœuf :

— C'est toi, et personne d'autre, qui lui as mis cette idée stupide dans la tête ! rugit-il. Tu ne sais donc pas qu'à dix-sept ans on n'a pas encore toute sa jugeote, bout de batinse !

— Fernand, calme-toi, supplia Lucie en touchant craintivement l'épaule de son mari, tu vas avoir une attaque.

— Oh que non ! riposta le notaire. Il est bien trop solide pour ça ! Mais, *moi*, je risque d'en avoir une.

Et se levant :

— Alors, pour éviter l'irréparable et me mettre à l'abri des grossièretés, vous me permettrez de changer d'air.

— Assieds-toi ! tonna Fernand. Je n'ai pas fini de te parler !

Et, refusant toute interruption, il engueula le notaire pendant dix-huit minutes, que ce dernier, les mains sur les genoux, trouva fort longues. Michaud parti, il attendit l'arrivée de Charles, qu'il avait fait appeler chez Blonblon, puis s'enferma avec lui dans le salon et le somma de revenir sur sa décision. Comme il fallait s'y attendre, le jeune homme s'entêta, ripostant que sa vie lui appartenait et qu'il n'avait de comptes à rendre à personne. Alors le quincaillier eut un terrible froncement de sourcils, sa voix prit l'ampleur d'un orage et son poing, se dressant de nouveau, s'abattit cette fois sur le téléviseur, qui lança un éclair et ne se ralluma plus jamais. Charles avait quitté la pièce sans ajouter un mot.

L'affaire était classée.

— Si je rencontrais ce maudit Balzac, déclara Fernand à sa femme au moment de se mettre au lit, je lui tordrais le cou... comme ça !

Et ses mains exécutèrent un mouvement de torsion d'une brutalité primitive.

— D'ailleurs, c'est ce que j'aurais dû faire tout à l'heure à ce damné Michaud. Tout le mal vient de lui. Que les jambes lui craquent et qu'il s'étouffe avec une cuillère ! À présent, je le vois, mais trop tard : cet homme a une mauvaise influence sur la jeunesse.

Lucie avait appris à ses dépens qu'il ne fallait pas contredire son mari en colère. Habituellement, quelques heures suffisaient pour que son bon caractère reprenne le dessus. Mais, cette fois-ci, la blessure semblait profonde. Cinq jours passèrent, et Fernand continuait de bouillir. Sa rage, d'abord éclatante, avait tourné au mutisme d'un bloc de béton, écrasant, grisâtre et immuable. Il passait près de Charles sans le voir et ne répondait jamais à ses questions, qui ne tardèrent pas à se raréfier. Seul le regard morne et découragé qu'il jetait de temps à autre sur le jeune homme montrait qu'il aurait voulu lui parler, mais qu'il se le refusait, par principe et par dépit.

C'est que septembre était déjà bien entamé et Charles refusait toujours de s'inscrire au cégep. Il avait décidé d'abandonner ses études... pour devenir écrivain ! Et, dans ce but, il cherchait un emploi qui lui laisserait suffisamment de loisirs pour s'adonner à l'écriture – et un appartement qui lui permettrait de le faire dans la solitude, indispensable, comme chacun sait, à tout artiste.

La lecture de la *Comédie humaine* avait déclenché en lui un tremblement de terre qui l'avait métamorphosé. Après avoir lu cette fresque, il avait dévoré deux ou trois biographies de l'écrivain pour en arriver à la conclusion que leur enfance et leur jeunesse se ressemblaient sur plusieurs points, que leurs tempéraments s'apparentaient et que leurs goûts étaient presque identiques. Une même passion pour la littérature flambait en eux. Comme son illustre devancier, Charles avait donc choisi la carrière des lettres ; Balzac avait magistralement décrit la société française de son temps ; sa mission à lui, Charles, serait d'immortaliser le Québec contemporain. Fernand, Lucie, Blonblon, Steve et même Céline lui firent part, chacun à sa façon, de leurs doutes, de leurs craintes, de leurs objections. Mais une voix soufflait à Charles qu'ils avaient tort.

◆

Le 7 octobre 1984, à dix heures de l'avant-midi, après trois jours d'intenses réflexions, il se présentait à l'Hôtel des postes, rue Peel, pour postuler un emploi de facteur. Le métier conciliait on ne peut mieux les exigences du gagne-pain avec celles de la création littéraire : au travail dès la pointe du jour, il serait libéré à deux heures et pourrait ainsi consacrer à l'écriture la plus grande partie de ses après-midi et toutes ses soirées. Il fut reçu par un grand vieillard maigre à manchettes de lustrine noire et au nez mince comme un couteau, qui parlait d'une voix douce et lente en souriant à tout propos.

— Vous êtes vraiment bilingue, mon ami ? lui demanda-t-il avec une affabilité paternelle, après avoir parcouru son formulaire.

— Euh... je me débrouille pas mal, répondit Charles, légèrement troublé.

Passant alors à l'anglais, Régis Royal sonda pendant quelques minutes les connaissances linguistiques de son interlocuteur et sembla satisfait. Puis, après avoir griffonné quelque chose dans un calepin :

— Vous comprenez, fit-il comme en s'excusant, je dois m'assurer de votre connaissance de l'anglais à cause de la Loi sur les langues officielles. Tous les employés du gouvernement fédéral doivent être bilingues, surtout au Québec.

Charles, qui souhaitait ardemment obtenir l'emploi, ne fit aucun commentaire, même si plusieurs affluaient à son esprit, et certains plutôt caustiques. Régis Royal lui posa encore quelques questions anodines, puis se leva : l'entrevue était terminée.

— Est-ce que vous pensez que j'ai des chances d'être accepté ? demanda Charles en lui serrant la main.

— Si ce n'était que de moi, vous le seriez, mon garçon. Mais votre demande doit d'abord être soumise au Bureau d'évaluation, puis au Service d'enquête sur la sécurité et enfin au Sous-comité régional de l'emploi. Mais, à votre place, je serais optimiste.

Charles lui serra de nouveau la main en inclinant légèrement la tête et quitta le bureau, vaguement mécontent de lui-même malgré le pronostic encourageant du fonctionnaire.

En apprenant sa démarche, Fernand avait eu un sourire de mépris :

— Livrer des lettres pour la reine d'Angleterre... Je rougirais jusqu'aux fesses, moi, de faire ce métier-là. Quand on pense que pas plus tard qu'il y a deux ans ce salaud de Trudeau a rapatrié la Constitution en chiant dans la face des Québécois, et tout fier de son coup à part ça !... Et tu veux travailler pour ce monde-là !

Lucie avait eu beau lui représenter que le métier de facteur était utile et honorable et qu'il était lui-même fort content de recevoir son courrier chaque jour, le quincaillier avait maintenu la sévérité de son jugement.

Tout en poursuivant ses recherches d'emploi, Charles avait décidé d'imiter le jeune Balzac et de se faire la main en écrivant des romans d'aventures. Il s'acheta deux dictionnaires d'occasion, emprunta une grammaire à Céline et se mit à passer des heures dans sa chambre à rédiger des « notes préparatoires » (avec l'âge il devenait méthodique) en buvant une grande quantité de café à l'instar de Balzac. Mais la hargne silencieuse du quincaillier, le persiflage d'Henri et surtout l'humiliation qu'il ressentait de vivre aux dépens d'un homme qui désapprouvait si profondément ses choix le poussèrent à quitter la maison des Fafard avant même d'avoir obtenu un travail.

Avec un train de vie frugal, ses économies pouvaient le soutenir trois ou quatre mois. Sans dire un mot à personne, il se mit en quête d'un appartement et en trouva bientôt un, fort convenable, rue Rachel, à une dizaine de portes de celui qu'avait occupé l'Ange blond, dans un immeuble pittoresque et vétuste dont la corniche de bois ouvragé semblait avoir envie de finir sa carrière sur le trottoir. C'était un trois-pièces un peu délabré mais spacieux, situé au-dessus d'une épicerie qui venait de fermer ses portes. Un appartement de mêmes dimensions, déjà loué, lui était contigu. La baignoire était marquée de taches de rouille, la porte de la cuisine ne fermait pas tout à fait à cause d'un gonflement du plancher et toutes les fenêtres étaient pourries, mais le loyer de quatre-vingts dollars par mois faisait oublier tous ces inconvénients. La fenêtre de la chambre à coucher donnait sur une petite cour tranquille où un grand chien efflanqué dormait près d'un baril rouillé.

« C'est ici que j'installerai ma table de travail », se dit Charles en se frottant les mains de satisfaction.

Bof, amené en visite, renifla partout, méfiant, se doutant de quelque chose. Avec l'âge, les changements d'habitudes lui étaient devenus pénibles. Céline trouva l'appartement magnifique et, pour le prouver à Charles, l'invita à faire l'amour sur un morceau de vieille moquette.

Ce soir-là, durant le souper, Charles annonça son départ pour le surlendemain. Lucie devint écarlate et dut quitter la table pour chercher un mouchoir ; Fernand, lui, se contenta de soupirer en haussant les épaules, tandis qu'Henri, comme si de rien n'était, l'interrogeait sur son nouveau logement.

Le lendemain, Charles arpentait la rue Ontario à la recherche de meubles à prix abordable ; les brocanteurs et marchands de meubles d'occasion y foisonnant, il réussit en trois heures à s'équiper de l'essentiel pour trois cents dollars ; puis, vers la fin de l'après-midi, un cousin de Steve lui livra dans une camionnette un réfrigérateur que sa femme venait de répudier parce que la peinture avait jauni ; il en demandait vingt-cinq dollars, transport inclus, mais, charmé par la bonne mine de Charles et ses manières polies, il rabattit de lui-même cinq dollars sur le prix. Blonblon se sentit tout à coup la vocation d'animateur culturel et apporta vers cinq heures une vieille lampe de lecture sur pied et un magnétophone à cassettes dont son père venait de se débarrasser après avoir fait l'acquisition de la nouvelle merveille du siècle : un lecteur de disques compacts. Le local vacant de l'ancienne épicerie au rez-de-chaussée inquiétait Blonblon. Charles n'avait-il pas aperçu des coquerelles dans son appartement ?

— Pas une ! Et si j'en vois, elles auront la vie courte.

Henri arriva à son tour, poussé par la curiosité, et trouva sa sœur en train de nettoyer les armoires de la cuisine, qu'une couche très résistante de graisse à friture protégeait depuis de nombreuses années contre le contact de l'air. L'appartement lui plut, il envia Charles et le lui dit, puis, fort gentiment, se mit à aider Céline à décrasser les armoires, tandis qu'Isabel lavait à grande eau le plancher de la chambre à coucher où des événements étranges semblaient s'être produits. Pendant ce temps, Charles, Steve et Blonblon débarrassaient les lieux d'une quantité de débris et de vieux cossins laissés par l'ancien locataire, balayaient les pièces, plaçaient les meubles, suspendaient aux fenêtres de vieux draps en guise de rideaux, qui viendraient plus tard. Une telle activité finit par ouvrir les appétits.

— Est-ce que ça ne serait pas le temps de pendre la crémaillère ? fit Henri.

— Oui, et ça presse ! lança Steve. La bedaine me gargouille !

Comme Charles, par souci d'économie, n'avait pas encore le téléphone, les quatre garçons partirent chercher de la bière et des pizzas. En leur absence, Céline découvrit dans le fond d'une garde-robe, cachée derrière une pile d'oreillers, une cafetière électrique qui, une fois dépoussiérée et lavée, put retrouver sa fonction.

— J'aurai ma cafetière, comme Balzac ! s'exclama Charles, enchanté, à son retour.

À huit heures, des deux pizzas géantes apportées en triomphe à l'appartement, il ne restait plus que des miettes, et une douzaine de bouteilles de bière vides s'alignaient sur le comptoir.

— J'aurais aimé inviter tes parents, soupira Charles à l'oreille de Céline, mais je connais trop bien la réponse que m'aurait faite ton père.

— Laisse passer une ou deux semaines. Tu sais bien que papa a trop bon cœur pour t'en vouloir longtemps. Ce matin, il se retenait à deux mains pour ne pas venir jeter un coup d'œil à ton appartement.

Vers dix heures, on décida de faire une petite promenade dans la ville afin de dissiper les brumes qui appesantissaient certains esprits. Les jambes un peu ramollies, on riait beaucoup et chacun disait tout ce qui lui passait par la tête. Steve causa une grande frayeur à une vieille dame en imitant les bonds d'une grenouille traversant le trottoir; puis il y eut un moment où Blonblon, devenu extraordinairement sentimental et charitable, voulut amener Charles illico devant Fernand Fafard pour les réconcilier dans une grande scène émouvante; Charles se moqua d'abord de lui, puis, tout à coup, devint furieux. Céline et Steve durent s'interposer, car il menaçait de « péter la gueule » à son ami. Le calme revint. Charles, honteux, présenta ses excuses à Blonblon, accusant la bière, qui ne lui faisait jamais bon effet, et qu'il maudit solennellement, debout au milieu du trottoir. La soirée avançait. On se sépara. Céline enlaça le buveur repenti :

— À demain, mon petit lion, murmura-t-elle tendrement en lui caressant la joue devant la vitrine poussiéreuse de l'ancienne épicerie, vaguement éclairée par un lampadaire, et dont la nudité semblait encore plus désolante la nuit.

2

Le lendemain, il faisait un superbe temps d'automne. Un petit vent vif, frisquet sur les bords, parcourait les rues inondées de lumière, qui en paraissaient élargies. Charles se réveilla frais et dispos, sauta de son lit et se promena tout nu dans les pièces avec un extraordinaire sentiment de bien-être. De temps à autre, il jetait un coup d'œil satisfait à la plante de ses pieds ; elle conservait son blanc rosé : le plancher avait été bien lavé.

Bof, toujours inquiet, le suivait sur les talons ; il avait passé une nuit agitée, se réveillant à tout moment pour aller jeter un coup d'œil aux fenêtres, renifler dans les coins, laper un peu d'eau, poussant de petits gémissements angoissés, puis tournant aussitôt la tête vers la chambre à coucher dans la crainte d'avoir réveillé son maître et de se faire réprimander.

Charles s'assit à sa table de travail – en fait une table à cartes à plateau de carton et à pieds pliants, mouchetée de peinture blanche et verte, qu'il avait payée deux dollars chez un brocanteur. Par la fenêtre, il apercevait le grand chien brun endormi près du baril rouillé, les pattes de devant légèrement repliées. Bof, debout sur ses pattes postérieures, l'appelait avec de petits jappements étouffés en dansant une sorte de quadrille. Charles se dit que la bête appartenait sûrement à son voisin d'étage, qu'il n'avait pas encore vu et dont seuls des bruits d'eau et des grincements de robinet permettaient de déceler la présence.

Il allongea les jambes, approcha la vieille machine à écrire que Lucie lui avait donnée en cachette au moment de son départ, feuilleta quelques instants sa pile de notes, puis glissa une feuille blanche sous le cylindre et tapa :

NOTES PRÉPARATOIRES

L'action se passe à Montréal au début des années 1980.
Robert Brisebois, le pers. princ., a 23 ans mais en paraît 30. Détective autodidacte. Giovanni Rizzutto, le trafiquant, en a 52. Grosse mèche noire sur son front ridé (cheveux teints), bouche large, presque sans lèvres, un peu comme celle de Jean Gabin.
De quel trafic s'agit-il? Drogue? Blanchiment d'argent?

Prostitution? Les trois?
Me documenter.

Et voilà. Il était devenu écrivain. C'était aussi simple que ça. Il suffisait de vouloir écrire et de le faire assez longtemps pour produire un livre, ce qui était sa ferme intention. Il écrirait jusqu'à deux heures, puis se remettrait à la recherche d'un emploi. Que la vie était magnifique! Il était libre, totalement libre! Pour la première fois depuis sa naissance! Jamais il n'aurait cru que cela était aussi grisant, que cela donnait un tel sentiment de puissance! Amenez-vous, les obstacles! Je vais vous écraser les uns après les autres, comme des pépins de pomme! Oui, ce sera parfois dur, très dur même, et je vais en baver un coup, je le sais. Mais je finirai par atteindre le but que je me suis fixé et tout le monde m'admirera. Céline sera tellement fière de moi... On m'appellera « Monsieur », les journaux publieront ma photo et toutes les jolies femmes voudront coucher avec moi, mais Céline me suffira, car je l'aime.

Penché en arrière sur sa chaise, il battait doucement des pieds sur le plancher, improvisant une sorte de gigue de la victoire, puis il se leva et se rendit à la cuisine enfiler deux grands verres d'eau; les bières de la veille lui avaient laissé une soif terrible. Il revint à sa table de travail, son exaltation tombée. C'était bien beau de rêver, mais il fallait maintenant se mettre à l'œuvre, et tout de suite, sous peine de sombrer dans le ridicule.

Une chose le chicotait cependant. Il avait choisi d'être écrivain, c'était chose faite. Mais, à son grand étonnement, *il ne sentait rien de changé en lui*. Il demeurait le même, avec des idées plutôt vagues sur ce qu'il devait faire, à part, bien sûr, écrire avec acharnement afin de créer le plus beau texte possible. À vrai dire, il n'avait pas encore réellement commencé la rédaction de son roman d'aventures, se contentant d'accumuler des matériaux, ces fameuses notes préparatoires, en se disant qu'une idée-force allait en surgir à un moment donné, qui lui permettrait d'organiser sa matière. Jusqu'ici, elles consistaient surtout en considérations sur la vie (à la relecture, il les trouvait souvent prétentieuses et vides), en souvenirs personnels (presque tous douloureux), en notations érotiques assez crues et en réflexions sur ses lectures récentes, dont une bonne part sur des romans de la *Comédie humaine*.

Finalement, c'était plutôt maigre. Blonblon, quelques jours plus tôt, avait affirmé qu'avant d'écrire il fallait d'abord vivre. Charles ne croyait pas que cela fût toujours nécessaire. Écrire n'était-il pas déjà une façon de vivre? La création d'un monde imaginaire ne demandait-elle pas qu'on se tienne un peu en marge du monde réel? Comment Balzac aurait-il pu écrire ses quatre-vingt-quinze romans et nouvelles s'il avait vécu la vie de tout le monde? Il s'était réfugié – ou plutôt installé – dans l'écriture, et c'est *de là* qu'il avait observé la vie, et avec quel regard pénétrant! Il fallait faire confiance à l'écriture et s'y lancer à corps perdu en se fichant de tout le reste. De tout le reste, sauf d'une chose: l'absence de talent! Cette absence ruinerait tout, évidemment. La seule façon de s'assurer qu'on n'était pas affligé de ce mal terrible et incurable, c'était justement... d'écrire!

Charles se mit au travail, noircissant trois feuilles et demie (il tapait à deux doigts mais assez vite), puis il sentit tout à coup le besoin de s'habiller, car il commençait à faire frais dans l'appartement, qui ne disposait encore d'aucun chauffage; Charles avait décidé, en effet, d'attendre les premières neiges pour acheter une fournaise à mazout afin de ne pas trop entamer ses économies.

Vers onze heures, il eut soudainement très faim. C'était comme un crochet qui lui raclait l'estomac et l'étirait dans tous les sens. Il avait paré à cela en faisant provision d'une douzaine de boîtes de Dîner Kraft achetées dans un « magasin d'alimentation familiale », euphémisme charitable qui permettait aux démunis du quartier de faire leur épicerie à bon compte sans trop rougir de leur état.

La recette, qu'il préparait pour la première fois, demandait un peu de beurre, dont il manquait. Il sortit dans le corridor et allait descendre l'escalier, lorsque la porte de l'appartement voisin s'ouvrit et qu'un vieil homme apparut, en veste de laine verte, un feutre gris planté de travers sur la tête, et lui adressa un sourire. Il se tenait appuyé au chambranle et semblait avoir peine à marcher.

— Bonjour, dit le vieillard.

Il fit péniblement trois pas vers Charles et lui tendit une main décharnée :

— Vous êtes mon nouveau voisin? Bienvenue dans la cabane!

— Bonjour, murmura Charles, dont le visage avait blanchi et qui se contenta de lui effleurer le bout des doigts.

— Est-ce que ce serait un effet de votre bonté, demanda l'homme sans paraître remarquer le malaise de son interlocuteur, d'aller chercher mon chien dans la cour? C'est une bête très douce, n'ayez pas peur. J'irais bien moi-même, mais j'essaye d'éviter autant que possible les escaliers à cause de mes vieilles jambes. C'est déjà bien assez que j'aille le mener chaque matin. Le médecin me conseille même de me déplacer en fauteuil roulant. Mais pas question! Normalement, ma nièce vient préparer mon repas vers onze heures, poursuivit le vieillard qui semblait en mal de conversation, et j'en profite alors pour l'envoyer chercher Prince, mais elle n'a pas pu venir aujourd'hui, je ne sais pas trop pourquoi.

— Je vais y aller, marmonna Charles en évitant de le regarder.

Quelques minutes plus tard, il revenait avec la bête, qui le suivait docilement au bout de sa laisse. Bof, de l'autre côté de la porte, l'avait entendue ou sentie et jappait furieusement. Le voisin les attendait en haut de l'escalier et il allait sans doute remercier longuement le jeune homme lorsque celui-ci, à son grand étonnement, lui tourna le dos, dévala les marches et claqua la porte de l'immeuble.

Charles s'éloignait à grandes enjambées en se mordillant les lèvres, la gorge sèche, le cœur secoué de palpitations, et tellement bouleversé qu'il ne savait plus où il était.

— Lui ! lui, mon voisin ! Il y a un million de personnes à Montréal, et il fallait que je tombe sur lui ! Ah ! si j'avais su, bonyeu de bonyeu ! Si j'avais su !... Et dire que pour casser mon bail, il faut que je paye trois mois de loyer ! Qu'est-ce que je vais faire, bout de crisse !

◆

Dans le vieil homme à demi impotent il avait reconnu Conrad Saint-Amour, ancien coiffeur et pédéraste, dont il s'était spectaculairement vengé des années plus tôt sans pouvoir exorciser tout à fait l'horreur de ce sinistre après-midi.

La boîte de Dîner Kraft demeura ouverte sur le comptoir près de la casserole pleine d'eau posée sur le rond de la cuisinière. Charles, incapable de retourner à l'appartement, mangea dans un casse-croûte en parcourant les petites annonces, puis se lança dans sa tournée de recherche d'emploi. Vers cinq heures, torturé par le besoin de se confier, il téléphona à Blonblon.

— Où es-tu ? demanda ce dernier, alarmé par le ton de sa voix. Attends-moi, j'arrive.

Dix minutes plus tard, Blonblon apparaissait dans la Taverne Rivest, les mains encore maculées de colle à porcelaine (il était en train de réparer un vieux pot à cuillères prussien pour mademoiselle Laramée, son ancienne maîtresse d'école, qui venait d'emménager dans une des Tours Frontenac). Charles, affalé dans un fauteuil capitaine, l'attendait, la mine sombre, devant deux verres de bière en fût, l'un vide, l'autre entamé. Blonblon prit place devant lui, commanda de la bière et l'écouta.

— Ah! si je n'aimais pas tant les chiens, lança Charles en terminant son récit, je pense que j'aurais assommé son Prince avec un bout de madrier, juste pour le faire souffrir, ce salaud! Ah! ah! s'il pouvait crever! Si quelqu'un pouvait serrer sa vieille maudite gorge ridée jusqu'à ce que les yeux lui sortent de la tête et qu'il arrête de respirer! Crisse de crisse! J'avais trouvé un appartement à mon goût, et pas cher, et je vais être obligé de le sous-louer et de m'en chercher un autre!

— Charles, Charles, écoute-moi, je t'en prie. Tu viens de me dire qu'il a de la misère à marcher et qu'il ne t'a même pas reconnu. Alors, fiche-toi-z-en, c'est tout. Fais comme s'il n'existait pas. Il ne t'embêtera plus jamais, ce bonhomme: il n'est plus capable d'embêter personne.

Charles se pencha au-dessus de la table, les yeux pleins de larmes:

— On voit bien que tu n'es jamais tombé dans les pattes d'un pédé, toi. Le cœur me lève de le sentir près de moi. La nausée va me prendre chaque fois qu'il va me regarder. Et puis, il va finir par apprendre mon nom, tu t'imagines bien... Alors là, mon vieux... je ne sais vraiment pas... je pense que je vais lui... Non, c'est impossible: il faut que je crisse le camp de là.

La conversation dura longtemps, stimulée par l'arrivée de nouveaux verres de bière. Charles retrouva peu à peu son calme. Blonblon réussit même à le faire rire en lui rapportant les minutieuses recommandations de Ginette Laramée – dont les années n'avaient nullement émoussé le caractère – quand elle lui avait confié son précieux pot.

— Je vais aller lui dire bonjour, se promit Charles. Je ne l'ai pas vue depuis une éternité. Je l'aimais beaucoup, cette femme, malgré ses manières de chef de police. Avant-hier, je pensais justement à elle en rangeant des livres et je me demandais si elle vivait toujours. Tu me dis qu'elle n'a pas trop vieilli ? Tiens, je vais lui apporter un petit cadeau, ça va lui faire monter les larmes aux yeux, j'en suis sûr. J'aurais dû le faire depuis longtemps. Après tout, elle m'a aidé à un moment où j'en avais bien besoin.

Ils allèrent manger des sandwichs au bœuf fumé à la Villa Frontenac, puis Charles, rasséréné, remercia son ami avec une effusion inhabituelle et le quitta en vitesse pour aller rejoindre Céline qui l'attendait chez lui.

Au milieu de la soirée, dans un moment d'abandon, il lui raconta le sale tour que l'ancien barbier avait joué à un petit garçon qui n'avait plus toute sa tête. Céline l'écoutait, horrifiée. Dans l'appartement voisin, on entendait le murmure de la télévision, puis une quinte de toux s'éleva.

— Tu comprends pourquoi je ne veux plus rester ici ?

Céline fit signe que oui, puis se mit à lui caresser le visage. Ils restèrent longtemps silencieux, étendus côte à côte dans le lit qui sentait les draps frais et les jeunes corps échauffés. Charles avait posé son bras sur le ventre de son amie et somnolait, un léger sourire aux lèvres. Deux personnes, à présent, connaissaient son horrible secret. Deux personnes très proches de lui. Sa douleur en était un peu allégée, comme s'il n'était plus tout à fait seul à la porter.

◆

En reconduisant Céline chez elle, il appréhendait déjà l'insomnie, cet interminable défilé de minutes accablantes qu'on regarde passer dans la solitude de la nuit, cherchant en vain une position, une façon de respirer, une idée réconfortante qui nous apporteraient enfin le sommeil.

Il se réveilla au petit matin après avoir dormi d'une traite. Assis au milieu du lit, Bof le fixait d'un œil tendre et battait de la queue le rappel du déjeuner. La première pensée de Charles fut d'aller manger avec Lucie et Fernand, dont il commençait déjà à s'ennuyer. Il se retint, par fierté. Il avait sa propre cafetière, un grille-pain tout cabossé mais qui grillait comme un lance-flammes, du pain, du beurre et de la confiture.

Il se leva, s'habilla et alla jeter un coup d'œil à la fenêtre de sa chambre. Le grand chien brun était déjà à son poste, près du baril rouillé. Qui l'avait amené là si tôt ? Alors, il entendit des pas dans l'escalier, lourds et lents, comme si la personne qui gravissait les marches tirait la terre entière accrochée à ses épaules, et il se rappela que c'était le vieux Saint-Amour lui-même qui allait chaque matin attacher sa bête dans la cour. Son visage se crispa de colère et il rougit violemment. Il se précipita vers la porte et fit irruption dans le corridor. L'ancien barbier, hors d'haleine, la main crispée sur la rampe, arrivait à la dernière marche. Les deux hommes se regardèrent en silence un moment ; le vieux, interloqué, esquissa un vague sourire.

— Connais-tu mon nom ? demanda Charles avec une familiarité grossière.

Saint-Amour, trop essoufflé pour répondre, se contenta de hausser les épaules en signe d'ignorance.

— Charles Thibodeau. Ça te dit quelque chose ?

Le visage du vieil homme s'éclaira et il se tapa sur une cuisse. Adossé contre un mur, il cherchait à reprendre haleine.

— Charles ? C'est vrai ? lança-t-il d'une petite voix aiguë et enrouée. Tu parles d'une affaire ! T'as donc bien changé ! Je ne t'aurais jamais reconnu ! Comme c'est drôle ! On est maintenant voisins... Ça me fait plaisir de te revoir !

Inconscience sénile ? Hypocrisie instinctive ? La réaction de son interlocuteur laissa Charles pantois, dégoûté, vaguement effrayé. Il resta quelques secondes sans pouvoir parler, l'œil rivé sur l'ancien barbier qui continuait de sourire, encore épuisé par l'effort qu'il venait de fournir.

— Écoute-moi bien, mon vieux salaud, reprit-il enfin. Tu sais que je pourrais porter plainte contre toi n'importe quand. N'importe quand, m'entends-tu ? Les petits gars ne savent pas ça, mais, en grandissant, ils l'apprennent. Ne me parle plus jamais, compris ? Jamais ! Un seul mot, et je te crisse la tête la première dans l'escalier, O. K. ?

Il n'eut pas à se donner cette peine. Dix jours passèrent. Charles cherchait un appartement, sans arriver à en trouver un qui lui convienne. Il continuait également de chercher un emploi. La Société canadienne des postes, par la poste, lui avait annoncé qu'on ne pouvait malheureusement retenir ses services. Il avait enfin attaqué son roman d'aventures, auquel il consacrait quatre ou cinq heures par jour. L'histoire avait complètement changé. Cela se passait à Montréal, durant les années 1970, et racontait les efforts courageux d'un jeune policier du Service des enquêtes criminelles qui avait assisté un soir, impuissant, au viol d'une jeune femme par trois hommes dans un coin retiré du parc d'attractions La Ronde. Malgré la volonté de la victime, qui refusait de porter plainte, il s'était lancé de son chef aux trousses des coupables, à l'insu de ses supérieurs.

Son roman avançait lentement – les descriptions lui causant des crampes de cerveau – et il devait s'interrompre à tout moment pour vérifier des points techniques. Mais l'écriture lui donnait une satisfaction profonde, qu'il n'avait jamais éprouvée jusque-là.

Céline avait lu le brouillon du premier chapitre et en avait été transportée. Nul doute qu'un grand succès attendait Charles s'il se rendait au bout de sa tâche.

Quant à Conrad Saint-Amour, depuis sa dernière rencontre avec Charles, il semblait se terrer dans son appartement et, le matin, on ne voyait presque plus jamais son chien dans la cour. Charles commençait à s'habituer peu à peu à la présence de son horrible voisin et, depuis quelques jours, mettait moins de zèle dans sa recherche d'un appartement. Les visites quotidiennes de Céline, qui apportait avec elle la délicieuse ivresse de l'amour fou, et celles, fréquentes, de Steve et de Blonblon, effaçaient peu à peu de l'esprit de Charles le sentiment pénible causé par la proximité du pédéraste.

Le 4 novembre, Charles travailla à son roman jusqu'à trois heures du matin. Il prit ensuite une collation en compagnie de Bof, qui avala en deux coups de gueule les croûtes d'un volumineux sandwich banane et beurre d'arachide, puis alla se coucher, étourdi de fatigue mais fort content de sa soirée, et sombra aussitôt dans un sommeil de forçat. Assis devant sa machine à écrire, il continuait la mise au propre de ses chapitres, mais, cette fois-ci, avec une merveilleuse facilité; les feuillets, devenus brillants et multicolores, s'entassaient à une vitesse folle sur sa table pour former comme une colonne de lumière qui allait atteindre le plafond, et bientôt le crever, lorsque soudain tout s'écroula sur lui dans un nuage étouffant de poussière et de gravats; une violente douleur à l'épaule le réveilla en sursaut.

Bof lui raclait la chair de ses puissantes griffes en jappant dans son oreille. Il se souleva péniblement dans son lit, la tête affreusement lourde, l'esprit si confus qu'il ne savait plus où il se trouvait, et il se mit à tousser, la gorge râpée par une fumée âcre qui emplissait la pièce. Pendant quelques secondes, il demeura immobile, ne sachant que faire, tandis que son chien, hors de lui, s'était mis à lui labourer les cuisses.

Soudain, il bondit sur ses pieds, empoigna la bête à bras-le-corps et s'élança dans l'obscurité, les yeux brûlés par la fumée, tordu par une quinte de toux qui lui arrachait les poumons; il heurta des meubles, se cogna à un mur, renversa une chaise, avançant à tâtons dans un effort désespéré pour gagner la sortie, tandis qu'une sourde rumeur, faite de craquements, de crépitations et de longs sifflements lugubres se déployait au rez-de-chaussée. Il se retrouva sans trop savoir comment dans l'escalier, qu'une fumée brûlante et encore plus épaisse avait envahi, et se laissa tomber dans les marches, serrant de toutes ses forces contre lui son chien devenu silencieux et inerte. Une bouffée d'air humide lui enveloppa le visage, il entendit un cri, comme venu de très loin, des mains agrippèrent ses jambes et on le tira vers l'extérieur.

Après avoir vomi abondamment, il se releva, soutenu par un pompier, contempla d'un œil hébété l'immeuble devenu un brasier, puis s'aperçut tout à coup que Bof avait disparu. Il tournait la tête de tous côtés en hurlant son nom lorsqu'un faible jappement lui répondit: Bof se trouvait à ses pieds, juste derrière lui. Des rires étouffés lui parvinrent; quelqu'un le montra du doigt. Une femme grassouillette, au visage maternel et compatissant, lui tendit avec embarras une robe de chambre et des pantoufles. Il était tout nu dans la rue sous une bruine glacée qui dégoulinait sur son corps. De molles vapeurs s'élevaient au-dessus de l'incendie parmi les tourbillons de fumée.

◆

L'immeuble avait pris feu dans des circonstances obscures, qu'une enquête de six cents ans n'aurait pu élucider.

C'est ainsi que cela se passe à Montréal, ville bien particulière où l'urbanisme est souvent pris en charge par l'initiative occulte. Deux jours plus tard, un bulldozer s'affairait à éliminer les décombres du sinistre et, le samedi suivant, l'endroit était net et lisse comme un terrain de football. Il n'y manquait que la pelouse. Une semaine plus tard, une épaisse couche d'asphalte, tiède et odorant, en faisait office; un autre stationnement venait d'apparaître. L'automobile venait d'arracher encore un morceau à la vieille âme de Montréal. Les stationnements se multipliaient, et d'une façon si régulière et implacable que c'était à se demander s'ils ne constitueraient pas un jour la plus grande partie de la ville, les citadins se voyant empilés dans trois ou quatre cents gratte-ciel qui se dresseraient comme des pions géants sur un immense damier sillonné de voies rapides et enveloppé de smog; quelques arbres rachitiques, entretenus à grands frais, continueraient de donner l'illusion à certains qu'ils habitaient encore un endroit conçu pour des humains.

Charles avait contemplé l'incendie jusqu'au petit matin, interrogé à tout moment par des badauds qui s'exclamaient au récit de son aventure, puis allaient caresser le vieux Bof, toujours assis près de son maître, l'air morose. Personne n'avait vu monsieur Saint-Amour, qui semblait être resté à l'intérieur.

Vers six heures, l'arrière de la bâtisse s'était écroulé d'un bloc et, lorsque la fumée s'était un peu dissipée, on avait aperçu au milieu d'un monticule de débris un corps calciné, tordu dans la carcasse d'un fauteuil.

3

Un frigidaire montait lentement l'escalier dans un dandinement d'ours éméché, le dessus parsemé de flocons de neige qui avaient pris une blancheur ardente sous l'éclairage du plafonnier. Deux bras velus sortaient de ses flancs et se pressaient autour de sa poitrine de tôle, tandis que deux pieds chaussés de brodequins de travail, qui dépassaient de l'arrière, battaient lourdement les marches, l'une après l'autre.

— Il aurait fallu enlever la rampe, fit une voix venue d'une tête invisible, je me magane les coudes !

Charles descendit pour porter secours à la malheureuse créature, mais elle s'y opposa vivement.

— Non, non, non ! reste où tu es ! Il n'y a pas de place pour deux ici ! On va juste se nuire !

Le frigidaire poursuivit sa pénible montée, puis pénétra par la porte de l'appartement largement ouverte et s'avança pas à pas dans un étroit corridor.

— Woufff! soupira le quincaillier en déposant l'appareil, dont le poids fit gémir le plancher.

Charles s'avança vers lui, souriant, la main tendue :

— Merci, Fernand. T'es vraiment chic. Je te revaudrai ça.

Les formules mille fois rabâchées vibraient d'une gratitude sincère. Fernand Fafard sourit à son tour :

— Ce n'est rien, mon flo. Ça me fait plaisir. Tu vas pouvoir enfin te faire un peu de cuisine. Ce n'est pas trop tôt!

— Veux-tu un café, papa? demanda Céline en apparaissant au bout du corridor. Je viens juste d'en faire.

Le quincaillier acquiesça d'un grognement et inspecta la cuisine, exiguë, sale, mais bien éclairée par une grande fenêtre au-dessus de l'évier. Étendu sur le prélart crasseux devant une chaufferette, Bof ouvrit un œil languissant, puis le referma.

Fernand Fafard se laissa tomber sur une chaise et, pointant son index massif vers la table à dessus de formica jaune où l'on avait déposé un sucrier et un pot à lait, il la caressa distraitement:

— Ça vient de l'autre appartement, ça?

— Oui, et la cafetière aussi, répondit Céline.

— Avec ma statuette de Hachiko, un peu de vaisselle et deux chaudrons, c'est à peu près tout ce qu'on a réussi à sauver, constata Charles avec tristesse.

Son début de roman, ses notes et sa machine à écrire avaient subi le sort tragique de la bibliothèque d'Alexandrie. Mais l'incendie avait eu au moins un bon effet: il avait fait fondre le froid entre Charles et le quincaillier.

Le matin du sinistre, transi et fourbu, Charles était allé demander l'hospitalité au notaire et à sa femme; Amélie l'avait obligé à prendre un bain chaud, puis, assis devant un bol fumant, la tête enfouie sous une épaisse serviette, il avait dû subir une fumigation d'essence d'eucalyptus pour bouter la pneumonie hors de ses poumons, car Amélie était persuadée qu'il en avait attrapé une.

Pendant qu'il dormait, Parfait Michaud avait appelé les Fafard pour leur annoncer la nouvelle du désastre. Dix minutes plus tard, le quincaillier faisait irruption chez lui, pompier tragique arrivé après l'incendie mais voulant le combattre quand même, et il fallut toute la persuasion de son ami pour l'empêcher de réveiller Charles sur-le-champ et de l'emmener chez lui, car, en pareilles circonstances, un fils, déclara-t-il avec force, ne pouvait se réfugier ailleurs que dans la maison de son père.

— Laisse-le dormir, Fernand, je t'en prie. Il tenait à peine sur ses jambes.

— Tu me promets de m'appeler aussitôt qu'il se lève, hein ? Promis, juré, craché ? J'en fais une question d'honneur, le notaire !

Et il obligea ce dernier à lui raconter une seconde fois tout ce qu'il savait des événements de la nuit passée, puis retourna à la quincaillerie afin de permettre à Lucie de venir à son tour.

Le surlendemain, Charles ayant accepté de loger temporairement chez lui, Fernand Fafard prit les mesures suivantes :

1. Il dénicha un trois-pièces et demie tout à fait convenable et d'un loyer accessible au coin des rues Dufresne et Champagne. Charles habiterait la même rue que les Fafard mais se trouverait assez loin de leur résidence et de la quincaillerie pour conserver toute son indépendance et sa liberté, comme il le souhaitait.

2. Accompagné de monsieur Victoire, il fit une tournée éclair des brocanteurs et marchands d'occasions du quartier et reconstitua en deux heures l'ameublement de Charles ; il voulut lui en faire don, mais ce dernier tint à le rembourser immédiatement.

3. Considérant la monstruosité de Wilfrid Thibodeau comme sans limites, il obtint de Liliane, l'ex-maîtresse du menuisier, le nom de son employeur à Winnipeg et téléphona à ce dernier afin de s'assurer que le père de Charles se trouvait bien au Manitoba le jour du sinistre. Cela confirmé, il se rendit ensuite au poste de police pour savoir où en était l'enquête sur l'incendie,

sa visite n'obtenant d'autres résultats qu'une hausse générale de la pression artérielle des personnes présentes et une utilisation de certaines épithètes vigoureuses et peu convenables.

4. Il couronna finalement sa journée au souper, au moment du dessert. Après avoir longuement toussoté et tripoté ses ustensiles, l'air gauche comme un adolescent qui montre pour la première fois ses fesses à une infirmière, il proposa à Charles un poste de commis à temps partiel à la quincaillerie.

Profondément touché, Charles accepta sur-le-champ, au grand soulagement du quincaillier, qui redoutait une autre manifestation de l'esprit d'indépendance du jeune homme ; il faut dire que Charles était presque à court de ressources et que l'offre de Fafard se conciliait parfaitement avec ses projets d'écrivain. Ce dernier geste acheva de raccommoder les deux hommes.

Le lendemain soir, le quincaillier invitait Charles à prendre une bière dans une taverne. Ce dernier accepta, étonné, Fafard n'étant guère un habitué de ce genre de lieu. Il alla à son rendez-vous plein d'appréhension. « Qu'est-ce qu'il veut m'annoncer ? Je gage qu'il va m'assommer avec un sermon sur Céline, le cul et l'*aaamouour.* »

Après un long préambule sur les inconvénients des embouteillages, prononcé d'un air distrait et préoccupé qui renforça les craintes de Charles, Fernand Fafard vida son verre d'une lampée, lutta quelques secondes contre une montée de gaz qui finit par mourir dans le creux de son poing, sourit au jeune homme, allongea les jambes, repoussa un peu sa chaise, puis, posant ses mains massives sur la table, laissa échapper un soupir :

— Je dois te présenter des excuses, mon garçon.

— Des excuses ? fit Charles, surpris.

— Oui, des excuses. Parce que je t'ai mal jugé.

— En quoi ?

— Au sujet de... ton métier. Je veux dire... de cette idée que tu as de vouloir écrire des livres.

Charles eut une moue ironique.

— Avant-hier soir, poursuivit l'autre, Parfait m'a téléphoné. On a causé pendant presque une heure. Je crois que, de toute ma vie, ç'a été ma plus longue conversation au téléphone. Tu sais comme je déteste parler au téléphone. Eh bien, il m'a appris des choses dont je ne me doutais même pas.

— Lesquelles ?

— Tu vas rire de moi parce que, toi, tu les connais sûrement. J'avais toujours cru qu'écrire des livres, c'était un métier de crève-la-faim, une sorte d'abonnement à vie à l'aide sociale, un genre de passe-temps pour fainéant, en d'autres mots, une vraie honte pour un homme qui se respecte. Eh bien, il m'a prouvé le contraire.

— Et comment ?

— Oh ! d'une façon bien simple. Il m'a cité des noms de gens qui sont devenus riches et même très riches en écrivant des romans. Il y a ce Michenon, par exemple...

— Michenon ?

— Oui. Tu ne le connais pas ? demanda le quincaillier, inquiet.

Charles réfléchit un moment, puis :

— Il voulait sans doute parler de *Simenon*.

— Oui ! oui ! c'est ça ! Je confondais son nom avec celui d'un autre, un Américain, Michener, tiens, ça me revient, James Michener, un type qui s'est mis gras dur en sortant des livres gros comme des boîtes de kleenex que tout le monde s'arrache et qu'on met en films...

— Oui, c'est vrai, fit Charles, mais je ne l'ai jamais lu.

— Et puis, il y a cet autre Américain, un nommé... King, je crois...

— Stephen King, sans doute.

— Lui, justement. Et d'autres, des Français, des Anglais et même un Allemand, mais j'ai oublié leurs noms. Tu le sais, la littérature, ça n'a jamais été ma force. J'en ai un peu honte, mais, que veux-tu, chacun vient au monde avec la tête que le bon Dieu lui a donnée et se débrouille comme il peut avec. Moi, je n'ai pas la tête aux romans et à ce genre de choses. De toute façon, ça n'a aucune importance pour ce que je voulais te dire. Ce que je voulais te dire...

Il s'arrêta, hésitant, cherchant ses mots, puis :

— Ce que je voulais te dire, mon Charles, c'est que j'avais l'impression que ton projet d'écrire des livres, c'était un peu comme – il ne faut pas te fâcher, là, mon garçon, loin de moi l'idée de vouloir te faire de la peine –, c'était un peu comme ta petite combine de pilules... mais j'ai complètement changé d'idée, ajouta-t-il aussitôt en voyant la rougeur envahir le visage du jeune homme. Je ne pense plus du tout la même chose, je t'en donne ma parole d'honneur, et ça, tout le mérite en revient à Parfait, qui a réussi à me déniaiser, si tu veux, ou, en tout cas, à me faire voir un autre point de vue, comme on dit dans les conférences.

Charles lui adressa un sourire quelque peu acide :

— Mais il a sûrement dû ajouter que ceux qui s'enrichissent ainsi, on les compte sur les doigts de la main, que ce sont des exceptions, quasiment des phénomènes. Non ?

Fafard le fixa quelques secondes, interdit. Sa conviction diminuait à vue d'œil.

— Il ne me l'a pas dit dans ces mots-là, répondit-il, le visage redevenu soucieux. Il m'a plutôt parlé de chance. La chance, on n'y peut rien, à part travailler comme un fou et espérer de tout son cœur. Et puis, de toute façon, si écrire des romans rendait automatiquement millionnaire, ça se saurait – et tout le monde se garrocherait sur sa machine à écrire ! Mais je me suis dit, ajouta-t-il en choisissant de nouveau ses mots, que... dans le cas où ça ne marcherait pas comme... tu l'aurais voulu, eh bien...

— ... je lâcherais les romans pour faire autre chose.

— Justement ! C'est ce que je me suis dit. Après tout, t'es un garçon rempli de bon sens et ça ne serait pas du tout ton genre de t'obstiner à...

— ... croupir dans la misère...

— Si on veut, acquiesça Fernand, un peu déconcerté par le sourire froid et ironique du jeune homme.

— Eh bien, tu as tout à fait raison, Fernand. Le jour où je m'apercevrai que je suis un écrivain raté et que mes livres font bâiller tout le monde, je jetterai ma machine à écrire par la fenêtre et j'ouvrirai un lave-auto ou quelque chose du genre.

Ils se regardèrent en silence, vaguement embarrassés, puis, d'un geste simultané, prirent une longue gorgée de bière.

— Tu sais, Charles, crut bon d'ajouter le quincaillier, si je ne te considérais pas comme mon garçon – comme mon *vrai* garçon –, je ne m'inquiéterais pas pour toi comme je le fais. Mais tu es mon garçon. Autant qu'Henri. Sans compter que, depuis quelque temps, j'ai appris que toi et Céline... vous...

— ... on couche ensemble, compléta Charles avec une calme effronterie.

— Voilà, convint Fafard, de plus en plus mal à l'aise. Tu dois reconnaître, Charles, que je n'ai jamais essayé de vous mettre des bâtons dans les roues, même si vous êtes tous les deux mineurs.

— Merci, fit ce dernier, sarcastique. Très gentil.

— De rien. J'ai toujours eu pour mon dire qu'à partir de l'âge de quatorze ou quinze ans un enfant le moindrement bien élevé est capable de juger par lui-même de la façon dont il doit se comporter dans la vie et que les parents perdent alors leur souffle et leur salive à essayer de... Est-ce que je me trompe, Charles ? s'interrompit-il brusquement, plongeant un regard inquiet dans celui du jeune homme.

— Céline, je l'aime, répondit simplement ce dernier sur un ton de grave fermeté.

Et deux taches de rougeur apparurent sur ses pommettes.

— C'est ce que je voulais t'entendre dire... Ça m'enlève tout un poids... Je suis sûr ainsi que tu ne voudras jamais lui faire de mal. C'est ma seule fille, Charles, tu sais combien j'y suis attaché. Je ne voudrais pas qu'on me l'abîme.

— Je l'aime, répéta Charles. Alors cesse de t'inquiéter.

Fafard eut un sourire indécis, lui tapota l'épaule, puis, se tournant vers un serveur qui passait derrière lui, demanda d'autres bières.

— Ah ! mon garçon, soupira-t-il, si les parents pouvaient commander à leurs inquiétudes, ça serait trop beau... Attends d'être père à ton tour, tu verras bien...

Il abattit ses doigts sur le bord de la table :

— Mais tu m'as dit que tu l'aimes. Alors tout va bien. Je ne peux pas t'en demander plus.

À partir de ce moment, il retrouva sa gaieté ; la bière aidant, elle tourna bientôt en une joyeuse pétulance. Des clients apparurent, l'écoutèrent, amusés, puis s'assirent à la table voisine. Un gros homme aux cheveux en brosse et à la mâchoire militaire, dont la chemise mal boutonnée laissait voir des touffes de poils gris à travers les trous de sa camisole douteuse, s'étranglait de rire en se tapant sur les cuisses, tutoyant le quincaillier (qu'il ne connaissait pas) et l'appelant « capitaine ». La conversation tomba bientôt sur la politique.

Un jeune professeur en cravate et veston, mince, raide et anguleux, portant des lunettes à fine monture dorée qui lui donnaient l'air d'un ministre protestant, se mit à attaquer le gouvernement Lévesque ; d'une voix fluette et sifflante, il l'accusait d'avoir trahi sa base électorale en faisant adopter ces lois spéciales qui rouvraient les conventions collectives des employés de l'État afin de réduire leurs salaires. On se dirigeait vers la dictature, déclara-t-il. Le nazisme n'était pas loin.

Alors Fernand Fafard éclata :

— Allons, allons, tu dis n'importe quoi, mon ami ! C'est facile de se faire aller le mâche-patate quand on reste là les mains dans les poches, à regarder le monde s'échiner ! Qu'est-ce que tu voulais qu'il fasse d'autre, le gouvernement ? Qu'il continue de s'endetter jusqu'à ce qu'on tombe en faillite ? On est en pleine récession, tu ne t'en es pas aperçu ? Y en a plus, d'argent, tornade de clous ! En *plusse*, cinquante pour cent de nos impôts s'en vont à Ottawa, et la plus grande partie tourne en vent et en fumée, ou en petits cadeaux pour les amis ! On n'avait pas le choix : fallait se serrer la ceinture ou perdre ses culottes, tabaslac !

Il continuait de défendre Lévesque avec fougue, mais en vain. Son ardeur faisait ricaner, le petit professeur à lunettes le traita de naïf et de myope, tout le monde souhaitait des élections au plus vite pour qu'on jette dehors ce gouvernement usé. Charles prit le parti de Fernand, mais à tout instant il jetait un coup d'œil à sa montre. Finalement, il se leva et demanda à Fernand de l'excuser : un rendez-vous l'obligeait à partir.

— Je m'en vais avec toi, répondit le quincaillier, soudain dégoûté de la discussion. Bonsoir, les amis ! Bonne nuit à tout le monde ! Et un beau petit Bourassa dans votre bas de Noël !

Il avançait à grandes enjambées sur le trottoir, marmonnant d'un air furieux.

— Si on ne voit pas à nos intérêts, lança-t-il, qui le fera ? Sûrement pas les Anglais !

Il s'arrêta tout à coup et se mit à chanter :

Attends-moi, 'tit gars,
Tu vas tomber si j'suis pas là.
Le plaisir de l'un,
C'est d'voir l'autre se casser le cou !

Le couplet de Félix Leclerc sembla le remettre de bonne humeur. Il fit une grimace, esquissa un pas de danse puis, donnant une tape sur l'épaule de Charles, reprit sa marche. Ils tournèrent bientôt sur la rue Dufresne.

— Tu t'en vas chez toi ? demanda-t-il en s'arrêtant devant sa maison.

— Oui, il faut que j'écrive. Et j'ai de la vaisselle à laver.

— Alors, à demain matin à la quincaillerie, huit heures ?

— Huit heures.

Les deux hommes échangèrent une poignée de main, puis restèrent debout l'un en face de l'autre, émus tout à coup, sentant qu'ils avaient autre chose à se dire, mais incapables de trouver les mots. Malgré son sourire bonhomme et la façon qu'il avait de tenir haut la tête, comme s'il allait prononcer un discours devant une multitude, le quincaillier parut soudain à Charles vieilli et fatigué, et le sinistre épisode de sa tentative de suicide revint à l'esprit du garçon.

— Tu sais, Fernand, lui dit-il dans un brusque élan d'affection, en lui prenant le bras, je n'ai peut-être pas eu de père, mais toi, tu en vaux deux.

Le quincaillier sursauta, puis se mit à glousser de contentement, les joues toutes rouges.

— C'est gentil de me dire ça, mon Charlot. Ça récompense bien des efforts. Mais Lucie en a fait beaucoup plus que moi. Si ce n'avait pas été d'elle...

— Lucie, je sauterais dans le feu pour la sauver. Va le lui dire. Va le lui dire tout de suite, Fernand! C'est grâce à vous deux si je suis encore vivant. Oui! oui! ça, j'en suis sûr, aussi sûr qu'un chien est un chien et Trudeau un trou de cul!

Fafard, enchanté par la comparaison, se mit à secouer affectueusement Charles par les épaules. Soudain, un sourire gouailleur retroussa le coin de ses lèvres:

— Hé! as-tu pensé à ça? Dans la vie, tout peut arriver: en plus d'être ton père, je pourrais devenir autre chose, on ne sait jamais... ton beau-père, par exemple...

Il éclata de rire et se remit à secouer Charles de plus belle; ce dernier riait aussi, mais sa gaieté paraissait forcée, comme si les paroles de son père adoptif l'avaient embarrassé. Fafard s'en aperçut et le lâcha. Charles lui serra la main et partit.

— Gros moulin à rien dire, tu parleras toujours trop, soupira Fafard en entrant chez lui, sa fatigue revenue soudain en force. Je ne me corrigerai jamais, batinse! Chaque fois que je vois un gâteau, il faut que je mette mon gros doigt dedans!

— Et alors? s'enquit Lucie, inquiète, en apparaissant dans le corridor. Comment ça s'est passé?

— Très bien. T'avais eu une bonne idée. J'ai tiré les choses au clair. Il m'a l'air tout à fait sérieux avec Céline. Le contraire m'aurait surpris, d'ailleurs, mais mieux valait s'en assurer, comme tu dis. Il n'y a qu'à la fin que je suis peut-être allé trop loin.

— Que veux-tu dire?

Il plissa le front et battit l'air de sa large main.

— Une autre fois, veux-tu? Pour l'instant, j'ai besoin d'un bon bain chaud.

4

Charles filait en métro vers le nord de la ville, envoyé chez un fournisseur par Fernand, et venait de refermer en bâillant *Le Rouge et le Noir*, incapable de se concentrer sur sa lecture, l'esprit embrouillé par le manque de sommeil, lorsque son regard tomba sur une page de *La Presse* qu'un voyageur lisait devant lui. Une grande photo de Brigitte Loiseau, souriante et plus jolie que jamais, en occupait le centre, surmontée du titre suivant :

LE CINÉMA NOUS RÉVÈLE UNE GRANDE COMÉDIENNE

Il descendit en toute hâte à la station suivante pour acheter le journal et lut l'article deux fois de suite, debout devant le kiosque, des battements aux tempes, la bouche remplie d'une salive acide, avec une étrange envie de pleurer. Elle avait donc vaincu ses noirs démons et allait enfin donner toute sa mesure ! Pour une fois, cette odieuse loi de la gravité qui attire tant d'êtres vers le bas à mesure qu'ils vieillissent ne s'exercerait pas ! Plutôt que de s'enfoncer dans une boue empoisonnée, l'Ange blond montait, lui, nettoyé de ses souillures, il allait bientôt planer au-dessus de toutes les têtes pour qu'on admire sa beauté ! Un sentiment de joie et de fierté envahit Charles, lui mouillant les yeux. Car il avait joué dans cette victoire un rôle décisif. C'était un peu sa victoire à lui aussi !

Le soir même, il se rendit avec Céline au cinéma Le Parisien voir *Julie Martin, caissière*. Pendant le souper, un commentateur à la télé avait dit grand bien de cette comédie sentimentale pleine de pittoresque et d'esprit, et encore plus de Brigitte Loiseau, qui tenait le rôle principal. Fraîcheur, vivacité, humour, justesse de ton, tels avaient été ses mots. Charles trouva la comédienne éblouissante et Céline ne fut pas loin de partager l'ardeur de son enthousiasme, mais fit remarquer que son jeu faisait parfois un peu vulgaire.

— Mais c'est son rôle qui le veut ainsi, répliqua Charles.

— Son rôle? On peut jouer les gens ordinaires sans avoir l'air de vouloir coucher avec le premier dindon qui se présente, voyons!

— Mais elle ne voulait pas coucher avec le premier dindon qui se présente. Sinon, elle l'aurait fait.

Il abandonna la discussion, qui menaçait de tourner à l'aigre. La hargne soudaine de sa petite amie l'étonnait : encore un peu, et elle aurait dit que le film ne valait rien et que toute la faute en incombait à Brigitte Loiseau.

Il retourna voir *Julie Martin, caissière* le surlendemain avec Blonblon et Isabel; ces derniers rirent aux éclats et sortirent du cinéma tout émoustillés.

— Dans une semaine, prédit Blonblon, tout le monde va la connaître, ta Brigitte. Bientôt, on ne pourra pas allumer la télévision sans la voir apparaître. Elle est lancée, quoi!

— Lancée? *Projetée!* corrigea Isabel dans son français parfois étrange. Et grâce à toi, Charlot! Elle te doit beaucoup, cette femme... Elle te doit tout!

Charles souriait, rempli d'aise et de fierté, et travaillé par le désir d'aller trouver la comédienne pour lui révéler le rôle si important qu'il avait joué un jour dans sa vie.

Il ne fallait pas être un bien grand prophète pour parler comme l'avait fait Blonblon. Trois jours plus tard, *Julie Martin, caissière* fracassait les records d'entrées et la jeune actrice faisait la une des journaux; quelque temps plus tard, Brigitte Loiseau signait un contrat avec le réseau TVA pour un rôle important dans un téléroman écrit par le prestigieux Guy Fournier. Elle n'avait plus qu'à travailler très fort et à vivre sagement, son talent ferait sans doute le reste, du moins pendant quelques années.

◆

Charles apprit à déterminer d'un simple coup d'œil la taille d'une vis ou d'un clou; il apprit les vertus respectives du calfeutrage au silicone et au thermoplastique, de la peinture à l'huile et de la peinture au latex; il sut vanter l'efficacité d'un tournevis à pile, la durabilité d'une perceuse électrique haut de gamme comparée à sa modeste sœur de qualité courante. À force d'écouter Fernand, il se mit à donner lui aussi des conseils au bricoleur embêté par la pose d'un linoléum, à la ménagère terrifiée par la flammèche qui venait de jaillir d'une prise de courant, au vieux monsieur tout surpris de ne pas trouver la pièce de rechange pour une lampe achetée cinquante ans plus tôt; son travail à l'atelier de Blonblon lui fut alors d'un grand secours; il écoutait avec attention les commentaires des menuisiers, des plombiers et des électriciens du voisinage venus s'approvisionner au magasin et devint peu à peu comme un ouvrage de référence; il arriva même à pressentir le moment où l'offre d'un léger escompte pouvait déclencher une vente, où trop d'insistance pouvait la faire échouer, et développa une patience de moine pour les questions idiotes, les descriptions oiseuses, les remarques usées et les commentaires scandalisés sur la cherté de la marchandise.

Fernand et Lucie s'étonnaient de sa débrouillardise et de sa finesse, et ne lui ménageaient pas les compliments. Henri, pris par ses études, ne travaillait à la quincaillerie que le samedi, à l'occasion, quand on avait besoin de lui. Il n'avait jamais pensé que fort vaguement à succéder à son père, mais la faveur dont jouissait Charles éveilla sa jalousie; l'héritier se sentit menacé. À la grande satisfaction de son père, il se mit à venir plus souvent au magasin, montrant un zèle nouveau dont la cause, toutefois, devint rapidement apparente et les effets de plus en plus désagréables. Henri critiquait son prétendu rival à la moindre erreur, lui piquait ses clients, le contredisait en public, souvent à tort, et Lucie dut trouver des astuces pour que les deux garçons travaillent le moins souvent possible ensemble.

Charles se souciait assez peu des petites méchancetés de son compagnon; son esprit était à la littérature et non à la quincaillerie. En voyant en lui un rival, Henri s'infligeait des souffrances bien inutiles, car, dans ce combat, il n'y avait qu'un seul combattant.

Charles faisait ses demi-journées consciencieusement et même avec plaisir, mais à une heure, quand il passait la porte, il envoyait promener vis, clous, truelles et perceuses, et filait tout droit chez lui, redevenu écrivain. Après avoir mangé à la hâte un sandwich ou un Dîner Kraft, il s'installait à sa machine à écrire, une tasse de café posée près de lui sur un petit réchaud électrique (cadeau de Céline), et bûchait son roman.

Quelques heures passaient ainsi. Le manuscrit s'épaississait quotidiennement de quatre ou cinq pages, écrites à toute vitesse, sans aucun souci de la forme, de la syntaxe ni de l'orthographe, de façon à préserver toute la chaleur de l'inspiration, selon la méthode de Stendhal, dont on disait qu'il écrivait divinement mal, une critique que Charles aurait bien aimé qu'on lui fît. Puis, vers cinq heures, son estomac commençait à gargouiller; il sentait le besoin de retirer cette espèce de casque de plomb dont finissent par nous coiffer les longues séances d'écriture solitaires et quittait sa bulle, un peu hébété, pour reprendre pied dans la vraie vie; il lui fallait alors du bruit, de la compagnie, de l'agitation – ou, mieux encore, Céline toute nue dans son lit. Mais, avant de s'éloigner de sa table de travail, il parcourait amoureusement les feuillets fraîchement écrits. Dire que tous ces mots venaient de lui et de personne d'autre! que tous ces personnages qui s'agitaient à qui mieux mieux, cherchant fiévreusement le bonheur, n'auraient jamais quitté la noirceur glaciale du néant s'il n'avait décidé de les faire surgir du clavier de sa machine à écrire! Une vague de plaisir montait alors en lui. Puis une faute, une balourdise, une expression creuse ou banale lui sautait aux yeux, il griffonnait une ou deux corrections et rejetait bien vite le manuscrit sur sa table. Demain, demain! Il fallait à présent manger, s'amuser, vivre.

Alors, il se préparait une omelette ou des spaghettis, terminait son repas par quelques petits gâteaux Vachon arrosés d'un verre de lait et quittait son appartement pour se rendre à une cabine téléphonique au coin de la rue. Céline avait beau être follement amoureuse de lui, elle n'en restait pas moins une élève studieuse et ne pouvait aller le rejoindre chaque soir. Ses parents s'y seraient d'ailleurs opposés. Alors il appelait Steve ou Blonblon pour leur proposer d'aller au cinéma, à la taverne ou dans une salle de billard. Et, en revenant chez lui, vers onze heures, il se remettait parfois à son roman et filait jusqu'au milieu de la nuit. Les levers au petit matin en devenaient parfois pénibles, mais la fatigue s'évaporait bientôt dans le feu du travail.

L'automne puis l'hiver s'écoulèrent ainsi. Il avait trouvé une sorte d'équilibre. Son manuscrit grossissait un peu plus chaque jour, son amour flamboyait avec une ardeur qui paraissait inépuisable, il gagnait peu d'argent, mais la vie modeste qu'il était forcé de mener le rendait heureux. L'indépendance qu'elle lui procurait valait bien des sacrifices, déclarait-il. Qu'importaient les maigres déjeuners à la bouillie de gruau, la télé noir et blanc aux images sautillantes qui crachotait ses dialogues, les sorties dans la nuit glacée, un bidon dans chaque main, afin d'aller chercher du mazout pour la fournaise qui menaçait de s'éteindre, les fruits et légumes à rabais de l'épicier du coin, les ressorts du vieux canapé si cruels pour les fesses, qu'importait tout cela quand on pouvait *vivre à sa guise*? La Liberté, ça souffle un merveilleux vent au cerveau, qui se met alors à crépiter comme un feu de camp, pris d'un goût de révolution, tandis que la Noirceur imbécile recule, effrayée, devant l'assaut des flammes joyeuses.

5

Steve avait quitté Pointe-Saint-Charles pour revenir dans le quartier; il fréquentait à présent le cégep du Vieux-Montréal avec Blonblon. Ce déménagement était pour lui une affaire banale, sa mère vivant, comme il disait, sur des roulettes : une année, elle avait changé trois fois d'appartement! Charles le revoyait donc aussi fréquemment qu'autrefois. Son retour dans les parages l'avait réjoui, mais, en même temps, lui avait fait prendre conscience d'une chose embêtante qui l'agaçait de plus en plus.

C'était la coupure.

Charles ne vivait plus la vie de ses copains. En quittant l'école, il avait choisi de devenir un travailleur avant le temps, d'adopter un rythme différent du leur, de changer de monde, en quelque sorte. Au début, il n'avait pas prêté d'attention particulière à cette situation. Mais il n'en allait plus de même à présent.

Malgré tous ses efforts, la distance entre eux et lui ne cessait de grandir. Il ne connaissait pas leurs professeurs, non plus que la plupart de leurs camarades ; il ne partageait plus ni leur insouciance ni leurs inquiétudes ; bien des allusions à présent lui échappaient ; à certains moments, ils lui apparaissaient même comme des étrangers. Sans l'écriture, il aurait fini par se sentir déclassé.

Mais, heureusement, il y avait l'écriture. Elle lui apportait un certain prestige, même si, à part Céline, personne n'avait mis le nez dans son manuscrit (il refusait par vanité de faire lire ses brouillons). Steve Lachapelle, par plaisanterie, l'appelait parfois L'Écriveur, mais on percevait dans ce surnom, sous la grimace et le ton moqueur, comme une marque de respect. Un jour, il avoua à Charles que l'idée même d'avoir à écrire un texte de plus de trois pages sans pouvoir copier lui causait une crampe dans le bas-ventre et l'empêchait de respirer.

Blonblon, lui, s'intéressait beaucoup à l'entreprise de son ami, s'informant à chaque rencontre des progrès du fameux roman. Depuis quelques années, sous l'influence de Charles, il s'était mis à lire, mais sans la même passion que lui. Isabel admirait les écrivains ; elle affirmait qu'au Chili il fallait beaucoup de courage pour exercer ce métier et racontait que, petite fille, elle en avait vu un une fois se faire rouer de coups dans un café par des policiers déguisés en voyous. À ses yeux, Charles avait quelque chose d'héroïque. Céline considérait Charles ni plus ni moins comme un génie. Ce dernier, modeste, rejetait ce compliment, mais s'y montrait sensible.

Le dimanche soir, il avait pris l'habitude d'aller souper chez Fernand et Lucie, puis se rendait ensuite avec Céline prendre le dessert chez les Michaud, où Amélie, dérogeant aux règles d'une saine alimentation, les gavait de pâtisseries. Ce fut à l'une de ces occasions que Charles trouva le courage de montrer au notaire le premier chapitre de son roman.

Parfait Michaud se retira dans son bureau pour le lire, puis reparut au bout d'une demi-heure avec un sourire quelque peu embarrassé :

— Je refuse de me prononcer, il est encore trop tôt. Quinze pages ne suffisent pas pour se former un jugement solide. Mais je ne serais pas surpris, mon Charles, que tu aies du talent.

Le jeune homme dut se contenter de cette réponse ambiguë, pleine de portes de sortie, et s'efforça de la trouver encourageante. Mais il ne montra plus jamais une ligne au notaire.

Le 14 juillet 1985, il termina une première version de *La Sombre Nuit* (c'était un titre provisoire) et se lança aussitôt dans la révision du manuscrit. Ce travail lui prit quatre mois. Il le trouva exténuant. En corrigeant une faute ou une impropriété, en éliminant une redite ou un cliché, il en découvrait trois, cinq, dix autres du genre. À force d'être manié, son dictionnaire avait pris la couleur d'un vieux linge à vaisselle et la tranche était marquée d'une grande tache grisâtre. Des passages de son roman dont une première lecture l'avait rempli de fierté lui paraissaient à présent fades ou même ridicules. Certains jours, le découragement lui sciait les bras. Il jetait alors son texte dans un coin et partait pour de longues promenades dans la ville, se demandant quelle folie l'avait pris de se lancer dans une aussi cruelle entreprise.

D'autres fois, le vent tournait. En parcourant son texte, il avait tout à coup le sentiment de n'en avoir jamais lu d'aussi beau. Il entendait presque les acclamations de ses futurs et innombrables lecteurs. Thibodeau rimait alors avec Hugo. Il voyait sa photo en première page du *Devoir*, de *La Presse*, du *Journal de Montréal* et même de la très anglo-montréalaise *Gazette*. Se promener dans la rue devenait une opération assez fatigante à cause de tous ces regards posés sur lui, des autographes à signer, des compliments à recevoir avec une souriante modestie. Mais ces moments, hélas ! étaient bien rares. Le plus souvent, il se sentait comme un honnête tâcheron essayant de faire de la bonne ouvrage. Le mur montait lentement, brique après brique, sous la contrainte impitoyable du fil à plomb, tandis que le soleil lui cuisait la nuque.

Ah ! s'il avait pu mettre la main sur ce Macintosh 512 K qu'il avait vu annoncé dans le journal ! Au cours d'une entrevue télévisée, un célèbre écrivain montréalais venait de déclarer que l'ordinateur avait transformé sa vie, diminuant son travail de moitié, donnant plus de fluidité et de brillant à son style et favorisant une meilleure *conscientisation* de son texte. Mais le Mac 512 K avec son imprimante à aiguilles coûtait plus de trois mille dollars ! Aussi bien rêver à une partie de plaisir sur la Côte d'Azur !

Dans l'après-midi du 20 novembre, par un début de tempête de neige qui jetait un voile gris sur les rues et dévorait le peu de lumière qu'un soleil cafardeux laissait tomber sur la ville, il se rendit à une imprimerie, rue Masson, et en ressortit une heure plus tard, l'air solennel, avec quatre photocopies de *La Sombre Nuit* enveloppées proprement dans un sac de polythène. Il en destinait trois aux amis pour obtenir leurs commentaires (en espérant que ceux-ci seraient louangeurs), la quatrième allait être acheminée aux Éditions Courtelongues, où Charles rêvait de se faire publier aux côtés de Michel Lemay et d'Antoinette Mailhot. L'opération venait de lui coûter quarante-trois dollars et quarante sous, ce qui allait le forcer à se priver de cinéma et de bière pendant plusieurs semaines et à se rabattre sur les films à la télé et sur la générosité de ses copains.

Le manuscrit comptait deux cent dix-sept pages dactylographiées à double interligne. C'était, de loin, le travail le plus difficile et le plus absorbant qu'il eut accompli de toute sa vie. Il y avait mis le meilleur de lui-même et ses attentes étaient en proportion. Les pages mises bout à bout auraient formé un tracé d'environ soixante mètres, soit la longueur de six cent soixante-six cigarettes. Chaque ligne lui avait coûté un effort considérable; certains passages l'avaient amené au bord du désespoir. Il avait dû récrire cinq fois le chapitre huit, qui contenait une scène d'amour presque impossible à rendre.

Son expérience de lecteur lui avait fait comprendre l'importance d'un bon début; un roman qui n'arrivait pas à retenir aussitôt l'attention du lecteur risquait le naufrage. Cette perspective lui faisait courir des frissons dans le dos. Il avait refait son début sept fois! En voici trois versions:

La nuit tombait sur Montréal. Étalée sur son île, la métropole lançait au ciel ses lueurs jaunâtres comme une réponse à celles des étoiles. L'assoupissement gagnait peu à peu les quartiers que parcourait un vent d'octobre humide et presque froid. Seul le centre-ville conservait encore une certaine animation. Rue Papineau, non loin de Sherbrooke, au sixième étage d'un édifice qui en comptait douze, un homme penché à une fenêtre observait à l'aide d'une puissante longue-vue une scène qui se déroulait dans le parc La Fontaine.

- -

— Chut! Laisse-moi, je t'en prie! Éteins la lumière!
Penché à la fenêtre, Robert Cormier, armé d'une longue-vue, observait quelque chose en bas de l'édifice.

— Est-ce que ce sont eux? demanda la femme d'une voix chargée d'émotion.
— Je crois que oui. Ah! s'il ne faisait pas si sombre... Les voilà qui se dirigent vers un lampadaire. Je... je crois que...
Le téléphone sonna.
— Ne va surtout pas répondre! ordonna Cormier en se tournant à demi.
L'appareil continuait de sonner dans l'appartement obscur où flottait une odeur de cigarette et de whisky.

- -

À cette heure tardive, le parc La Fontaine était désert. Les premiers froids d'octobre avaient commencé à faire tomber les feuilles des arbres. De loin en loin, la lueur d'un lampadaire luttait contre les ombres de la nuit. La jeune femme frissonna, jeta un regard autour d'elle tout en continuant d'avancer, puis s'arrêta près d'un banc. Une faible rumeur s'élevait de la ville à demi assoupie. Elle consulta sa montre et une grimace d'impatience détruisit, l'espace d'un instant, l'harmonie de son beau visage. De nouveau, un frisson la parcourut. Alors le crissement d'un pas sur le gravier retentit. Elle se retourna. Un homme en paletot brun foncé, les mains dans les poches, se dirigeait lentement vers elle.
— Excusez mon retard, murmura-t-il d'une voix dure.
Il s'approcha de la femme et lui fit signe de s'asseoir.
Dans un édifice voisin, quelqu'un, armé d'une longue-vue, observait le couple d'un œil anxieux.

Il avait continué ainsi pendant deux jours, perplexe, insatisfait, de plus en plus fébrile; ces débuts de roman lui paraissaient banals, languissants, ou fades et sans consistance; il cherchait *la note magique*, celle qui envelopperait le lecteur comme dans un filet, le retiendrait prisonnier jusqu'à la fin et poserait son œuvre sur les rails de la grande littérature. Car il sentait que les premières lignes contenaient toute l'œuvre.

Un trac bizarre l'étreignait. Le trac de la première envolée. Tour à tour, deux certitudes opposées s'emparaient de son esprit. Tantôt, il avait le sentiment qu'il n'existait qu'*un seul bon début*. Comment le trouver ? Tantôt il lui apparaissait au contraire qu'il existait *une infinité de bonnes façons de commencer un récit*, mais qu'on ne pouvait, évidemment, en utiliser qu'une seule. Laquelle choisir ?

Après bien des hésitations, il avait opté pour la version suivante :

> Robert Cormier ne se souvenait pas d'avoir vu une nuit d'octobre aussi cafardeuse. Un vent humide et presque froid parcourait Montréal, qui paraissait comme morte. Les arbres presque dénudés du parc La Fontaine ressemblaient à des squelettes. Du sixième étage où il se trouvait, Cormier voyait une forêt de bras dressés misérablement en l'air, qui s'étendait à perte de vue. Soudain, une exclamation lui échappa. Le moment tant attendu venait de se produire. Il saisit sa longue-vue et la dirigea vers le bas.

Il alla poster une copie de son manuscrit aux Éditions Courtelongues. Vers le milieu de l'après-midi, Céline et Blonblon avaient chacun reçu la leur avec la demande expresse de la lire au plus vite, et crayon à la main, afin de débusquer les fautes et d'indiquer leurs commentaires, positifs ou négatifs. Steve, dont la culture littéraire tenait en une douzaine de phrases, certaines qu'il comprenait plus ou moins, devrait attendre que ses amis aient terminé leur lecture pour commencer la sienne. Ce délai ne l'incommoda pas outre mesure.

Charles avait pourtant fait tirer quatre copies de son roman. Il avait destiné la quatrième à une personne exceptionnelle. Le même soir, accompagné de Blonblon, il sonnait à la porte d'un appartement au neuvième étage d'une des Tours Frontenac. Ce fut mademoiselle Laramée, son ancienne institutrice, qui lui ouvrit. Il l'avait appelée la veille pour lui annoncer sa visite, sans spécifier le but.

— Seigneur du bon Dieu ! s'écria-t-elle d'une voix curieusement étouffée, mon petit Charles... tu es devenu un homme ! Mais qu'est-ce que je dis ? Il ne pouvait t'arriver rien d'autre, évidemment ! Et tu es ami avec mon recolleur de porcelaine ? C'est un bon garçon, je le connais. Entrez, entrez, passez au salon, que nous jasions un peu. Attention au tapis, il est porté à glisser. Tu ne peux savoir combien ta visite me fait plaisir, Charles. Je ne t'avais pas oublié, tu sais. Et je dois même t'avouer que je pense souvent à toi.

Charles suivait la vieille femme, un sourire un peu triste aux lèvres. Il avait eu peine d'abord à la reconnaître, tant l'âge l'avait séchée, ridée et rétrécie de toutes parts. Mais cela n'avait duré qu'un instant. Cette netteté dans l'articulation, ce regard vif et décidé, cette habitude instinctive de tout diriger, même dans les circonstances les plus banales, n'appartenaient qu'à Ginette Laramée, institutrice. Il avait maintenant l'impression de la retrouver telle qu'elle avait toujours été, ayant réussi à triompher à sa façon des outrages du temps, comme elle triomphait de presque tout.

Elle s'était préparée à leur visite et apporta du café et des biscuits. Charles dut lui raconter sa vie en détail depuis leur dernière rencontre. Ayant vécu hors du quartier pendant plusieurs années, elle ignorait à peu près tout de ce qui lui était arrivé, mais croyait savoir qu'il avait travaillé quelque temps comme livreur à la pharmacie Lalancette. Charles se troubla un peu et lui confirma que c'était vrai.

— Ça ne nuisait pas à tes études, au moins ?

— Non, non, pas du tout, mademoiselle. J'ai toujours obtenu de bons résultats.

Il se hâta de changer de sujet, embarrassé par le léger sourire de Blonblon. Dix mois plus tôt, lui annonça-t-il fièrement, il avait quitté la maison de ses parents adoptifs et vivait à présent seul en appartement. Et puis, il fréquentait leur fille, Céline Fafard, qu'elle se rappelait sûrement.

— Oui, oui, bien sûr, Céline. C'était une jolie petite fille, très studieuse et avec un solide caractère. Tu me l'amèneras un de ces jours, j'aimerais la revoir.

Elle bombardait son ancien élève de questions, insoucieuse jusqu'à l'impolitesse de la présence de Blonblon qui, heureusement, ne semblait pas s'en formaliser.

— Mais qu'est-ce que tu as apporté avec toi dans ce sac ? lui demanda-t-elle tout à coup en tendant brusquement l'index.

Charles rougit :

— C'est quelque chose pour vous, mademoiselle. Non, non, ce n'est pas vraiment un cadeau, je vous en apporterai un la prochaine fois. C'est...

— Mais je ne veux *pas* de cadeau, mon garçon, l'interrompit-elle, presque offusquée, ta présence me suffit amplement. Quelle idée ! En fait, je déteste les cadeaux.

— Je vous en apporterai un quand même, répondit Charles avec un sourire malicieux.

Blonblon, le nez dans sa tasse, s'amusait ferme.

— Bah ! si ça peut te faire plaisir, grommela la vieille femme en essayant de cacher son émotion. Mais je te défends bien de te lancer dans les dépenses, par exemple ! Ça me fâcherait, tout simplement ! Et alors, reprit-elle en désignant de nouveau le sac, de quoi s'agit-il ? Tu m'intrigues.

— Je viens de terminer un roman, mademoiselle Laramée, annonça Charles avec une grave fierté, et je me demandais si vous pourriez le lire pour me donner votre avis.

Elle le fixait, ébahie :

— Un roman ? J'ai bien entendu ? Tu as écrit un roman ?

Charles fit signe que oui, puis baissa modestement les yeux.

— Ça fait plus d'un an qu'il y travaille, intervint Blonblon. Il s'est donné un mal de chien, le Charlot.

— Et... combien a-t-il de pages, ton roman ?

— Deux cent dix-sept, dactylographiées à double interligne.

— Et retapées trois fois ! précisa Blonblon.

Charles tendit le manuscrit à son ancienne institutrice avec un sourire craintif. Ginette Laramée se mit à tourner les pages, les lunettes sur le bout du nez, la bouche entrouverte en un léger sourire qui exprimait une sorte de surprise effarouchée, comme si on lui avait remis entre les mains un lapin à trois têtes ou une grenouille multicolore. Revenant au début du texte, elle lut les premières lignes en bougeant légèrement les lèvres, secoua la tête avec un petit sourire de satisfaction, puis :

— Ça m'a l'air bien, très bien même... Tu as toujours été fort en français, toi. Je vais commencer à le lire demain matin, avec grand plaisir. Mais, dis-moi...

Elle déposa le manuscrit sur ses genoux, puis hésita une seconde, cherchant ses mots, comme si elle abordait un sujet délicat :

— ... pourquoi as-tu écrit ce roman, Charles ?

— Parce que je veux devenir écrivain.

— Il ne pense qu'à ça, confirma Blonblon. Ça ne lui sort pas de la caboche. Il en est presque devenu achalant.

Ginette Laramée avait dressé la tête comme une autruche qui vient de voir surgir un autobus. Elle fronça les sourcils, pinça les lèvres et, d'une voix un peu rêche :

— Écrivain ? Voyons, Charles, ce n'est pas un métier, ça, c'est un passe-temps. Tu vas crever de faim, pauvre enfant.

— C'est ce qu'on lui dit, appuya Blonblon. Mais il ne veut rien comprendre.

— Michel Tremblay en vit bien, lui, objecta Charles.

— Oui, bien sûr, du moins à ce qu'on raconte. Mais c'est à peu près le seul. Et puis, il écrit surtout des pièces de théâtre, Charles, ça rapporte beaucoup plus, dit-on. Sans compter qu'il n'a pas de famille à faire vivre. Tu ne veux pas d'enfants, plus tard ?

— Je ne sais pas.

— J'aurais bien aimé en avoir, moi, soupira l'ancienne institutrice, mais la vie ne me l'a pas permis... Enfin, tu as bien le temps d'y penser, à ça et à bien d'autres choses, ajouta-t-elle devant l'expression contrariée du jeune homme. Je ne voudrais surtout pas te décourager, car il n'y a rien de plus beau que d'écrire des livres, ça, je l'ai toujours dit et je le répète encore. Je te promets de lire ton roman jusqu'au bout et de te donner mon avis. Mais tu me connais, Charles : je ne te ménagerai pas.

— C'est ce que je veux, répondit ce dernier en se levant, imité par Blonblon, et il lui tendit la main, jugeant que le moment était venu de partir, et presque heureux de le faire.

◈

C'est un peu le même sentiment d'admiration effarouchée qui s'empara de Fernand Fafard lorsqu'il prit connaissance en cachette, quelques jours plus tard, du manuscrit de Charles, que Céline avait oublié sur son bureau parmi des manuels scolaires. Grand lecteur de journaux et de magazines, il n'avait lu que deux romans dans toute sa vie et ce, durant une semaine de vacances au bord de la mer passée à Ogunquit, dix ans plus tôt : *Bonjour, tristesse*, de Françoise Sagan, et *La Maudite*, de Guy des Cars. L'impression de ces lectures s'était irrémédiablement mêlée dans son esprit à la chaleur de fournaise qui régnait sur la plage et au tapage cataclysmique de marteaux-piqueurs occupés à la démolition d'un trottoir non loin de son hôtel. Ses incursions en littérature en avaient été stoppées à tout jamais.

— Ouais, ouais, murmura-t-il après avoir lu quelques pages, il a le tour d'aligner les mots, celui-là. On voit tout de suite qu'il a ça dans la peau ; quand il écrit, ses lectures lui reviennent en tête, avec les expressions, les bonnes phrases et tous les mots qu'il faut...

Il n'osa poursuivre sa lecture, de peur d'être déçu. Lucie se montra à la fois plus curieuse et plus franche et demanda à Charles de lui prêter *La Sombre Nuit*, qu'elle lut jusqu'au bout.

— Il a du talent, assura-t-elle à son mari, plus de talent que nous deux ensemble, multiplié par cent. Son histoire est solide, on ne perd jamais le fil et il nous tient en haleine jusqu'à la fin – ou presque. Par contre, le personnage de la petite danseuse me tombe sur les nerfs, mais ça, c'est moi, je n'ai jamais aimé les poupounes.

— Est-ce que tu penses vraiment que c'est un... écrivain ? demanda le quincaillier, tout déconcerté.

— Comment le savoir ? On verra bien.

À partir de ce jour, Charles put quitter la quincaillerie à midi plutôt qu'à une heure, sans que son salaire en fût affecté. Céline et Blonblon se montrèrent encourageants ; ils trouvaient que

« son histoire ne manquait pas d'action », qu'elle « faisait vrai », que c'était fort amusant de voir évoluer les personnages « dans des vrais lieux qu'on connaissait », que Robert Cormier, le personnage principal, était « sympa et courageux ». Mais un peu « niaiseux », avait ajouté Steve Lachapelle, après avoir finalement réussi à lire *La Sombre Nuit* jusqu'au bout, ce qui constituait en soi un hommage et une grande preuve d'amitié.

Des hauteurs redoutables du professorat était enfin tombé le verdict de mademoiselle Laramée, favorable lui aussi. Charles l'avait écouté chez elle devant un morceau de gâteau au chocolat, confectionné spécialement pour lui ; l'ancienne institutrice avait débusqué une centaine de fautes d'orthographe et de ponctuation ; c'était bien peu pour un texte aussi long ; le récit présentait quelques longueurs et certaines scènes de violence lui avaient fortement déplu, « mais il ne faut pas s'attendre, avait-elle aussitôt ajouté, à ce qu'une vieille femme comme moi aime les choses à la mode ».

Sur une échelle de un à dix, elle plaçait *La Sombre Nuit* à sept et demi. Compte tenu qu'il s'agissait d'un premier roman, Charles avait accompli un véritable exploit ; elle lui serra longuement les mains avec force encouragements. Mais Charles se demanda si l'affection qu'elle lui portait n'altérait pas un peu son jugement.

Cependant l'autorité suprême en la matière – les Éditions Courtelongues – gardait un mutisme total qui, avec le passage des semaines, puis des mois, devint exaspérant. Charles, à l'exemple du si fécond Balzac, s'était néanmoins mis à l'écriture d'un deuxième roman d'aventures ; l'action se déroulait cette fois dans les forêts de l'Abitibi. Comme il n'y avait jamais mis les pieds, Charles s'inspirait de ses nombreuses lectures de Jack London. Mais son travail avançait bien lentement, comme si le sort de ce deuxième roman dépendait de celui du premier.

À trois reprises, il avait téléphoné chez l'éditeur pour savoir où en était l'évaluation de son manuscrit, et chaque fois on lui avait répondu que le comité de lecture croulait sous le travail, mais que la décision s'en venait. À son quatrième appel, il lui fut annoncé que le directeur littéraire, monsieur L'Archevêque, se trouvait en Europe ; à son retour deux semaines plus tard, il communiquerait sans faute avec lui, par la poste ou d'une autre façon. À son cinquième, monsieur L'Archevêque se trouvait en conférence et il sembla à Charles, dans tous ses appels subséquents, que ce fût là désormais sa seule occupation.

Le 22 mars 1986, à trois heures dix de l'après-midi, toujours sans nouvelles, Charles enfila bottes et manteau et se rendit au restaurant du coin téléphoner encore une fois au si débordé directeur littéraire. On lui refit la même réponse. Alors, avec la détermination de celui qui n'a plus rien à perdre, il sauta dans un taxi – dépense somptuaire inspirée par la rage – et se présenta douze minutes plus tard au siège social des Éditions Courtelongues, rue Laurier à Outremont. Mais lorsqu'il arriva à la réception, la vue des boiseries sombres, du haut plafond et de l'épaisse moquette lie-de-vin l'intimida soudain, lui faisant prendre conscience de l'audace de son geste ; au fond de la pièce, derrière un large bureau, s'affairait une jeune femme qui semblait s'être échappée d'une revue de mode.

Il s'arrêta, perplexe.

— Monsieur ? fit la réceptionniste avec un sourire poli.

Il était trop tard. Comment reculer devant une femme aussi jolie, dont l'œil perspicace vous jaugeait avec la froide précision d'un instrument de laboratoire ?

Il s'avança :

— Je voudrais parler à monsieur L'Archevêque.

— Désolé, monsieur L'Archevêque est en conférence.

— Ça, je le sais.

La femme le regarda, un peu étonnée, puis :
— Il ne peut pas vous recevoir. Il est occupé.
— Alors, je vais attendre.
Et il prit place dans un fauteuil de cuir en face d'elle.
— Monsieur L'Archevêque ne pourra pas vous recevoir cet après-midi, monsieur, reprit l'employée avec un flegme acide, il a des rendez-vous jusqu'à six heures.
— Alors je le verrai après six heures. J'ai tout mon temps.
Elle fixa un moment un tas de paperasse sur le bureau, décontenancée, puis esquissa un geste indécis vers son téléphone. Charles exultait. Le mur massif contre lequel il butait depuis des mois commençait à se fissurer. Encore quelques coups et une brèche s'ouvrirait.
— Votre nom, monsieur? demanda enfin la jeune femme, glaciale et pincée.
Charles se nomma et dit l'objet de sa visite. La demoiselle s'éloigna dans un corridor qui s'ouvrait au fond de la pièce et frappa à une porte. Un court conciliabule suivit. Il y eut une exclamation étouffée. De petits points brillants se mirent à voltiger en clignotant devant les yeux de Charles. Le trac sapait son courage. Il prit une profonde respiration. Les points disparurent. La réceptionniste se tenait devant lui :
— Monsieur L'Archevêque ne peut absolument pas vous voir aujourd'hui. Il vous demande de lui téléphoner la semaine prochaine.
— Jamais de la vie! répondit Charles en bondissant sur ses pieds. J'ai assez attendu comme ça!
Et avant même que la jeune femme ne réalise ce qui se passait, il frappait à la porte du directeur littéraire, entrait dans son bureau et se plantait devant lui. Un homme à l'abondante chevelure blonde, aux traits un peu séchés d'ancien jeune beau, l'air précieux, portant fines lunettes et cravate de soie, le

regardait, la bouche entrouverte, une plume à la main et la main suspendue au-dessus d'une feuille, dans un état de surprise ennuyée où semblait percer de l'amusement :

— Qu'est-ce qui se passe ? demanda-t-il en se rejetant dans son fauteuil.

« Pas de chance ! se dit Charles. Je tombe sur un Français ! »

— Monsieur, répondit-il, rouge jusqu'à l'intérieur des oreilles et la voix tremblante mais remplie d'une indignation qui lui soulevait les talons et donnait à ses yeux une fixité d'hypnotiseur, excusez-moi de vous déranger, mais je vous ai fait parvenir il y a aujourd'hui quatre mois un manuscrit de roman qui m'a demandé plus d'un an de travail, monsieur, et jamais personne ne m'en a donné de nouvelles et pourtant j'ai essayé au moins trente fois de vous parler au téléphone, mais impossible, monsieur, alors, moi – excusez l'expression, mais ça me sort comme ça –, je commence à avoir mon maudit voyage ! Je ne traiterais pas mon chien comme vous me traitez, monsieur ! Je suis tanné de me faire niaiser ! Si vous n'aimez pas ce que je fais, ayez au moins la politesse de me le dire et rendez-moi mon manuscrit, que j'aille voir ailleurs. Vous me faites perdre mon temps, monsieur, et vous me mettez les nerfs en boule !

Il s'arrêta, fulminant, essoufflé, à court d'idées, saisi d'une violente envie de quitter la pièce en coup de vent, mais, d'un geste affable, le directeur littéraire, qui semblait avoir pris un certain plaisir à sa diatribe, l'invita à s'asseoir.

— Quel est le titre de votre manuscrit, monsieur Thibodeau ?

La voix, chantante et un peu traînante, n'était pas celle d'un homme capable de grandes colères. C'était celle d'un homme mondain et charmant, futé et sans doute retors, vaniteux et susceptible, habitué à écouter les gens et à cacher ses sentiments profonds.

— *La Sombre Nuit*, répondit Charles, surpris et brusquement calmé.

— Hum, fit l'autre avec une légère grimace. Pas fameux comme titre.

Et, ouvrant un classeur, il se mit à fouiller dedans.

— Vous trouvez ?

— Banal. Utilisé mille fois. Ah ! Le voici.

Et il exhiba un gros cahier à spirale dont la vue causa à Charles un mouvement d'entrailles.

Jean-Philippe L'Archevêque ouvrit le manuscrit, s'empara d'une feuille glissée à l'intérieur, ajusta ses lunettes avec un léger mouvement du pouce, puis, après s'être absorbé quelques instants dans la lecture :

— Mon comité me l'a fait parvenir il y a trois jours. Avis partagés. Deux contre, un pour. Dans le meilleur des cas, réécriture complète, je suppose.

— Réécriture complète ? murmura Charles dans un souffle horrifié.

L'autre se mit à rire :

— Quel âge avez-vous, monsieur Thibodeau ?

— Dix-neuf ans.

— Et vous pensez qu'à dix-neuf ans on peut, comme ça, du premier coup... Non, croyez-moi, ce sont des choses qui ne se produisent presque jamais. Deux ou trois fois par siècle, tout au plus, et ça n'est jamais arrivé au Québec, si on excepte peut-être le cas de Nelligan, quoique à mon avis... De toute façon, je n'ai pas encore eu le temps de lire votre manuscrit, je ne peux donc pas vous en parler. J'avais justement l'intention de m'y mettre vers la fin de l'après-midi, mais votre visite-surprise me fait perdre du temps, mon pauvre ami, et je ne peux quand même pas en fabriquer !

— Excusez-moi, fit Charles, contrit et rougissant de nouveau.

— Non, non ! votre audace m'a plu… Les jeunes manquent tellement d'audace, de nos jours… Ce n'est sûrement pas votre cas ! Mais comprenez-moi bien : *audace ne signifie pas talent*, ça n'a rien à voir, mais pas du tout… L'audace peut aider, elle est même *nécessaire* à la création, mais je connais des écrivains qui en ont à revendre – et qui sont de pures nullités !

Charles sourit :

— J'espère que ce n'est pas mon cas.

— Nous verrons, nous verrons…

Et Jean-Philippe L'Archevêque recula légèrement son fauteuil en serrant un peu les lèvres pour indiquer que leur entretien était terminé.

6

Charles retourna chez lui guère plus rassuré qu'avant. Il avait eu au moins la satisfaction de se vider le cœur et de parler quelques minutes avec un membre influent de l'institution littéraire. Cinq jours passèrent. Monsieur L'Archevêque ne donnait aucun signe de vie. Qu'arrivait-il de *La Sombre Nuit ?* En avait-il lu ne serait-ce que deux pages ? Peut-être le roman avait-il terminé sa carrière dans le fond d'une corbeille à papier ? Malgré son impatience rageuse, Charles n'osait téléphoner chez l'éditeur et encore moins s'y rendre, sentant que le coup de tête qui lui avait réussi une première fois ne lui porterait pas bonheur la seconde.

À quelques jours de là, il lut dans *L'Actualité* un reportage sur la faune littéraire et artistique de Montréal. On y décrivait les usages, codes secrets, croyances et dogmes de l'auguste confrérie, les lieux de rencontre qu'elle affectionnait, etc. On citait quelques-uns de ses pittoresques représentants, dont certains prenaient plaisir à choquer la ménagère et à ébouriffer le père de famille. Charles voulut observer de près le milieu dans l'espoir – sait-on jamais ? – de s'y mêler et d'établir des contacts qui pourraient l'aider dans sa carrière.

Il passa une soirée successivement à L'Express, au Café Cherrier et à la Casa espagnole, tenue par l'illustre Pedro Robio, y dépensant respectivement les sommes exorbitantes de onze dollars quarante-cinq, dix dollars vingt-deux et neuf dollars trente-six. Attablé devant un cappuccino (le premier de sa vie !), il put entendre à L'Express deux reparties brillantes de Jacques Godbout, attablé lui-même devant une assiette de foie de veau en compagnie d'un grand blond souriant à lunettes épaisses et à l'accent français qui semblait être son éditeur. Mais, comme le sujet de leur conversation lui échappait, une bonne partie du sel de sa pensée fit de même.

Au Café Cherrier, un homme dans la cinquantaine à la voix de tonnerre et au rire apocalyptique discourait devant un groupe de jeunes suspendus à ses lèvres ; un voisin de table apprit à Charles qu'il s'agissait du grand poète Gaston Miron, militant indépendantiste. Se rappelant avoir vu son livre, *L'Homme rapaillé*, chez le notaire Michaud, qui le tenait pour un chef-d'œuvre, Charles se mit à l'écouter, impressionné ; il fut tenté un moment de se joindre au groupe, mais il n'osa pas et continua de siroter son verre de blanc tout seul dans son coin.

Un peu abattu par ces deux soirées solitaires, il réussit à convaincre Blonblon de l'accompagner le lendemain à la Casa espagnole. Ils s'y rendirent vers neuf heures. L'endroit était presque vide et leur parut un peu lugubre avec ses murs sombres, ses tables recouvertes de nappes mauves et la pénombre qui y tenait lieu de lumière. Derrière le bar, un homme trapu à cheveux poivre et sel servait des consommations, vêtu comme un banquier. On apercevait au fond de la salle une petite scène où devaient se donner des spectacles ; mais, pour l'instant, elle était vide.

Après avoir bu une bière et fumé quelques cigarettes, Charles allait proposer à son compagnon de changer d'endroit lorsqu'un grand barbu à longs cheveux châtains, qui ressemblait à un Christ descendu de sa croix, apparut dans la porte, les bras en mouvement, engagé dans une fiévreuse discussion avec une jeune femme tout de noir habillée.

À sa vue, le barman, qui semblait le patron de l'établissement, lança un « Armand ! » sonore comme un coup de gong et se mit à lui reprocher son absence de plusieurs mois. Les quelques clients présents dans la salle s'approchèrent et la conversation s'anima encore davantage, vive, débridée, un peu chaotique. Charles et Blonblon écoutaient, soudain intéressés. Ils apprirent que le Christ décrucifié se nommait Vaillancourt, qu'il était sculpteur, reconnu pour n'avoir pas froid aux yeux et aimer la bagarre, et qu'il venait d'obtenir une bourse du ministère des Affaires culturelles ; l'événement méritait d'être fêté.

— Janou ! s'écria Vaillancourt en se tournant vers une femme aux traits accusés, d'allure un peu masculine, qui venait d'arriver, viens fêter ma bourse !

Et il se dirigea vers elle, les bras tendus.

Un peu de temps passa. Soudain le sculpteur remarqua Charles et Blonblon, toujours immobiles et silencieux devant leur verre presque vide, et vint s'asseoir familièrement avec eux.

— Ça va ? fit-il comme s'il s'agissait de vieux amis.

Les deux jeunes hommes, un peu intimidés, firent signe que oui.

— Étudiants ?

Blonblon secoua de nouveau la tête.

— C'est bien, c'est bien, approuva gravement le sculpteur. Il faut s'instruire. Les ignorants se font toujours fourrer.

Puis il se tourna vers Charles, le questionnant du regard. Celui-ci eut une seconde d'hésitation et ses pommettes s'allumèrent :

— Écrivain.

— Écrivain ? Ah bon. Intéressant, ça... Et qu'est-ce que t'écris, le jeune ? De la poésie ?

— Des romans. C'est-à-dire que... je suis en train d'écrire mon deuxième.

— Un artiste, fit Vaillancourt en lui donnant une tape fraternelle sur l'épaule. Moi aussi, j'en suis un. Mais visuel. Je suis sculpteur.

— Je sais, répondit Blonblon. Vous êtes connu.

— Je commence, je commence à être connu, répondit l'autre avec une expression de bonheur enfantin.

Il demanda leur nom, échangea des poignées de main, prit une longue gorgée de bière en promenant son regard dans la salle, puis se tourna brusquement vers le bar :

— Deux bières pour ces messieurs, lança-t-il d'une voix claire et vibrante. Un artiste et un étudiant, ça mérite bien de boire de temps à autre, non ?

La soirée ainsi lancée se prolongea jusqu'à une heure du matin. À leur retour chez eux, Charles et Blonblon avaient le sentiment de s'être fait un fidèle ami dans la personne du sculpteur et Charles croyait même avoir enfin réussi son entrée officielle dans le monde sinon des écrivains, du moins dans celui, plus vaste et imprécis, des « artistes ». Mais il aurait été bien en peine d'expliquer sur quoi se fondait cette impression.

◆

Ce soir-là, Céline accompagnait Charles à L'Express. Cette sortie, qu'elle attendait avec impatience depuis quelques jours, un peu offusquée que son ami ne l'ait pas invitée plus tôt, allait s'imprimer pour longtemps dans sa mémoire.

Vêtue d'un jean neuf et de son plus joli chemisier, elle sirotait le deuxième cappuccino de sa vie en jetant des regards curieux et légèrement effarouchés autour d'elle. Deux tables plus loin, le comédien Jean-Louis Millette discutait gaiement avec Denise Filiatrault tout en dévorant un steak tartare. Derrière eux, au fond de la salle, Jean Besré prenait un verre avec une jeune Haïtienne dont la splendeur remplissait la salle d'une lueur dorée. L'animation bruyante de l'endroit, le va-et-vient des garçons graves et affairés, la levée de regards discrètement inquisiteurs qui marquait l'arrivée de chaque nouveau client, une espèce de joyeuse fébrilité dans les conversations et le chic des plats nouvelle cuisine donnaient au restaurant un cachet unique, très « capitale du monde », et le sentiment à ceux qui le fréquentaient qu'ils faisaient partie des gens importants, dignes d'envie et de respect, et que le sort du pays, s'ils l'avaient voulu, aurait dépendu d'eux et d'eux seuls.

Charles, dont c'était la deuxième visite, essayait d'adopter une nonchalance d'habitué, promenant son regard dans la salle avec le petit sourire de celui qui en a vu d'autres et se penchant parfois vers Céline pour lui faire une observation ; celle-ci demeurait silencieuse, la main crispée sur sa tasse, visiblement impressionnée. L'odeur des plats finit par mettre Charles en appétit et il eut envie de manger quelque chose, oh, rien que de très léger, car les prix incitaient à la modération. Un garçon passa près d'eux ; il l'arrêta et lui demanda la carte, puis, se tournant vers son amie :

— Tu prendras bien quelque chose, toi aussi ?

— Je n'ai pas faim, Charles, on sort de table.

— Eh bien, moi, je sens comme un petit creux.

Il hésitait entre un croque-monsieur avec frites et une petite salade niçoise lorsque la rumeur de la salle se feutra tout à coup, piquée de chuchotements et d'exclamations étouffées. Charles leva la tête – et laissa tomber son menu !

Brigitte Loiseau venait d'apparaître dans l'entrée, un léger sourire aux lèvres, cherchant du regard une place libre. Mais déjà un garçon se précipitait vers elle, l'échine amollie de courtoisie servile, et l'amenait devant une table qu'on n'avait pas encore eu le temps de desservir. L'instant d'après, un nouveau couvert était mis. Elle remercia d'un mouvement de tête et s'installa. Une jeune femme l'accompagnait, mince et blonde elle aussi, d'aspect très agréable, mais la beauté de la comédienne la rendait presque invisible. Même la superbe Haïtienne au fond de la salle, malgré ses bijoux et sa robe de soie mauve, paraissait maintenant banale, n'attirant pas plus les regards que la bouteille de vin qui se trouvait devant elle.

Charles, pâle et figé, fixait Brigitte Loiseau d'un œil hagard, tandis qu'un garçon, debout devant lui, attendait qu'il veuille bien donner sa commande. Il eut un sursaut, comme s'il revenait à lui, posa le doigt sur le menu en bafouillant quelques mots et se replongea dans sa contemplation, ayant apparemment oublié la présence de Céline, qui le regardait, les lèvres serrées. La comédienne portait une robe de velours noir, un ras-de-cou de perles, et ses longs cheveux à l'éclat soyeux étaient ramenés en arrière et légèrement relevés par un large ruban également noir. La simplicité de sa mise lui conférait quelque chose de royal ou plutôt de sublimement primitif, comme si c'était Ève elle-même dans l'éclat premier de sa jeunesse qui, surgie de l'Éden, avait consenti à se vêtir afin de passer quelques moments dans un restaurant à la mode.

Assise de biais par rapport à Charles, elle ne l'avait pas remarqué et de temps à autre levait la tête de son menu pour échanger quelques mots avec sa compagne, comme si elle avait quelque difficulté à faire son choix, tandis que le serveur, debout devant elle, calepin et crayon en main, attendait avec un sourire radieux. La rumeur des conversations avait repris son niveau habituel, mais les regards ne cessaient de converger sur Brigitte Loiseau, la révélation de l'année, à qui tout le monde prédisait une carrière époustouflante.

Un garçon déposa son croque-monsieur devant Charles, qui ne s'en aperçut pas. Soudain une violente douleur à la cheville faillit lui arracher un cri. Il se tourna vers Céline ; elle le transperçait d'un regard furieux :

— Préfères-tu que je m'en aille ? souffla-t-elle entre ses dents. Tu serais plus à l'aise pour la draguer.

Il la regardait, ahuri, cherchant une réponse tout en massant sa cheville endolorie.

— Qu'est-ce qui te prend ? réussit-il enfin à dire. Perds-tu la tête ?

— De toute ma vie je n'ai jamais été aussi humiliée. C'est comme si tu couchais avec elle devant moi.

— Qu'est-ce que tu vas chercher là ? fit-il à voix basse en attaquant son croque-monsieur pour se donner une contenance. Tu connais pourtant l'histoire qu'on a eue ensemble. Je lui ai sauvé la vie. Ce n'est pas rien !

— C'est moi, ce soir, qui me sens comme une rien du tout. J'ai bien envie de te planter là.

Un sourire étonné, presque apitoyé, apparut sur les lèvres de Charles :

— Mais, ma foi du bon Dieu, Céline, tu es jalouse, épouvantablement jalouse...

Les yeux de la jeune fille prirent un éclat mouillé :

— Jalouse ? Qui ne le serait pas ? Avec cette façon que tu as de la regarder... n'importe qui serait... je veux dire... on voit bien que tu n'attends que le moment de... Je pense que je vais m'en aller.

Et elle repoussa légèrement sa chaise. Il la prit par le bras :

— Céline, je t'en prie... Je ne t'ai jamais vue dans un état pareil. Laisse-moi t'expliquer, voyons...

Le geste un peu vif qu'il avait fait pour la retenir attira le regard de la compagne de Brigitte Loiseau. Cette dernière tourna également la tête et aperçut Charles. Elle pâlit brusquement, se détourna aussitôt, puis porta de nouveau les yeux sur le jeune homme avec une expression de surprise et de perplexité ; sa compagne fronça les sourcils. Une conversation chuchotée s'engagea entre les deux femmes qui jetaient de temps à autre des regards furtifs à Charles, dont toute l'attention était tournée à présent vers Céline, qu'il essayait de calmer.

Soudain Brigitte Loiseau quitta sa table et s'avança vers le jeune couple.

— Nous nous connaissons, je crois, fit-elle en tendant la main à Charles avec un sourire qui cachait mal l'émotion qui l'étreignait.

Ce dernier s'était levé, écarlate, passant près de renverser un verre. Le bruit des conversations avait de nouveau baissé dans le restaurant.

— Oui, madame, balbutia-t-il.

— Vous êtes bien Charles, n'est-ce pas ?

— Oui, madame.

Elle se mit à rire :

— Je vous en prie, ne m'appelez pas madame, vous allez m'intimider.

— Excusez-moi, fit alors Céline en se levant.

Le sourire pincé, elle fit une curieuse révérence à l'adresse de Brigitte Loiseau et s'éloigna d'un pas précipité, laissant son sac à main sur une chaise. La comédienne la considéra une seconde, étonnée, puis se tournant de nouveau vers Charles :

— J'espère que...

— Ce n'est rien, assura Charles. Elle devait partir.

— Est-ce que je peux vous voir ?

— Quand vous voudrez.

Elle lui présenta une carte :

— Vous êtes gentil. Appelez-moi demain, si vous pouvez. Je suis toujours chez moi en début de matinée.

Elle lui tendit la main et retourna à sa table. Charles se rassit, fixant la carte, la main tremblante. Ce n'est qu'à ce moment précis qu'il réalisa pleinement les conséquences possibles du départ de Céline. Son premier mouvement fut de se lancer à sa poursuite, mais il se ravisa, sentant que cela ne ferait qu'aviver sa colère. Et puis, il fallait bien payer l'addition. Tous ces regards posés sur lui le paralysaient.

— Je la verrai demain, soupira-t-il. Elle aura eu le temps de se calmer un peu.

Il terminait son croque-monsieur à petites bouchées, sans appétit, s'efforçant de ne plus fixer Brigitte Loiseau, en conversation avec un grand freluquet à barbe rousse et cheveux longs, sorte de mauvaise réplique d'Alfred de Musset, qui était venu s'asseoir à sa table et riait très fort, lorsqu'un toussotement répété lui fit tourner la tête.

Un monsieur grassouillet en habit vert et cravate jaune citron, assis à la table voisine, et dont il n'avait pas remarqué l'arrivée, hochait doucement la tête en lui souriant. Son front bombé, ses oreilles rondes et légèrement décollées, sa petite bouche aux lèvres roses et charnues, ses joues pleines, son menton luisant et boursouflé, sa bedaine prospère et ses courtes jambes, tout rappelait comiquement une de ces balles aki que les enfants s'amusent à maintenir en l'air en la frappant avec les genoux, les coudes et les talons. Et il pensa tout à coup à *Boule-de-Suif*, un récit de Maupassant qu'il avait lu avec beaucoup de plaisir quelques années auparavant. C'était, bien sûr, l'histoire d'une jeune prostituée et non d'un homme, mais le surnom de la demoiselle allait au quinquagénaire comme des plumes à un oiseau.

— Excusez-moi, fit la Boule en continuant de sourire avec une bienveillance extraordinaire, j'ai suivi malgré moi votre conversation. Vous m'excusez, n'est-ce pas?

Charles, surpris et un peu contrarié, haussa les épaules, puis leva la main pour demander l'addition à un serveur qui passait.

— Est-ce que je peux vous offrir un cognac? poursuivit la Boule, nullement rebutée, semblait-il, par le peu d'entregent de son voisin.

— Non merci, il faut que je m'en aille.

La Boule partit d'un bon rire chaleureux et se pencha un peu plus au-dessus de sa table malgré l'obstruction créée par son abdomen:

— Je me présente: Bernard Délicieux, journaliste. Je travaille à *Vie d'artiste*, le magazine. Vous connaissez?

Charles fit signe que oui avec un début de sourire. Le bonhomme, qui l'attirait jusque-là autant qu'une pluie de cailloux, commença à l'intéresser. Il se présenta à son tour.

— Allez, venez prendre un cognac. C'est moi qui vous l'offre, et sans condition! J'ai juste envie de causer avec vous.

Charles se leva:

— Je ne pourrai pas rester longtemps. Il faut que je me lève tôt demain.

— Vous resterez le temps qu'il vous plaira. Dommage que je ne puisse pas offrir un cognac également à votre petite amie. C'est bien votre amie qui est partie, n'est-ce pas ?

— Oui, fit Charles avec une légère grimace.

— Oh ! que vous avez l'air méfiant ! s'amusa Délicieux. Et pourtant, si vous saviez, si vous saviez quel homme inoffensif je suis ! Non seulement je ne ferais pas de mal à une mouche, *mais je ne le pourrais pas* : c'est tout simplement au-dessus de mes forces. Je suis trop paresseux. Et on dirait que les mouches le savent. Elles ont une façon de voler autour de moi... Incroyable, n'est-ce pas ?

Il commanda les cognacs et Charles vit, aux manières du serveur à son endroit, que Bernard Délicieux était non seulement un habitué de la maison mais un client fort estimé.

— Elle ne semblait pas de très bonne humeur en partant, votre petite amie, fit le journaliste en faisant tourner lentement le cognac dans son ballon.

— Puisque vous avez suivi notre conversation, vous savez sûrement pourquoi, répondit Charles d'un ton acide.

— Voilà une réponse de petit malin ! s'esclaffa Délicieux. C'est bien, c'est bien ! Vous ne parlez pas pour ne rien dire, vous. Voilà une belle qualité. Il y a tellement de moulins à paroles qui débitent des sottises à longueur de journée et critiquent tout le monde à tort et à travers.... Avec le métier que j'exerce, il faut bien que je les endure, que voulez-vous ? Souvent, ce sont eux qui me font gagner mon pain. Oui, vous avez raison, j'ai tout entendu. Ne vous en faites pas trop, Charles – vous permettez que je vous appelle par votre prénom ? Merci. Toutes les femmes font de ces petites crises de jalousie : il faut considérer cela comme des preuves d'amour. Car *toutes* les femmes sont jalouses, sans aucune exception – et surtout celles qui prétendent ne pas l'être ! Elles ont mille façons d'exprimer cette jalousie, toutes plus bizarres les unes que les autres. Il y a de quoi parfois en perdre... son pantalon !... Je pourrais vous raconter de ces histoires...

Charles l'écoutait en sirotant son cognac, de plus en plus sensible au charme jovial du bonhomme. De temps à autre, il risquait un coup d'œil du côté de Brigitte Loiseau, que l'Alfred de Musset venait de quitter, et qui semblait absorbée maintenant dans une grave conversation avec sa compagne. Soudain, elle se retourna, son regard rencontra celui de Charles et elle fronça légèrement les sourcils.

Ce dernier comprit alors que Boule-de-Suif, intrigué par la conversation que la comédienne venait d'avoir avec lui, l'avait invité à sa table pour lui soutirer la matière d'un article. Et effectivement, après un long préambule plein de coq-à-l'âne et d'observations amusantes, le nom de Brigitte Loiseau apparut sur les lèvres du journaliste. Mais jamais Charles ne trahirait l'Ange blond ! Jamais ! Il s'amusa à déjouer les questions faussement naïves de son compagnon, qui sentit bientôt qu'il perdait son temps et s'y résigna de bonne grâce. Son métier exigeait de la patience. Celui qui ne desserrait pas les lèvres dimanche se vidait parfois le cœur mardi.

— Que faites-vous donc dans la vie, jeune homme ? Étudiant, je suppose ?

Charles, tout fier de sa victoire et que le cognac étourdissait un peu, voulut bien se raconter à ce gros homme matois et bon enfant. Il lui parla de ce premier roman présenté à un éditeur, du deuxième qu'il venait de commencer, de sa passion des livres, de son enfance difficile, des gens qui l'avaient aidé et de ceux qui lui avaient nui, des stratagèmes qu'il avait échafaudés pour se venger ou se tirer d'un mauvais pas, mais il évita soigneusement toute allusion à son trafic de médicaments. Bernard Délicieux, cognac en main, l'écoutait avec un grand sourire, charmé par la fraîcheur et la vivacité d'esprit de son interlocuteur.

— Vous êtes un bon conteur, mon ami, observa-t-il quand Charles se leva pour partir, car il approchait minuit. Je suis sûr que vous serez un bon écrivain. Tenez, je vous laisse ma carte. Si jamais je peux vous être utile, n'hésitez pas à m'appeler, cela me fera le plus grand plaisir. Et puis, si vous avez le goût d'un bon cognac, vous savez où me trouver...

Brigitte Loiseau avait quitté le restaurant un peu plus tôt sans un regard pour Charles. Lui en voulait-elle d'avoir causé avec le journaliste ? Le prenait-elle pour un panier percé ? Il filait dans la rue Saint-Denis vers la station de métro Mont-Royal en repassant dans son esprit cette étrange soirée où il avait parlé à son idole, s'était attiré les foudres de sa petite amie et avait fait la connaissance d'un sympathique ratoureux. De quelle humeur Céline serait-elle le lendemain ? L'appel qu'il devait faire dans la matinée à l'Ange blond avait presque réussi à endormir son inquiétude.

Après une nuit pleine de tressaillements et de réveils en sursaut, Charles allait décrocher le téléphone pour appeler la comédienne lorsque l'appareil sonna. C'était le notaire Michaud, tout excité :

— Mon garçon, il arrive une histoire bizarre et extraordinaire. Est-ce que tu peux venir tout de suite à mon bureau ?

— Impossible, j'ai un rendez-vous, répondit Charles, soucieux de réserver tout son temps pour la comédienne.

— Alors, ce midi ? Viens manger à la maison après ton travail. J'ai hâte de te parler, Charles.

La chose arrangée, le jeune homme contempla un moment la carte de Brigitte Loiseau, qu'il avait déposée bien en vue sur sa table de chevet en se couchant après l'avoir longuement caressée, puis il consulta sa montre, qui indiquait huit heures moins dix. Pouvait-il vraiment, sans impolitesse, appeler si tôt? Et quel accueil recevrait-il? Le froncement de sourcils de la comédienne, quand elle l'avait aperçu à la table de Bernard Délicieux, l'avait torturé toute la nuit. Elle avait dû le prendre pour un goujat en train de déballer tout ce qu'il savait sur elle pour un peu d'argent.

Il but deux cafés pour se donner du courage, fuma une cigarette, puis composa enfin le numéro de Brigitte Loiseau. Ce dernier comportait trois 7, ce qui dans l'esprit de Charles lui conférait un caractère redoutable et sacré.

— Allô? fit une voix de femme grasse et un peu commune.

— Madame Loiseau?

Le silence se fit, il y eut un léger choc au bout du fil et la voix, devenue lointaine, lança un « madame Loiseau! » douceâtre, qui essayait de faire distingué, mais où il y avait une trace d'exaspération.

« Tout le monde l'appelle, se dit Charles, tout le monde... Je ne suis qu'un microbe, un pet de chien, un vieux clou rouillé. »

— Oui, j'écoute?

C'était sa belle voix souriante et dorée, avec ce fond voluptueux qui aspirait aussitôt l'attention.

— Bonjour, madame; Charles Thibodeau, madame, fit-il dans un souffle angoissé. Je n'appelle pas trop tôt, j'espère?

La comédienne se mit à rire:

— Est-ce qu'on pourrait se tutoyer, Charles, comme autrefois? Ça couperait le cou une fois pour toutes à ces fameux « madame ».

Les secondes s'étirèrent tandis que Charles prenait sa respiration et, avec elle, son courage à deux mains.

— Eh bien... si... *tu* le permets, moi, je veux bien, articula-t-il enfin.

Et brusquement, d'une voix haletante et précipitée, il déclara qu'il n'avait pas dit un mot sur elle au journaliste rencontré à L'Express, pas un seul, ou plutôt qu'il avait prétendu n'avoir eu de relations avec elle – et vagues, épisodiques, superficielles – que par son travail de camelot. Le bonhomme avait semblé sceptique, mais Charles s'en était tenu à cela, n'ajoutant rien de plus, absolument rien, malgré tous les efforts de son compagnon pour lui tirer les vers du nez.

Brigitte Loiseau demeura silencieuse un moment au bout du fil puis, d'une voix qui fit courir des frissons de plaisir dans le corps de Charles :

— Est-ce qu'on pourrait prendre un café ensemble quelque part vers neuf heures ?

— Oui, oui, bien sûr.

— Que dirais-tu si on se rencontrait, disons... à La Brioche Lyonnaise, rue Saint-Denis, près du boulevard de Maisonneuve ? Je crois me rappeler que tu demeures près d'une station de métro, non ?

— Oui, mentit Charles, tout près. D'accord. Je connais. J'y serai.

Et il téléphona aussitôt à Fernand Fafard pour lui annoncer qu'il ne pourrait pas se présenter au travail avant la fin de l'avant-midi.

— Bon, fit l'autre sans poser de questions. Ça tombe mal, parce qu'on a deux grosses commandes qui entrent ce matin, mais je vais essayer de m'arranger.

« Qu'est-ce qui se passe ? bougonna-t-il à voix basse après avoir raccroché. Je le trouve bien excité... Pourvu qu'il ne soit pas en train de nous préparer une autre de ces soupes à la crotte de chien... »

◈

Elle était assise devant lui, souriante, venue juste pour lui, pour lui seul, son manteau largement ouvert laissant voir un exquis chemisier de soie rose que bombait sa poitrine adorable, et elle attendait calmement qu'on apporte les cafés ; les coudes appuyés sur la table, elle le regardait avec une sorte d'expression de plaisir, comme si le fait d'être là avec lui à ne rien faire dans ce restaurant rempli d'une torpeur matinale constituait une récompense ou un délassement. À son arrivée, la serveuse avait eu ce sourire exagéré et craintif qu'on adresse aux vedettes et aux personnages importants, puis son regard s'était tourné vers Charles, qui l'attendait en sirotant une eau minérale à petites gorgées nerveuses, et elle l'avait fixé une seconde avec un étonnement respectueux : il était initié au monde de la célébrité et des grands destins ; elle ne l'était pas.

Brigitte Loiseau plongea ses lèvres dans la mousse crémeuse, s'assura du coin de l'œil que la serveuse, retournée derrière son comptoir et occupée à servir un client qui secouait ses bottes enneigées sur le plancher, ne pouvait les entendre, puis dit à Charles :

— Il y a longtemps que je voulais te voir, mais je n'osais pas.

Celui-ci eut une mimique vaguement embarrassée et ne répondit rien.

— C'est toi qui as alerté la police, n'est-ce pas, le jour où j'ai avalé un tube de Valium ?

Il fit signe que oui.

— C'est ce que je pensais. Tu m'as sauvé la vie, Charles. J'étais sur le point de faire le voyage dont on ne revient jamais.

— Je sais, répondit-il.

Il tournait la cuillère dans sa tasse d'une main un peu tremblante, le regard absent, se remémorant la scène. Puis, relevant la tête :

— Tu... faisais peur à voir. J'ai failli paniquer.

Elle serra les lèvres, plissa les yeux et son visage se durcit dans une expression farouche et douloureuse, qui le fit paraître dur, presque vulgaire. Cela ne dura qu'un instant.

— Je voulais te remercier, Charles. À ta place, la plupart des gens m'auraient laissée crever. Par lâcheté, par indifférence, parce qu'ils en avaient vu d'autres, pour rien, comme ça. Toi, tu as appelé à l'aide.

— Je ne pouvais pas faire autrement, l'assura-t-il en rougissant de plaisir. Jamais je n'aurais pu vous... te laisser ainsi, comprends-tu... Je me le serais reproché jusqu'à la fin de ma vie. Tu étais si gentille avec moi... Tu ne me traitais pas comme un *pusher*, toi, mais comme... je ne sais pas...

Il détourna le regard, n'osant poursuivre.

— Et pourtant tu l'étais, répondit-elle en riant.

— Je ne le suis plus. Je ne le suis plus depuis longtemps. J'ai honte de l'avoir été. C'est un bout de ma vie que je déteste. J'aimerais le vomir.

Elle lui prit affectueusement la main, et il devint écarlate :

— J'ai suivi le même chemin que toi, comme tu peux voir. La leçon a été dure, mais elle m'a profité.

— Tout le monde en profite, à présent, répondit-il avec un grand sourire. Tu es devenue une vedette. J'ai vu ton film deux fois. Je l'adore. Tu es magnifique !

Elle lui tapota la main avec une moue sceptique et amusée, puis, le regardant droit dans les yeux, devenue grave tout à coup :

— Tu vas bien ? vraiment bien ?

— Oui... très bien.

Il eut une hésitation, puis ajouta :

— Je me suis mis à écrire, figure-toi donc. Je veux devenir romancier. Rien de moins ! En attendant, je travaille à mi-temps à la quincaillerie de mon père... enfin, de mon père adoptif.

Étonnée, ravie, elle l'interrogea sur ses travaux d'écriture et il se mit à parler d'abondance, enchanté de pouvoir ainsi se mettre en valeur, mais ne lui cachant pas les difficultés et les déceptions qu'il éprouvait dans sa nouvelle carrière. Elle l'encouragea de son mieux et lui promit d'acheter son roman dès sa publication :

— Je te l'enverrai, si jamais on le publie.

Ils gardèrent le silence un moment, sirotant leur café, ne sachant plus ni l'un ni l'autre comment poursuivre la conversation, Charles fondu d'extase devant sa compagne, cette dernière émue et un peu gênée par l'adoration sans bornes qu'elle avait inspirée malgré elle au jeune homme.

Derrière son comptoir, la serveuse vit dans ce silence une complicité amoureuse et, tout en disposant des choux à la crème dans un plateau, elle examina discrètement Charles, qu'elle trouva un peu jeune mais fort beau garçon.

— Charles, demanda brusquement Brigitte Loiseau en se penchant vers lui, comment pourrais-je te remercier ? Comment pourrais-je te montrer ma reconnaissance ?

Il la regarda un moment, interloqué, puis la phrase quitta ses lèvres malgré lui :

— Oh ! en étant tout simplement ce que tu es...

Elle avait entendu à quelques reprises cette expression magnifiquement idiote de l'amour absolu et l'avait peut-être elle-même utilisée, mais resta sans voix. La vie le voulait ainsi : elle allait rendre le mal pour le bien et il ne pouvait en être autrement.

Il fallait partir, à présent, et ne plus le revoir, malgré le plaisir qu'elle en aurait tiré, car cela ne ferait qu'empirer les choses.

C'était l'affection et presque la pitié qui lui dictaient sa conduite, mais elle se trouva dure et mesquine ; déjà, à l'expression de son visage, elle voyait qu'il avait compris, malgré tous les efforts qu'il déployait pour n'en rien laisser paraître. Elle lui sourit (si on pouvait appeler un sourire cette grimace apprêtée !) et passa près de poser sa main sur celle du jeune homme, qu'il tenait appuyée au bord de la table, mais elle se retint. L'entretien lui devenait pénible. Elle regarda sa montre, eut un soupir. Dix heures approchaient. Elle devait se rendre à une répétition et s'excusa de devoir partir si vite. Il fallait pourtant lui faire un petit cadeau :

— Donne-moi ton adresse, dit-elle en sortant un calepin. Dans un mois, je te ferai envoyer des billets pour *La Locandiera*, de Goldoni, où je tiens le rôle principal. Tu aimes le théâtre, je suppose ?

— Beaucoup, répondit-il en détournant le regard, pressé de partir lui aussi.

— Et ton... amie ?

— Aussi.

— Je ne sais pas comment ma carrière va se poursuivre, Charles, fit-elle après avoir rapidement griffonné l'adresse que le jeune homme lui donna d'une voix sourde et comme distante. Il se peut que ce ne soit qu'un feu de paille, tu comprends ? Tout dépend tellement du hasard et de cinquante mille autres choses qu'on ne connaît pas. Mais tu n'auras jamais à payer, je te l'assure, pour voir mes spectacles, ni ton amie non plus. C'est bien peu, je le sais, mais je ne suis qu'une pauvre comédienne, vois-tu... Et si tu as besoin d'aide pour quoi que ce soit, tu m'appelles, hein ? N'importe quand. À n'importe quelle heure. Me le promets-tu ?

Il secoua la tête, navré, boutonnant déjà son manteau. Elle l'embrassa sur les joues, voulut régler l'addition, mais il s'y opposa d'un ton presque farouche. Quelques instants plus tard, il filait sur le trottoir enneigé, les mains dans les poches, furieux contre la vie, furieux contre lui-même, pris d'une forte envie de se montrer désagréable envers quelqu'un. Gare à celui qui se présenterait!

7

— Allons, vite, entre, tu as l'air gelé comme un rat, fit Parfait Michaud avec un frisson dans la voix. Amélie vient de préparer une bonne soupe aux légumes, ça va te réchauffer les tripes. Mais auparavant, si tu le permets, j'aimerais causer un peu avec toi dans mon bureau. Ça ne va pas? ajouta-t-il après l'avoir regardé plus attentivement.

— Mais oui, ça va, répondit Charles d'un air sombre.

Le notaire hésita une seconde, puis décida de ne pas insister. L'instant d'après, il faisait pénétrer Charles dans son bureau, dont il refermait soigneusement la porte.

— Qu'est-ce qui se passe? demanda Charles en posant sur lui un regard inquiet.

— Il se passe une chose très étrange, mon cher, et qui te concerne. Est-ce que tu connaissais ce Conrad Saint-Amour qui est mort il y a un an et demi dans l'incendie de l'immeuble que tu habitais, rue Rachel? Il me semble l'avoir déjà rencontré, mais il y a bien longtemps et c'est plutôt vague.

Charles pâlit.

— À peine, murmura-t-il au bout d'un moment. Quand j'étais p'tit gars et que je travaillais au restaurant Chez Robert, j'allais lui livrer des pizzas de temps à autre, c'est tout.

— Alors je comprends de moins en moins! s'exclama le notaire en prenant place derrière son bureau, et il se mit à fourrager dans un monceau de paperasse pour en extraire une enveloppe brune, dont il tira un document qu'il déposa sur le bureau. Assieds-toi, je te prie.

Charles prit place dans un fauteuil avec des mouvements raides et saccadés. Sous l'effet d'un léger tic, le bas de son visage frémissait.

— Figure-toi donc que j'ai rencontré un collègue hier qui s'est occupé de sa succession. Au hasard de la conversation, nous avons parlé de cet incendie et je t'ai nommé. À mon grand étonnement, ce collègue m'a alors appris que tu étais un des bénéficiaires de Conrad Saint-Amour! Il a essayé à plusieurs reprises d'entrer en contact avec toi, mais tu ne lui as jamais donné signe de vie. Je ne comprends rien à rien à cette histoire. Serait-il indiscret de te demander une petite explication?

— Je n'y tiens pas plus que ça, répondit Charles, renfrogné, et dont le menton frémissait de plus en plus.

— Que se passe-t-il, Charles? Ce pauvre homme, mon cher, t'a légué la somme de cinq mille dollars... mais à des conditions pour le moins surprenantes. Tu ne pourras utiliser cet argent pour autre chose... que pour un traitement chez un psychologue!

Charles se mit à rire, mais d'un rire faux et sardonique, pénible à entendre.

Les deux hommes se regardèrent un moment sans parler.

— Dans toute ma carrière, je n'ai jamais rien vu de semblable, murmura le notaire, et il se pinça le bout du nez, ébahi. Charles, reprit-il doucement, tu n'es absolument pas obligé de me dire quoi que ce soit, car cela ne me regarde pas du tout, mais j'ai l'impression qu'il s'est passé quelque chose entre toi et ce Conrad Saint-Amour.

— Vous êtes servis, lança joyeusement Amélie Michaud dans la cuisine.

Charles, les mains agrippées aux bras de son fauteuil, fixait la pointe de ses souliers en luttant contre le tic qui essayait de lui entrouvrir la bouche. Il leva finalement la tête, les yeux remplis d'une froide fureur, puis murmura d'une voix égale, sans timbre :

— Il m'a violé un après-midi quand j'avais neuf ans. Quant à son argent, qu'il aille pourrir avec lui au cimetière.

Puis il se leva et quitta la maison sans ajouter un mot, au grand désarroi du notaire et de sa femme, qui s'était avancée dans le corridor et le regarda partir, éberluée.

La série de déplaisirs continuait. Charles se trouvait à présent assis dans le bureau de Jean-Philippe L'Archevêque, qui l'avait appelé la veille. Il était dix heures trente et une capiteuse odeur de café s'exhalait d'une tasse de porcelaine lilas qui fumait devant le directeur littéraire.

Lorsque Charles avait demandé de nouveau à Fernand Fafard la permission de s'absenter, celui-ci avait accepté d'un léger signe de tête, mais son regard, pendant un instant, s'était transformé en mèche de vilebrequin. L'apprenti écrivain aurait bien aimé, quant à lui, voir les yeux de monsieur L'Archevêque, mais un scintillement dans ses fines lunettes à monture dorée l'en empêchait. Le menton légèrement dressé, les boucles de son abondante chevelure blonde bien en place, le nœud de cravate impeccable, la chemise somptueusement sobre, il fixait Charles depuis un moment avec un sourire énigmatique que le jeune homme trouvait de plus en plus agaçant.

— Vous vous doutez bien, mon cher ami, dit-il enfin (on l'aurait vraiment cru parisien, et de vieille souche, mais Charles venait d'apprendre qu'il était tout bêtement né à Joliette), que je ne rencontre pas ainsi à mon bureau chaque personne qui nous fait l'honneur d'adresser un manuscrit à notre maison. Il me faudrait des journées de soixante-douze heures ! Et, du reste, quatre-vingt-quinze pour cent des chefs-d'œuvre qu'on nous soumet ne valent pas leur papier.

— Ah bon, fit Charles, que ces paroles auraient dû encourager mais qu'elles ne firent qu'angoisser davantage.

— J'ai finalement lu votre manuscrit, poursuivit le directeur littéraire en faisant lentement tourner une cuillère dans sa tasse. Je l'ai lu jusqu'à la dernière page.

Il s'arrêta et sourit de nouveau à Charles, le scintillement toujours présent dans ses lunettes. Si Charles avait eu un peu plus de courage, il se serait levé pour tirer les rideaux.

— Et, après y avoir longuement réfléchi et en avoir parlé à des collègues de la maison, j'en suis arrivé à la conclusion qu'il valait mieux pour vous que nous ne publiions pas votre texte.

— Ah bon.

— Pour être franc, ce serait vous desservir.

— Alors, dans ce cas, je vous en remercie.

Jean-Philippe L'Archevêque ne releva pas le sourire impertinent qui accompagnait cette réponse et choisit de poursuivre comme si de rien n'était, sur ce ton précieux et sorbonnard qu'il avait adopté bien des années auparavant et qui faisait à présent partie de lui-même comme ses humeurs les plus intimes.

— On sent un certain talent, c'est indéniable, mais c'est un talent encore à l'état de germination. Vous avez écrit ce genre de roman, mon ami, qu'il faut garder soigneusement caché dans un tiroir. C'est un roman – comment dirais-je? – préparatoire. Son rôle doit se limiter à vous aider à écrire le suivant, vous comprenez? En ce sens, il est irremplaçable, mais en ce sens seulement. Vous possédez sans aucun doute de la culture, une certaine virtuosité dans le maniement des mots et l'expression des émotions, mais vous n'êtes pas encore parvenu à trouver cette façon *unique* d'écrire qui fait le véritable écrivain.

Le scintillement disparut tout à coup du verre gauche et Charles vit un œil marron légèrement dilaté et huileux, rempli de la douce ivresse que procure le pouvoir.

— Je sais, je sais, poursuivit L'Archevêque, que mes propos ne vous plaisent guère, mais vous me remercierez un jour de vous les avoir tenus. Si jamais...

— Donc, coupa Charles, il n'y a rien à faire?

— C'est mon avis.

— Même après une réécriture?

— Même après une réécriture. On a beau s'échiner, il est bien difficile de transformer un lapin en cheval... Je peux évidemment me tromper, crut-il bon d'ajouter devant la mine de plus en plus renfrognée de Charles. Qui ne se trompe pas? Mais je serais l'homme le plus surpris du monde si ce livre obtenait le moindre succès. Non. Il ne vous vaudra que de mauvaises critiques – ou pire encore : le silence.

Charles se leva et tendit la main vers son manuscrit :

— Merci de m'avoir consacré tout ce temps. Je vais aller voir un autre éditeur. Il aura peut-être une opinion différente.

— Sait-on jamais? fit le directeur avec un sourire compatissant. Bonne chance, alors.

Il se leva pour reconduire son interlocuteur, puis se ravisa, jugeant qu'un pareil freluquet ne méritait pas les vingt-deux pas aller et retour que cela requérait, et se contenta de lui serrer la main, penché au-dessus de son bureau. Son veston s'entrouvrit alors et une fragrance d'eau de toilette subtilement épicée se mêla à l'arôme du café, qui commençait à faiblir.

◈

Céline avait boudé Charles durant quatre jours. Il l'avait appelée à plusieurs reprises. Elle était absente, occupée, en train de dormir ou sous la douche ; elle le rappellerait dès que possible ; mais elle ne le rappelait pas. Lucie avait bien vu la brouille et tenté de savoir ce qui l'avait causée. Sa sollicitude lui avait valu une rebuffade comme elle ne se souvenait pas en avoir jamais reçu de sa fille. Finalement, Charles, rongé d'inquiétude, s'était présenté à la maison. La chance lui avait souri : Céline sortait justement et n'avait pu l'éviter ; ils s'étaient parlé à voix basse un long moment dans le vestibule, puis Charles avait réussi à convaincre son amie de le suivre chez lui, où il y avait eu une explication, avec larmes, accusations et répliques passionnées. Céline prétendait qu'elle n'était pour Charles qu'un pis-aller ; son véritable amour allait à cette ex-droguée de comédienne qui l'avait fait chavirer en plein restaurant en lui disant quelques mots. Ils s'étaient sans doute rencontrés dès le lendemain, ils avaient peut-être couché ensemble ; et même si rien ne s'était produit, c'était tout comme, car ce qui comptait avant tout dans les rapports humains, c'étaient les sentiments. Ceux de Charles n'étaient que trop visibles. Aussi était-ce de bon cœur qu'elle lui rendait sa liberté si jamais un lien avait existé entre eux, car elle n'était pas le genre de fille à jouer le cinquième pied de la table.

Charles s'était défendu avec ardeur, niant toute espèce d'attirance pour Brigitte Loiseau qui ne lui rappelait que de mauvais souvenirs, et pendant un moment il avait cru sincèrement ce qu'il disait. Oui, bien sûr, à sa demande, il avait rencontré la comédienne le lendemain, mais leur entretien avait été plutôt pénible, pour des raisons faciles à deviner. Elle l'avait remercié pour son geste secourable, avait pris de ses nouvelles, puis lui avait offert des billets pour une pièce où elle jouait le rôle principal. Si on pouvait considérer cela comme une rencontre sentimentale, porter des chemises chez la couturière en était une aussi !

Les propos de Charles, et surtout la passion qui les marqua, commencèrent à calmer Céline. Elle poussa un long soupir, sourit faiblement, prit les mains de son ami et, le regardant droit dans les yeux :

— Je t'aime trop, Charles. Ça me fait peur... Je t'aime depuis que je suis petite fille ! Je n'ai jamais aimé personne comme toi. Qu'est-ce que je vais faire si jamais tu me quittes ?

« Tu feras comme tout le monde, répondit Charles intérieurement, tu te consoleras avec quelqu'un d'autre. »

Il sourit, lui caressa la joue :

— Mais je ne te quitterai pas, Céline, c'est tout.

En son for intérieur, la profondeur de cet attachement l'inquiétait lui aussi. Et l'agaçait un tantinet. Est-ce qu'on pouvait être prédestiné à n'aimer *qu'une seule personne* tout au long de sa vie ? Il y avait là-dedans quelque chose de l'adoration du chien pour son maître. C'était touchant, mais aussi pathétique et un peu ridicule. Lui, Charles, malgré son attachement profond à Céline, ne se sentait pas ainsi boulonné à elle. *En fait, il aimait présentement deux femmes*, sauf que la deuxième avait autant besoin de son amour que d'une bouteille de Pepsi éventé. Mais, malgré le dépit et la douleur que son indifférence lui causait, il acceptait la situation. Car on ne pouvait aimer que libre.

Il faudrait une bonne fois expliquer toutes ces choses à Céline. Pour l'instant, l'aveu qu'elle venait de lui faire avait tellement flatté sa vanité et ravivé son amour pour elle qu'un délicieux transport s'était emparé de lui, qui se transmit bien vite à sa petite amie. Leur réconciliation commença dans un élan passionné qui les jeta sur le vieux canapé et ne se termina que trois heures plus tard. Pour la première fois de sa vie, Céline eut un chapelet d'orgasmes. Pendant longtemps, elle somnola, béate, sa main posée sur le ventre de Charles tandis qu'il fixait le mur avec un regard aigu, comme s'il essayait de voir ce qui se passait de l'autre côté.

8

Charles s'était remis à son deuxième roman, mais le travail n'avançait pas à son gré. Malgré le peu d'espoir qu'il entretenait, il avait posté le manuscrit de *La Sombre Nuit* à deux autres éditeurs. Le découragement sapait son énergie; quand il s'assoyait devant sa machine à écrire, sa tête devenait un désert où seules quelques idées sèches et sans intérêt se dressaient comme des cactus hérissés d'épines, impossibles à manipuler. « Je ne suis pas fait pour ce métier, se disait-il de temps à autre. Voilà pourquoi rien ne marche. »

Ce n'était pas l'avis de Steve Lachapelle, que la seule vue du manuscrit de Charles plongeait dans un ahurissement respectueux, lui qui n'arrivait pas à écrire une dissertation de six pages sans changer trois fois de sujet et qui pondait des fautes d'orthographe et de grammaire avec l'abondance qu'une reine d'abeille met à fabriquer des œufs. Ce n'était pas non plus l'avis de Blonblon ni celui de Céline; malgré certaines longueurs et deux ou trois épisodes discutables, ils avaient pris un réel plaisir à la lecture de *La Sombre Nuit*, qui annonçait, selon eux, d'autres œuvres encore meilleures. Enfin, ce n'était pas l'avis de Lucie qui voyait Charles promis de toute évidence à un grand destin et avait presque réussi à en convaincre son mari.

Mais tous ces encouragements n'arrivaient pas à tirer Charles de sa léthargie. Le verdict de Jean-Philippe L'Archevêque, que semblait confirmer pour l'instant le silence des deux autres éditeurs, lui avait comme scié les jambes. Pour la première fois de sa vie, son avenir commençait à l'inquiéter. La jeunesse tirait donc à sa fin ? Fallait-il commencer à tenir compte du temps qui passe ? Le métier de commis de quincaillerie, malgré la compétence qu'il y avait acquise, l'attirait autant qu'une grille d'égout. Son rêve de faire carrière dans les lettres s'effilochait. Vers quoi fallait-il se tourner ? D'autres études ? Lesquelles ? Comme la vie était compliquée ! Quelle idée avait-on eue de le mettre au monde ! Tout aurait été tellement plus simple s'il avait connu le sort de sa petite sœur...

Mais un soir, après avoir écrit de peine et de misère trois pages qu'il avait jetées ensuite au panier, il avait eu comme un sursaut : dès le lendemain, il téléphonerait aux éditeurs muets pour leur tirer de la gorge une réaction, un verdict, n'importe quoi ; et, en attendant, il irait de nouveau à L'Express, « pour se faire des contacts ».

Il n'était pas dupe du prétexte qu'il s'était ainsi donné. À vrai dire, s'il retournait au chic et coûteux restaurant, c'était bien plus dans l'espérance d'y voir apparaître Brigitte Loiseau que d'y rencontrer un éditeur, un journaliste ou un écrivain secourables. Pour se donner bonne conscience, il invita Céline à l'accompagner. Elle avait un examen à préparer pour le lendemain et ne pouvait quitter la maison ; se gardant bien de manifester le moindre déplaisir, elle lui souhaita une bonne soirée.

Il prit le métro. Mais parvenu à la station Berri-de Montigny, la futilité de son projet s'imposa à lui avec une telle force qu'il s'arrêta sur un quai, de nouveau en proie au découragement et prêt à retourner chez lui.

C'est alors que son regard tomba sur un jeune homme en train de dormir, étendu de tout son long sur une rangée de sièges. L'individu portait des vêtements propres, de bonne qualité. Son bras relevé, posé sur ses yeux, laissait voir au poignet un fin bracelet d'argent. Sa moustache noire et fournie donnait à sa bouche entrouverte, aux dents blanches, aux lèvres roses et pulpeuses, un aspect animal plutôt attirant. Pourquoi dormait-il là ? Quelle était la cause d'un si profond sommeil ? Alcool ? Drogue ? Dégoût extrême de la vie ? Était-ce là le début d'une longue déchéance qui le mènerait dans les arrière-cours, puis à la morgue ?

Charles faillit lui secouer l'épaule pour le réveiller, mais se ravisa : il ne pouvait rien pour lui. L'autre lui demanderait sans doute de l'argent pour continuer son *trip*. Mais ce n'était pas d'argent qu'il avait besoin.

La vue du jeune homme venait de le fouetter comme une provocation. Non ! il ne serait jamais de ceux qui se laissent couler au fond. Qu'on se le tienne pour dit : son roman allait paraître et les lecteurs en raffoleraient.

Il avait hâte à présent de se retrouver à L'Express. C'est là, il le sentait, que son sort allait se jouer. Brigitte Loiseau, tiens, pourrait peut-être l'aider.

Ne cherchait-elle pas une façon de lui manifester sa reconnaissance ? Avec la célébrité dont elle jouissait, cela lui serait facile.

Ce lundi soir, avec sa salle presque vide, le restaurant baignait dans une torpeur fadasse, comme si la fin de semaine avait épuisé les clients et vidé leur portefeuille, les incitant à se reposer sagement devant leur télé. Charles achevait un deuxième allongé en parcourant *Le Monde diplomatique* (lors de sa précédente visite, il avait vu deux clients en train de le lire avec une gravité pincée et il avait cru bon d'en acheter lui aussi un numéro) ; une heure venait de passer, Brigitte Loiseau ne s'était toujours pas montrée et il se demandait s'il valait la peine de commander un troisième café lorsqu'un « hem ! hem ! » familier lui fit lever la tête. Bernard Délicieux venait de s'asseoir à la table voisine et le saluait avec un grand sourire. Il portait cette fois-ci une cravate rouge framboise qui se détachait triomphalement sur sa chemise bleu pâle, et toute sa personne dégageait cette bonhomie suave et rusée qui attirait et repoussait Charles en même temps.

— Et alors, demanda Boule-de-Suif, comment va l'écriture ?

D'un geste, Charles indiqua que cela aurait pu aller mieux.

— Ah ! soupira Délicieux, ce n'est pas un métier facile, allez. Même si je ne suis que journaliste, j'en sais quelque chose. Il y a des jours, je vous assure, où pondre un petit article de rien du tout me demande autant d'efforts que de digérer un madrier. Les gens qui n'écrivent pas n'ont aucune idée de ce qu'on peut souffrir, aucune ! Un petit cognac ? Allons, soyez gentil et acceptez, je vous en prie. J'ai eu tellement de plaisir à causer avec vous l'autre soir...

Il fit signe à un garçon et l'instant d'après, Charles, amusé et un peu intimidé, était attablé avec le journaliste devant un Courvoisier Grande Réserve Spéciale. N'était-ce pas l'occasion, se dit-il, de consolider un de ces « contacts » qui lui paraissaient si essentiels pour sa carrière ?

— Et alors, dites-moi ce qui ne va pas dans votre travail... Parfois, le seul fait d'en parler, ça peut aider à débloquer, non ?

Charles trouva la question indiscrète et presque inconvenante, mais, devant les bons yeux humides et chaleureux de son interlocuteur, sa méfiance fondit d'un coup :

— Je me sens découragé.

— Découragé de quoi?

— Aucun éditeur ne veut de mon premier roman. Malgré tout, j'ai commencé à en écrire un autre, mais, vous comprenez, c'est... c'est un peu comme téléphoner à une fille qui vous a déjà envoyé promener.

— Je vois, je vois, fit l'autre en secouant gravement la tête. Rien de plus normal. Mais, ce premier roman, vous l'avez quand même fait lire par des gens de votre entourage, non?

— Bien sûr.

— Et les réactions?

— Euh... plutôt bonnes. Mais il s'agit d'amis, de parents, vous savez... On ne peut pas vraiment s'y fier.

— Et si je le lisais, moi? proposa le journaliste avec un sourire éclatant. Je vous connais à peine. Je ne vous dois rien. Et je vous promets d'être... impitoyable!

Charles demeura interdit. Il ne savait comment interpréter cet intérêt soudain d'un inconnu.

— Non, vous êtes bien trop occupé, je vous remercie. Il s'agit quand même de plus de deux cents pages, vous savez.

— Mais ce n'est rien, rien du tout! J'adore la lecture et je lis très vite. Et puis j'ai bien plus de loisirs que vous ne croyez.

— J'aurais peur de vous ennuyer, poursuivit Charles en secouant la tête avec un sourire tendu, partagé entre la méfiance et le désir d'accepter. On a beau dire, ça demande du temps, surtout lorsqu'il s'agit d'une lecture attentive.

— Pfa! un pet de lapin! Si c'est la seule chose qui vous retient... Apportez-moi votre manuscrit et en deux jours je le traverse, et je vous donne l'heure juste... d'après mon humble petite montre à moi, bien sûr, rectifia-t-il aussitôt en se frottant l'oreille d'une façon étrange.

Charles finit par accepter. Enchanté, Bernard Délicieux commanda des cognacs, puis se mit à lui parler de la carrière pittoresque qu'il menait depuis plusieurs années dans le « journalisme artistique ». Charles remarqua avec plaisir que pas une fois le nom de Brigitte Loiseau n'apparut sur ses lèvres. Le service qu'il offrait de lui rendre ne semblait donc pas faire partie d'un stratagème. Peut-être le bonhomme s'était-il tout simplement pris d'amitié pour lui. Ces choses-là arrivent dans la vie sans que l'on sache trop pourquoi. Depuis son tout jeune âge, il attirait ainsi la sympathie. De toute façon, il n'était plus un enfant et on ne pouvait plus le rouler comme autrefois.

Charles proposa qu'ils se rencontrent le lendemain vers quatre heures rue Saint-Denis à La Brioche Lyonnaise, où il lui remettrait son manuscrit. Le jeune homme, grisé par le cognac et sachant qu'il devait se pointer tôt le lendemain à la quincaillerie, jugea bon de s'en retourner tout de suite chez lui. Sa rencontre l'avait tout ravigoté et, malgré sa fatigue et une curieuse impression d'irréalité, il se mit à sa table de travail et réussit à écrire trois pages avant de se mettre au lit.

La Sombre Nuit enchanta Bernard Délicieux. Quelques jours plus tard, Charles se présentait chez lui, avenue du Parc-La Fontaine. Le journaliste le reçut en robe de chambre et pantoufles, avec une barbe de deux jours et dans un état d'enthousiasme qui lui donnait une voix de fausset; il se mit à lui parler en faisant de grands gestes théâtraux, s'arrêtant à tout moment pour le regarder droit dans les yeux en lui tapotant l'épaule. Ses jambes fluettes et glabres juraient comiquement avec son ventre rebondi, lui donnant une vague ressemblance avec une autruche, mais Charles, tout à sa délectation des éloges dont on l'inondait, avait à peine remarqué la tenue inusitée de son hôte. Des mois et des mois de travail trouvaient enfin un début de récompense. Par la voix de ce gros original surexcité qui discourait en faisant les cent pas, c'était le public qui commençait à réagir.

— Votre livre m'a happé dès que je l'ai ouvert, Charles. J'ai mis tout mon travail de côté et je l'ai lu d'une traite, puis je l'ai relu, chose qui ne m'était pas arrivée depuis au moins trente ans. Vous pourrez vous vanter de m'avoir fait passer des moments intenses, vous! Je n'ai même pas pris le temps de m'habiller, je ne me suis pas rasé et pour toute nourriture je n'ai avalé que des brioches à la cannelle et du café! Il faut absolument que ce livre paraisse. Vous êtes un écrivain-né, une des futures gloires de notre littérature, tous ces éditeurs ne sont que des imbéciles qui devraient se recycler dans le commerce des bicyclettes ou le tricot, ou mieux encore prendre leur retraite et laisser la place à des gens intelligents.

— Oui, mais s'ils pensent tous la même chose, remarqua tristement Charles, mon livre ne paraîtra jamais.

— Il paraîtra, il paraîtra, soyez-en sûr. Donnez-moi le temps d'y réfléchir un peu, je finirai bien par trouver un moyen. Évidemment, tout n'est pas parfait, il y a de petites améliorations à apporter ici et là, j'ai pris quelques notes, vous les lirez à tête reposée; du reste, vous en ferez bien ce que vous voulez, le maître, c'est vous, n'est-ce pas? Je ne suis rien, moi, seulement un vieux journaliste usé par le travail.

Et il se lança de nouveau dans ses éloges. Soudain, Charles trouva son enthousiasme suspect, ses manières et son allure désagréables, visqueuses. Délicieux lui offrit un café, mais il le refusa en prétextant un rendez-vous et, après l'avoir remercié le plus chaleureusement qu'il put, il partit, son manuscrit sous le bras, déçu et perplexe, sans trop savoir pourquoi. Encore une fois, il se sentait revenu à la case départ.

◈

Trois jours passèrent. Fernand et Lucie observaient Charles, étonnés. D'habitude avenant et travailleur, il était devenu sombre et soucieux, arrêté à tout moment dans un coin en train de se tripoter les lèvres, les yeux dans le vague, et tombant de la lune quand on lui posait une question; à deux reprises, il avait presque envoyé promener un client qui s'était pourtant adressé à lui fort poliment. C'étaient ces maudits éditeurs, se disait Fernand, qui prenaient plaisir à le torturer au lieu de publier son livre comme ils auraient dû, s'ils n'avaient pas été si imbéciles et paresseux. Après tout, que risquaient-ils? Le gouvernement les bourrait de subventions. Mais, au lieu de s'en servir pour publier des livres, ils devaient sans doute s'acheter des Mercedes et boire du champagne avec des poules couvertes de bijoux. Il serait bien allé les trouver pour leur dire une vérité ou deux, mais à quoi cela aurait-il servi? Il ne connaissait rien à ce genre d'affaire et on lui aurait tout simplement ri au nez.

Le matin du quatrième jour, Charles se présenta à la quincaillerie avec un visage si dépité et si hargneux que Fernand, après avoir consulté sa femme, décida de le prendre à part pour lui demander ce qui n'allait pas et s'il pouvait lui être de quelque secours.

— Donne-lui donc deux ou trois jours de congé, proposa Lucie. Un peu de repos lui fera sans doute du bien. Il a peut-être pris l'habitude d'écrire la nuit. Les artistes font souvent ça. Mais ils ont besoin de sommeil comme tout le monde, non?

Vers dix heures, au moment où Fernand avait amassé assez de courage pour aller le trouver, Charles reçut un appel qui le retint pendant plusieurs minutes. Quand il raccrocha, il était devenu un autre homme. Tout le reste de la matinée, il se montra le commis le plus charmant et le plus efficace de tout Montréal et quitta les lieux à midi en sifflotant *Quand les hommes vivront d'amour*. Fernand et Lucie, debout sur le seuil, le regardèrent s'éloigner avec un sourire médusé.

Quelques minutes plus tard, il sortait de la station Berri-de Montigny et montait à grands pas la côte de la rue Saint-Denis pour s'arrêter au Commensal où Bernard Délicieux l'attendait en compagnie d'un petit homme à barbe noire et à chevelure clairsemée, dans la fin de la trentaine, qui avait des verres fumés remontés sur le sommet de son crâne.

— Charles, fit le journaliste en se levant, je vous présente Édouard Pigeon-Lecuchaux, éditeur, journaliste, publicitaire, relationniste, agent de presse et beaucoup d'autres choses encore, dont monsieur vous parlera lui-même. Mais auparavant, poursuivit-il en prenant un ton comiquement guindé, nous allons faire notre choix parmi tous ces succulents mets végétariens qu'on a cuisinés pour le plaisir de notre palais et le plus grand bien de notre santé. C'est moi qui vous invite.

Et il se dirigea vers les comptoirs, où de grands récipients métalliques, vivement éclairés, proposaient un étalage multicolore de mets chauds et froids qui laissaient échapper des vapeurs odorantes et des arômes étranges et alléchants.

— Vous êtes déjà venu ici? demanda Pigeon-Lecuchaux en s'effaçant poliment devant Charles pour qu'il puisse prendre un plateau.

— Oui, une fois ou deux, il y a longtemps, répondit ce dernier en fixant malgré lui ces verres fumés curieusement accrochés.

— Eh bien! moi, déclara Bernard Délicieux, depuis un mois, j'y viens presque chaque jour, car j'ai décidé de me refaire une santé. Fini pour moi la viande! Avec ce qu'on fait manger de nos jours aux vaches, aux cochons et aux poules, mieux vaut s'en tenir loin, croyez-moi. Prenez une pointe de cette tourtière de millet, Charles, vous m'en donnerez des nouvelles. Et puis il y a ici une salade d'algues qui n'est pas piquée des vers, et puis aussi cette fricassée au tofu... mioum ! mioum ! Bref, on a l'embarras du choix, avec la perspective de devenir centenaire !

— Et alors, fit Pigeon-Lecuchaux en s'attablant devant une assiette débordante, il paraît que vous avez pondu une véritable perle ?

Et il attaqua son repas avec une voracité extraordinaire.

— Pondre une perle ! s'exclama Bernard Délicieux, admiratif. Tu as de ces expressions !

— J'ai essayé d'écrire un roman, répondit modestement Charles.

— Et Bernard m'a dit que les éditeurs se font tirer l'oreille ?

— En tout cas, ils ne m'arrêtent pas dans la rue pour me faire signer un contrat.

Édouard Pigeon-Lecuchaux eut un petit rire silencieux et cligna de l'œil deux ou trois fois, puis, après avoir vigoureusement mastiqué un morceau d'aubergine au cari, il murmura, la voix soyeuse :

— Avec votre permission, j'aimerais prendre connaissance à mon tour de votre manuscrit. J'ai la plus grande estime pour le jugement de Bernard. Si le roman me plaît, je pourrais peut-être faire quelque chose pour vous.

— Il peut tout, Charles ! affirma Délicieux en brandissant sa fourchette.

Ce qui, dans un sens, était la vérité même.

Édouard Pigeon-Lecuchaux habitait Montréal depuis un an et se disait parisien d'origine, fils d'un célèbre chirurgien aujourd'hui décédé. En fait, il était né à Bergerac, en Dordogne, où son père était concierge au Musée du tabac. Charles croyait avoir vu son nom quelque part, sans pouvoir se rappeler où. Bernard Délicieux lui vint en aide. Trois semaines après son arrivée à Montréal, ressentant l'impérieux besoin de regarnir son portefeuille, l'aventureux touche-à-tout avait humé le vent à la recherche d'un filon, puis torché en dix jours une biographie de Ginette Reno qui avait connu un petit succès de scandale, assorti d'une poursuite en diffamation. Sa rapidité d'écriture et la tranquille effronterie de ses propos avaient ébloui Délicieux, qui lui vouait une sorte de culte.

— Les Éditions Otis, c'est lui, Charles.

— Otis comme les ascenseurs, précisa l'illustre éditeur avec un fin sourire, mais nous, *nous n'allons que vers le haut* ! J'ai déjà une demi-douzaine de titres qui marchent pas mal et nous préparons un petit bouquin sur le Village gai qui sera un coup fumant, croyez-moi, car j'ai bien vu que les homosexuels ont la cote !

Charles l'écoutait, amusé, surpris. Une connaissance plus approfondie de la carrière de l'individu l'aurait sans doute incité à écourter son repas pour aller observer les moineaux du parc La Fontaine ou compter les fissures de trottoir de la rue Sainte-Catherine, mais bien peu de gens à Montréal savaient qui était vraiment Édouard Pigeon-Lecuchaux.

Aventurier éhonté, discoureur intarissable, élucubrateur sans limites, Pigeon-Lecuchaux avait tout essayé, tout remué, fouiné partout et fait n'importe quoi. Ses talents multiples l'avaient successivement poussé dans la vente de pianos en bois de rose (« le bois qui chante ») et de baignoires à remous, la publicité, l'organisation d'événements culturels à caractère philanthropique ou commercial, les services de *reconstruction psychologique*, la pornographie élégante, les médecines douces, l'immigration clandestine, l'écriture, le journalisme, et il venait de se lancer dans l'édition.

L'année d'avant, sous le pseudonyme de Sacha Savaroff et avec la connivence d'un traducteur marron, il avait publié à Paris *Face à face sur un fil de fer*, *Tout le monde ressemble à quelqu'un* et *Un hippopotame dans mon lit*, trois romans érotico-policiers dus à la plume d'un obscur auteur moscovite ; mais Sacha Savaroff était demeuré aussi obscur en France que sa victime en Russie.

Puis, à partir de plusieurs livres adroitement triturés, modifiés et mélangés, il avait fait paraître sous le nom d'Abouyafi Afnam Aknach, derviche du dix-huitième siècle, un ouvrage à caractère philosophique intitulé *Les Sept Piliers de la paix intérieure*, le célèbre penseur Jacques Languirand lui ayant fourni à son insu le texte de la préface. Le livre s'était fort bien vendu, car la mode du mysticisme caoutchouteux faisait rage depuis quelque temps.

Mais des tracasseries judiciaires l'avaient bientôt incité à se transformer en courant d'air afin de protéger sa propre paix intérieure et il avait atterri au Québec, rempli d'une énergie féroce, d'un enthousiasme redoutable et convaincu de se trouver au pays de la bonasserie, ce que personne jusqu'ici n'a pu démentir.

Édouard Pigeon-Lecuchaux prit une bouchée de gâteau triple chocolat, l'accompagna d'une longue gorgée de café, lutta quelques secondes contre une montée de gaz inopportune, puis, se tournant vers Charles, il lui tendit une carte :

— Venez porter votre manuscrit à mes bureaux demain. Vous aurez de mes nouvelles rapido. Et si j'aime, tout le monde aimera. C'est un engagement formel.

Le lendemain après-midi, vers une heure, Charles constatait que « mes bureaux » étaient en fait une petite pièce misérable perdue dans une immense bâtisse de quatre étages, d'aspect miteux, rue Ontario près de Saint-André, ancien entrepôt qui avait connu au cours des ans les usages les plus divers et les plus saugrenus. On accédait aux Éditions Otis par un dédale incroyable de corridors et d'escaliers craquants et poussiéreux, traversés de rumeurs, trottinements et bruits variés; les murs et les plafonds s'ornaient d'un foisonnant spaghetti de tuyaux et de fils électriques encroûtés de peinture; Charles y erra vingt minutes, cherchant une bonne âme qui voulût bien le guider, puis reconnut tout à coup la voix de Pigeon-Lecuchaux en train de parler au téléphone. Il frappa à une porte. On lui dit d'entrer. L'éditeur l'accueillit d'un « ha! » amical, se leva, lui serra la main et avança une chaise qui avait supporté des milliers de derrières et commençait à s'en ressentir.

— Contrairement à mes concurrents à l'esprit frivole, crut-il bon d'expliquer, moi, je n'investis pas mon argent dans les *décors et spectacles*, comme disait le grand Gaston Gallimard, mais dans les livres. Ici, tout va dans les livres, rien que dans les livres. Ma vanité et mon confort arrivent loin derrière. Un éditeur digne de ce nom, mon cher ami, doit se faire l'esclave des livres et de leurs auteurs, car ils sont sa seule raison d'être. Voilà comment je vois les choses. J'espère, mon garçon, être bientôt votre esclave. Ah! le voici enfin, ce fameux manuscrit! J'ai hâte de le lire. Je vais m'y mettre tout de suite.

— Il se peut qu'il y ait encore des fautes, prévint Charles avec modestie.

— Aucune importance. Ce qui compte, c'est le talent. Tout le reste n'est que mécanique et plomberie. C'est là où notre rôle commence, à nous, les éditeurs, car *nous sommes le pont entre l'écrivain et la multitude*. Mais le tablier du pont doit être solide et la chaussée lisse et libre d'obstacles, pour que la circulation des idées se fasse de l'un à l'autre.

Il ouvrit le manuscrit et se plongea dans la lecture. Trois minutes passèrent. Une radio phtisique quelque part à l'étage supérieur laissait entendre *Yellow Submarine.* Charles observait avec étonnement dans le plancher aux lattes grisâtres un interstice qui semblait s'amincir et s'élargir, comme sous l'effet d'une mystérieuse pulsation; puis il réalisa que c'était la nervosité qui lui donnait la berlue.

Pigeon-Lecuchaux releva alors la tête :

— Cela s'annonce bien. Si la qualité se maintient, je peux vous garantir de bonnes critiques.

— Garantir? s'étonna Charles.

L'éditeur jeta un coup d'œil à sa montre, puis se leva et lui tendit la main avec un sourire paternel :

— Garantir. J'ai mis au point une méthode infaillible. À bientôt, mon ami. Toutes mes pensées sont pour vous.

9

Céline et Blonblon, perplexes, écoutaient Charles pendant que la carafe sur le comptoir se remplissait de café. Il les avait invités chez lui pour leur faire part de sa deuxième rencontre avec le président des Éditions Otis, qui venait d'avoir lieu au restaurant Le Caveau, rue Victoria, où un dîner copieux et superbement arrosé avait été accompagné d'une série de propos plutôt étranges, du moins pour un écrivain néophyte comme Charles.

La Sombre Nuit avait ravi Édouard Pigeon-Lecuchaux. Il avait écrasé Charles sous les éloges, parlant de « talent majeur », d'« étoile de première magnitude », le décrivant comme un « jeune Atlas des lettres québécoises » et présentant son œuvre comme une « fulmination typiquement nord-américaine où l'entrecroisement de la cruauté et de l'amour créait un tissu affectif d'une extrême solidité ». Bref, une grande carrière attendait le futur auteur si…

Et l'éditeur avait alors fait une longue pause.

— Si quoi ? avait demandé Charles, fébrile et quelque peu inquiet.

— Si on prend, avait poursuivi Pigeon-Lecuchaux, les moyens adéquats pour que cette carrière démarre dans les meilleures conditions.

— Et quelles sont ces conditions ?

— Nous parlerons de cela un peu plus tard, avait-il répondu avec un geste indolent. Quelqu'un doit nous rejoindre au dessert pour discuter de la chose. Auparavant, je veux vous décrire la conception que je me fais du métier d'éditeur.

La plupart d'entre eux, selon Pigeon-Lecuchaux, traitaient leurs auteurs comme des galériens, ne récompensant leur gigantesque labeur que par une misérable pitance, ces fameux *droits d'auteur* qui dépassaient rarement cinq pour cent (autrement dit, rien), et se réservant pour eux-mêmes toute la viande et son jus.

Lui ne voyait pas les choses ainsi.

Il ne considérait pas l'écrivain comme un vulgaire employé mais comme un *associé*, un associé qui fournissait la matière essentielle – le livre – et qui méritait donc d'être rétribué en conséquence. N'était-ce pas simple justice ? Lui-même, Pigeon-Lecuchaux, se voyait comme une vulgaire et banale courroie de transmission, luisante d'usure et tachée d'huile, qui ne faisait que véhiculer l'énergie de la machine créatrice dont elle tirait son mouvement. Mais une condition primordiale s'imposait alors. Pour que l'auteur participe aux profits générés par son œuvre, il devait nécessairement *participer à la mise de fonds nécessitée par l'édition*, l'éditeur, lui, ne se prenant qu'un salaire raisonnable pour le travail fourni.

— Participer à la mise de fonds ? avait répété Charles, de plus en plus inquiet. Pour combien ?

— Oh ! presque rien, quelques milliers de dollars tout au plus. Mais si le succès répond à nos efforts – comme j'ai la certitude qu'il le fera –, cet investissement va produire des revenus vingt, trente, cinquante fois supérieurs ! Eh oui ! Avec une saine gestion, vous verriez votre subsistance assurée jusqu'à la fin de vos jours par le succès d'*un seul livre*. Vous imaginez ? La liberté dans l'aisance ! Un sort qui n'échoit à presque personne !

Charles eut une moue désabusée :

— C'est bien beau, mais je n'ai pas cet argent.

— Cela se trouve. On passe toute sa vie à rêver d'un million, mais on peut quand même rassembler sept mille dollars avec une relative facilité.

— Sept mille dollars ! Mais... mais pourquoi ne les avancez-vous pas vous-même, si vous croyez tant à mon succès ? demanda Charles, soupçonneux.

— Je viens de vous expliquer pourquoi, mon cher ami. Cela va à la fois contre mes principes et contre ma conception du métier.

— Je me demande bien comment je vais faire, alors.

— Avez-vous le choix ? Jusqu'ici, n'est-ce pas, personne n'a voulu de votre livre. Peut-être finirez-vous par convaincre un de mes collègues éditeurs. Mais peut-être aussi que non. Tant d'imbéciles encombrent le métier ! Tenez, je vais essayer de vous faciliter la tâche. Je vous ai parlé de sept mille dollars. Mais, en travaillant très fort, une main sur la calculatrice et l'autre sur la gorge de l'imprimeur, je pense pouvoir produire votre livre pour... cinq mille dollars. Mais ne me demandez pas de baisser d'un sou de plus !

Charles réfléchissait, le visage sombre, tournant machinalement un morceau de pain entre ses doigts. Pigeon-Lecuchaux remplit son verre de bordeaux.

— Vous pourriez faire un emprunt, suggéra-t-il d'un ton doucereux.

— Pensez-vous ! Personne ne voudra risquer dix dollars sur ma tête.

— Mais avec un endosseur, oui. Il suffit de trouver un endosseur.

— Alors, ce sera vous !

Pigeon-Lecuchaux partit d'un immense éclat de rire, comme s'il venait d'entendre la meilleure plaisanterie de sa vie. Puis la discussion recommença, âpre, intense, tortueuse, parsemée de pauses pendant lesquelles l'éditeur cajolait son compagnon, essayant de l'encourager, lui vantant les mérites de sa proposition, tandis que la bouteille de bordeaux se vidait.

Charles en était à dresser une liste des personnes susceptibles de se porter garantes pour lui lorsque des raclements de pieds lui firent lever la tête. Un grand homme maigre à cheveux gris, en habit fripé, la cravate à demi dénouée sur un col de chemise ouvert qui laissait voir un cerne, se tenait à quelques pas de la table, les observant d'un œil las, comme hésitant à se lancer dans une nouvelle corvée.

Pigeon-Lecuchaux se retourna et l'aperçut :

— Ah ! Gaston ! te voilà enfin ! Approche, que je te présente ma nouvelle découverte !

L'autre eut un faible sourire et s'avança en traînant les pieds, tendit une main chaude et molle à Charles, puis se laissa tomber sur la chaise qu'on lui présentait, les jambes allongées sous la table, le regard fixé sur la bouteille de vin. La seconde d'après, il portait un verre à ses lèvres, remuait longuement le liquide dans sa bouche, les lèvres serrées, le regard au plafond, puis un hochement de tête approbateur indiqua qu'il jugeait ce bordeaux digne de franchir son gosier.

— Mon cher Thibodeau, fit Pigeon-Lecuchaux en faisant signe au serveur d'apporter une autre bouteille, tu peux te compter chanceux que j'aie de bonnes relations : Gaston Robinard est le meilleur journaliste de Montréal...

— ... et le plus fatigué, ajouta ce dernier d'une voix éteinte, et il poussa un long et sonore bâillement.

Une grosse dame en chapeau rose, assise en face, lui jeta un regard outré et marqua son indignation en plantant férocement sa fourchette dans un petit oignon.

— Tatata ! reprit joyeusement l'éditeur, il n'arrête pas de nous rebattre les oreilles avec sa fatigue, mais il possède l'énergie d'une centrale nucléaire. Combien de feuillets as-tu écrits aujourd'hui, Gaston ?

— Dix-sept. Et j'en ai encore au moins huit à livrer avant minuit. Sinon Robidoux va m'assommer.

— Vous voyez ? Vingt-cinq feuillets en une journée ! Ce que certains journalistes – syndiqués, mon cher – ont de la difficulté à pondre en une semaine !

— Et où travaillez-vous ? demanda Charles, intrigué et retenant avec peine un sourire moqueur devant ce grand corps mou, affaissé sur une chaise comme une poupée en train de se dégonfler.

— Partout. Partout où ça paye.

— Charles, j'ai tenu à ce que vous fassiez la connaissance de Gaston, car c'est l'homme qui va servir de rampe de lancement à votre carrière. Vous avez devant vous un journaliste non seulement expérimenté mais aguerri, possédant des milliers de contacts dans le milieu, doué d'un esprit fin et délié, qui saisira tout de suite la valeur et l'originalité de votre écriture et saura la faire apprécier des autres. Mais auparavant, Gaston, fit Pigeon-Lecuchaux en se tournant vers le journaliste qui, toujours affalé sur sa chaise, lui tendait son verre vide, il faut que je vous parle de ma jeune recrue et de l'œuvre qu'elle a bien voulu me confier.

Et, d'une voix fiévreuse, il se mit à lui vanter le roman de Charles. L'autre l'écoutait, la bouche entrouverte, l'œil mort. Son visage jaunâtre avait l'expression stupide d'un poisson. De temps à autre, Charles lui jetait un regard, tout décontenancé. Mais soudain, à un mot lancé par l'éditeur, le visage du journaliste s'anima; un réseau de tics le parcoururent tandis que ses yeux clignaient en pétillant; puis Robinard retomba bientôt dans sa morne langueur. Cela se produisit à quelques reprises, au moment où l'on s'y attendait le moins.

— En somme, conclut l'éditeur après avoir péroré pendant une dizaine de minutes, nous avons là une œuvre d'exception, bien charpentée, d'un ton neuf et rude, qui ne demande qu'à trouver son public. Et j'aimerais bien que vous vous en occupiez, mon cher Gaston, aux conditions habituelles.

Pour toute réponse, l'autre allongea la main, saisit la bouteille de vin par le goulot et remplit son verre. La dame en chapeau rose, excédée, poussa une sorte de sifflement; son compagnon, un petit monsieur à l'aspect fragile, dut la calmer, inquiet.

— Je veux bien, dit enfin Robinard après avoir bu deux longues gorgées. Pour quand la parution?

— Hum.... Voyons voir... Nous avons auparavant quelques détails à régler, mais rien de très compliqué... le temps de faire soumissionner les imprimeurs, de trouver un autre titre...

— Un autre titre? s'étonna Charles.

— Eh oui ! mon garçon. Après mûre réflexion, j'en conclus qu'il faut un titre plus… racoleur.

Il se tourna de nouveau vers le journaliste :

— Disons dans deux mois.

— Je ne sais pas comment je vais y arriver, soupira Robinard, mais je me débrouillerai.

Et, dans un geste qui parut drainer tout ce qui lui restait d'énergie, il tendit la main à Pigeon-Lecuchaux, puis à Charles.

— Voulez-vous mon manuscrit tout de suite ? proposa ce dernier à Robinard.

L'autre leva la main comme pour protéger son visage d'un projectile :

— Merci, merci, je ne lis jamais les livres dont je parle. Pas le temps. D'ailleurs, je parle bien mieux de ce que je ne connais pas. Ça donne de l'élan à mes idées.

Charles, ahuri, promenait son regard de l'éditeur au journaliste. Pigeon-Lecuchaux souriait, imperturbable.

— Voici comment on va procéder, mon garçon, poursuivit Robinard d'une voix épuisée. Il faudra que tu me donnes un coup de main si tu ne veux pas que je te crève dans les bras ; ça serait bien dommage pour un homme qui n'a pas encore cinquante ans. D'abord, tu vas m'écrire un petit résumé de ton histoire en mettant les noms de tes principaux personnages, mais pas plus que deux pages, sinon je risque de m'embrouiller. Ensuite, tu vas me faire une liste des choses que t'aimerais que je dise sur ton livre. Édouard fera de même de son côté, comme d'habitude. Essaye de trouver des phrases qui ont du *punch* ; ça fait des bons titres.

Il vida son verre, consulta sa montre et parut se plonger dans une profonde réflexion ; mais, au bout d'un moment, ses yeux se fermèrent : il dormait. Pigeon-Lecuchaux avait poussé son assiette et vérifiait l'addition qu'on venait de lui apporter.

Charles, estomaqué, fixait alternativement l'éditeur et le journaliste, qui, la tête inclinée, laissait échapper un léger sifflement par les narines.

— C'est comme ça que ça se passe dans le monde de l'édition? demanda-t-il enfin.

Pigeon-Lecuchaux eut un large sourire et fit signe que oui. Puis, devant le désarroi de plus en plus visible de son jeune interlocuteur, il lui tapota gentiment l'épaule.

— Que veux-tu, mon Charles, on ne va pas à la guerre avec des tapettes à mouches : il faut que les moyens soient en rapport avec la fin, que diable! Hé! Robinard! réveille-toi! Notre ami a le vague à l'âme. Explique-lui un peu le métier, il dépérit à vue d'œil, le pauvre.

Robinard eut un sursaut, ouvrit les yeux, sourit, s'excusa de son moment de défaillance et, après avoir avalé le fond de sa tasse de café, puis celle de Pigeon-Lecuchaux, que ce dernier avait à peine touchée, il expliqua à Charles la stratégie de promotion qu'il fallait suivre pour imposer un jeune écrivain encore inconnu :

— Avec le matériel que tu vas me fournir, conclut-il, je vais écrire une vingtaine d'articles, qui diront tous la même chose mais de façons différentes, et je vais les envoyer à mes journaux.

— Il travaille pour vingt-sept journaux, annonça Pigeon-Lecuchaux, triomphant.

— *Vingt-sept* journaux? s'exclama Charles.

— Comme pigiste, bien sûr, précisa Robinard dans un bâillement. Et sous des noms différents... Sinon, ça pourrait créer des complications.

— Je vous l'avais dit, Charles! exultait l'éditeur. Gaston constitue une formidable rampe de lancement : il est partout, comme Dieu! On le lit, par exemple, dans *L'Écho* de Valleyfield, *L'Œil* de Berthierville, *Le Projecteur* de Drummondville, *La Voix du peuple* de Clova, *La Vigie* de Lévis, *L'Éclair* d'Arthabaska, *Le Vigilant* de Saint-Georges-de-Beauce, et même jusque dans *Le Coq du clocher* de Rivière-du-Loup! Mais je décèle une inquiétude dans votre regard... Aucun de ces journaux ne vous est familier, n'est-ce pas? Vous vous attendiez peut-être à ce que je vous parle de *La Presse*, du *Journal de Montréal*, du *Devoir*, du *Soleil*, de *La Tribune*, du *Quotidien* et tutti quanti, hein? Ceux-là, mon cher, je les réserve pour la phase deux. Nous commencerons par l'humus populaire, si je puis dire, puis, quand notre message sera bien imprégné dans la masse provinciale, nous attaquerons la métropole et les grandes villes. Allons, faites-nous confiance, je connais le métier et Gaston aussi. Vous serez ravi des résultats, je vous le promets!

Charles s'arrêta. Céline et Blonblon regardaient droit devant eux, pensifs. Céline se leva, remplit trois tasses de café et les déposa sur la table. Charles prit une gorgée, puis grimaça sous l'âcreté de la boisson qui avait bouilli sur le réchaud:

— Je suis sorti du restaurant écœuré, vous ne pouvez pas savoir à quel point. J'avais le goût de prendre mon manuscrit, de le passer dans un moulin à viande, et qu'on n'en parle plus.

Au mot «viande», Bof, couché dans un coin, leva la tête, renifla un ou deux coups, mais, ne détectant rien de particulier, reposa son museau sur ses pattes, gardant cependant l'œil fixé sur son maître, dont le visage l'inquiétait depuis un moment.

— Est-ce que les choses se passent comme ça partout? demanda Céline, atterrée. Si oui, c'est décourageant. On ne peut plus se fier à personne. Tout est truqué.

— Allons donc, répondit Blonblon, tu exagères. Il a eu affaire à des escrocs, ça saute aux yeux.

— Alors, j'ai le choix, conclut Charles, sarcastique : des escrocs... ou rien !

Blonblon porta la tasse à ses lèvres et grimaça à son tour, mais ce n'était pas à cause du café. La simple idée que la terre ne fût peuplée que d'escrocs, petits et grands, lui coupait la respiration. Il prit une deuxième gorgée et la terrible pensée se dissipa. Alors, pointant l'index vers son ami :

— Plutôt que de rester ici à chialer, va donc voir le notaire Michaud et raconte-lui tout. Il s'y connaît en livres, lui. Il saura te conseiller. Vas-y, Charles.

— Mais surtout, poursuivit Céline sur un ton suppliant, ne parle de rien à Fernand. Il a déjà assez de soucis comme ça. Tu me le promets, hein, Charles ?

Le notaire, assis à son bureau, se renversa en arrière en portant les pouces à sa ceinture :

— Mais mon cher Charles – ah ! cette allitération ! –, ce qu'on te propose en fait, c'est de *l'édition à compte d'auteur*. Étrange qu'on ne te l'ait pas dit...

— De l'édition à compte d'auteur ? répéta le jeune homme, étonné. Qu'est-ce que c'est au juste ?

— C'est la solution que choisit un écrivain qui ne trouve pas d'éditeur et veut absolument publier son livre. Il y a des maisons qui se chargent de ces cas. Les Éditions Otis en sont une. Voilà tout.

— Ouais, je vois, murmura Charles avec une moue sarcastique. Les éditions qui s'occupent des laissés-pour-compte...

— Allons, allons, mon cher Charles ! Ne pas trouver d'éditeur ne signifie pas qu'on a pondu une merde... Pense à Proust, à Gide, à Henry Miller et à tant d'autres... Cela dit, je te conseillerais de continuer à chercher un... véritable éditeur, car, même si je ne connais pas grand-chose à ce métier, les cinq mille dollars que ce monsieur te demande m'apparaissent une somme exorbitante. Il y a des escrocs partout et ce Français en est peut-être un. Il faut se méfier... Mais au fait, reprit-il tout à coup avec un sourire forcé, tu ne me l'as jamais fait lire, ce fameux roman... Qu'attends-tu ? J'en suis presque froissé, mon cher.

— Excusez-moi, je vous l'apporterai, répondit Charles en rougissant.

Il posa encore deux ou trois questions au notaire, puis le remercia et partit.

10

Charles, qui craignait le jugement de Parfait Michaud, ne lui apporta jamais son manuscrit, malgré la peine qu'il voyait bien que cela lui causait. Mais il suivit son conseil et se remit à la recherche d'un éditeur. Le printemps arriva et lui apporta trois refus. Découragé, Charles abandonna son deuxième roman. Un soir, pris d'un accès de rage, il saisit les copies de *La Sombre Nuit* qu'il possédait, descendit les marches quatre à quatre jusque dans la rue et les lança dans la gueule d'un camion à ordures qu'il avait entendu approcher. Le lendemain, à son grand soulagement, il apprenait que Steve Lachapelle avait toujours sa copie chez lui.

Pendant ce temps, Édouard Pigeon-Lecuchaux le harcelait d'appels téléphoniques. Charles lui répondait qu'il avait décidé de continuer à travailler son texte.

— Le mieux est l'ennemi du bien, mon garçon, lui dit un jour l'éditeur dans une vibrante mise en garde. À trop vouloir la perfection, on finit par tout gâcher. Libérez-vous, sapristi, accouchez! Votre enfant va finir par vous empoisonner! Il me faut ce manuscrit bientôt, sinon je n'aurai plus le temps de m'en occuper. Si vous saviez le nombre de gens qui me courent après pour que je les publie... Je dois parfois me cacher pour travailler.

Pigeon-Lecuchaux refit ses calculs et lui présenta une dernière soumission : quatre mille quatre cents dollars.

— Si je m'abaisse à un prix aussi ridicule, c'est par estime pour vous, allez! Encore un peu, et il faudra que je vende ma chemise et mon pantalon!

Le 4 mai, Charles craqua et donna son accord.

Restait à rassembler l'argent. Il avait neuf cent quarante-deux dollars d'économies. Lucie, que Céline avait mise au courant de l'affaire en lui faisant jurer de n'en rien dire à son père, réussit à trouver trois cents dollars. Céline elle-même en fournit deux cents. Steve Lachapelle, dans un élan d'amitié qui toucha profondément Charles, décida d'arrêter de fumer et de lui apporter chaque semaine cinq dollars. En fait, il se mit à piquer des cigarettes en cachette à sa mère. Blonblon, qui avait fermé son atelier depuis longtemps et consacrait tout son temps à ses études, avait des ressources fort limitées; il se présenta néanmoins un bon matin à Charles avec quatre-vingt-cinq dollars, regrettant de ne pouvoir faire plus.

On restait loin du compte. Pigeon-Lecuchaux, malgré toute l'admiration qu'il clamait pour l'œuvre de son jeune auteur, refusait de bouger avant d'avoir en main la somme complète.

◆

Ce fut Blonblon, tout à fait par hasard, qui fit avancer les choses. Un après-midi, vers la mi-mai, il revenait du cégep en compagnie de Steve lorsqu'il aperçut une boîte de carton posée sur le trottoir à côté de sacs verts qui attendaient les éboueurs. Mû par une vague curiosité, il l'ouvrit. Elle contenait trois douzaines de petits pots de verre, proprement alignés, tous vides avec leur bouchon de carton, poussiéreux mais en bon état.

— Yogourt Delisle! s'exclama Steve. Wow! ça doit être vieux, ça! Je ne me rappelle pas en avoir jamais vu dans une épicerie. Ça doit remonter au temps où ma mère était jeune fille. Peut-être qu'on pourrait les vendre à un antiquaire?

Blonblon, qui avait de fortes prédispositions de collectionneur et encombrait sa chambre de toutes sortes de curiosités, soupesa la boîte. Elle était plutôt légère. Il décida de l'emporter chez lui.

À quelques jours de là, il en montra par hasard le contenu à Charles.

— On pourrait peut-être se faire du fric avec ces pots, conclut Charles après les avoir examinés.

Blonblon eut un sourire sceptique.

— Ces pots ne datent pas d'hier, crois-moi... Ils doivent remonter aux années 1950, ou même avant... Qui sait? Peut-être que la compagnie Delisle n'en possède plus un seul et serait prête à en donner un bon montant pour son musée. Toutes ces grosses compagnies ont des espèces de musée, tu comprends...

— Eh bien, prends-les, je te les donne, lança Blonblon. Vends-les cinq mille dollars, paye ton Pigeon et remets-moi le reste, ajouta-t-il en riant.

Le lendemain, Charles, sa boîte sous le bras, se présentait aux bureaux de la compagnie Delisle à Boucherville et, après beaucoup d'efforts, réussissait à rencontrer un des dirigeants. C'était un homme massif à l'air énergique et jovial avec des cheveux noirs en brosse, un curieux nez à bout aplati et des joues marquées d'une grande tache rose jambon. En voyant les pots, il arrondit les yeux, puis s'efforça aussitôt de prendre un petit air blasé, mais il était trop tard : sa réaction l'avait trahi.

— T'es venu me déranger pour une niaiserie pareille ? lança-t-il en essayant de se rattraper.

Alors Charles devint très rouge et se leva pour partir.

— Ho, ho ! prends pas les nerfs ! On peut discuter.

Les deux hommes échangèrent un sourire et le marchandage commença.

Charles demandait trois mille dollars, l'autre en offrit cinq cents. Au bout d'une demi-heure, il quittait le bureau avec mille, fort satisfait de son coup et décidé à partager moitié-moitié avec Blonblon, qui refusa en disant que c'était sa contribution à l'édition de *La Sombre Nuit.*

En apprenant l'histoire, Lucie, ravie de la débrouillardise de son fils adoptif, sortit d'une armoire une pochette de classement sépia, dont elle ne voulut pas révéler le contenu, et se rendit à la caisse populaire; elle en revint avec un chèque de cinq cents dollars, qu'elle remit à Charles, un grand sourire aux lèvres :

— Tu me rembourseras quand tu pourras. J'aurai aidé un écrivain au moins une fois dans ma vie.

Restait à trouver environ mille quatre cents dollars. L'affaire s'arrangea autrement. Le surlendemain, Charles signait un contrat avec les Éditions Otis ; une clause stipulait que l'auteur s'engageait à remettre chaque semaine à l'éditeur une somme de vingt-cinq dollars jusqu'à l'acquittement de sa dette, à défaut de quoi la propriété de l'œuvre reviendrait à ce dernier.

— *Dura lex sed lex*, commenta Pigeon-Lecuchaux, qui feuilletait parfois les pages roses du *Petit Larousse.*

Charles, dans l'extase de se voir auteur, avait tout accepté sans discussion. La rumeur de la gloire caressait déjà son oreille et il s'étonna presque, en revenant chez lui, de ne pas se faire dévisager par les passants.

Au début de juin paraissait enfin *Arnaque dans l'ombre* (titre imposé par l'éditeur) sur un papier épais et jaunâtre qui sentait un peu le moisi et affublé d'une couverture bicolore d'une laideur étonnante. En voyant le livre, Charles fit une légère grimace, mais n'osa pas exprimer sa déception.

Le lancement eut lieu le 15 juin, rue Saint-Laurent, au bar Les Bobettes Folichonnes ; la salle aux couleurs criardes et aux murs décorés de caleçons et de slips d'une grande variété de styles était fréquentée par une faune de révolutionnaires en chômage, de fonctionnaires tablettés, d'étudiants à temps partiel et d'intellectuels à la recherche d'une cause. Tous les amis et connaissances de Charles s'y présentèrent, ainsi que plusieurs de leurs connaissances et amis, et pendant quelques moments il y eut presque foule ; c'était une première aux Bobettes, qui vivotaient depuis deux ans sous l'œil menaçant du banquier.

Charles, assis à une table et en proie à la fameuse trémulation des auteurs novices, dédicaça soixante-dix-sept exemplaires, en donna sur ce nombre une bonne trentaine, parla à tout le monde, ne vit personne et ne se rappela rien de sa soirée, à part le fait qu'il était heureux, convaincu d'avoir conquis enfin la célébrité. On but du vin en sac servi dans des verres de plastique, des bols de croustilles et de bretzels circulèrent pendant vingt minutes, puis chacun dut payer ses consommations. Fernand avait mis un complet noir à rayures bleues et une cravate rouge sang qui firent froncer le nez au propriétaire des Bobettes, car ils lui rappelèrent la tenue de son banquier. Mais en payant de la bière à tout un chacun, le quincaillier regagna rapidement son estime. Bernard Délicieux, malgré un emploi du temps chargé, avait eu la gentillesse de faire une apparition.

En apercevant le livre de Charles, il eut l'air déçu et malheureux. « Ce maudit Pigeon-Lecuchaux a tout torchonné ! Qu'est-ce qui lui a pris ? » Il se mit à feuilleter un exemplaire, déjà rebuté par le mauvais papier, les pages trop pleines et les caractères grisâtres et trop petits, puis, le remettant avec un grand sourire à Charles :

— Me ferez-vous l'honneur, cher auteur, d'une dédicace ?

Il sentit le besoin d'ajouter, tandis que le jeune homme, penché sur son livre, un bout de langue sorti entre les dents, se creusait la tête pour trouver une phrase originale et spirituelle :

— Vous savez, Charles, tout commence par un début...

Vers six heures, Pigeon-Lecuchaux demanda le silence, qu'il obtint à grand-peine car l'alcool stimulait les gosiers, et prononça un petit discours vibrant et creux en l'honneur de cette « jeune et fougueuse littérature canadienne – ou plutôt *québécoise* – qui apporte un souffle d'air frais dans notre vieille culture française » ; puis il fit un grand éloge de Charles, « ce nouveau héraut romanesque » dont on n'avait pas fini d'entendre parler, assura-t-il. Il s'arrêta, la main tendue vers son auteur, et l'invita à dire quelques mots. Charles, tout rouge, remercia les assistants de leur présence, puis tomba en panne d'idées. Il bafouilla alors une ou deux plaisanteries sur le trac qui venait de lui vider la tête et souhaita à chacun une bonne lecture.

Une demi-heure plus tard, on ramassait les verres et on nettoyait les cendriers. Tout était fini. La petite vie grise recommençait. Fernand et Lucie invitèrent alors le nouvel écrivain et une dizaine de personnes dans un restaurant italien tout près : Charles se retrouva entre Céline et Henri, et en face de Blonblon et d'Isabel Steve voisinait avec monsieur Victoire (qui arborait sa première cravate depuis dix ans) et Rosalie, venue spécialement des Laurentides avec Roberto et qui avait beaucoup grossi ; Pigeon-Lecuchaux pérorait à un bout de la table avec, à sa gauche, Roberto, rose et rajeuni, qui lui lançait des regards agacés, et, à sa droite, une jeune femme à la beauté étrange que personne ne connaissait, amenée là par l'éditeur et qui semblait muette. Ce dernier mangea et but comme un soldat en permission, parla de ses bons coups, lança des plaisanteries ineptes et quitta bientôt les convives avec sa silencieuse amie en prétextant « une montagne de travail à abattre pour demain ».

Charles se coucha un peu triste ce soir-là, sans trop savoir pourquoi. « Hé ! Chose, penses-y : t'es devenu écrivain ! » se dit-il à plusieurs reprises avant de s'endormir, comme pour se consoler.

Deux semaines s'écoulèrent. Charles travaillait à la quincaillerie, fréquentait Céline, voyait ses amis. Les journaux paraissaient, les émissions de télé se succédaient. Personne ne semblait au courant de l'existence d'*Arnaque dans l'ombre* ni de son auteur, à croire qu'il avait publié son œuvre en Asie.

◆

Un après-midi, Charles, après avoir essayé plusieurs fois de joindre Pigeon-Lecuchaux au téléphone, décida de se rendre à son bureau. Une chaleur torride venait de se jeter sur Montréal, la première vague de l'été. Surpris et assommés, chats et chiens dormaient sous les galeries, sous les autos, dans tous les coins d'ombre. Il trouva l'éditeur dans une flamboyante chemise fleurie à manches courtes, cigare au bec, plongé dans une fiévreuse conversation téléphonique ; le cigare s'agitait en tout sens, avec de joyeux soubresauts, répandant une agréable odeur de rhum et d'épices ; son propriétaire était en train d'organiser ses vacances à Cuba.

Charles prit place sur une chaise et attendit patiemment que l'autre règle ses affaires, puis lui fit part, en termes fort mesurés mais sur un ton résolu, des inquiétudes qu'il éprouvait au sujet de la carrière de son roman.

— Mais voyons, mon garçon, s'écria Pigeon-Lecuchaux, outré par tant d'impatience, laissez le temps faire son œuvre ! Paris ne s'est pas fait en un jour, tournedieu ! Sauf rarissimes exceptions, un premier livre démarre toujours très lentement. Du calme et de la confiance, je vous en conjure. Vous verrez bien ce qui va se passer. Je vous promets de grandes joies !

◆

Ce qui se passa, en fait, c'est qu'il ne se passa rien. Les articles promis par Robinard finirent bien par paraître l'un après l'autre, après un laps de temps assez long. Mais aux endroits où ils paraissaient, le livre ne se trouvait pas, et là où il se trouvait, aucun article ne paraissait. Le système de distribution des Éditions Otis semblait avoir été conçu davantage pour alimenter la pénurie que la combattre. De sorte que la stratégie brillante et ingénieuse élaborée par Pigeon-Lecuchaux faisait merveille en tout, sauf en ce qui avait trait aux ventes.

Charles, comme bien des auteurs, se mit à faire le tour des librairies pour s'assurer de la présence de son livre, enhardi par l'anonymat qui l'entourait. Il en trouva deux exemplaires sur une tablette au Parchemin, un autre à la librairie Champigny et quatre au Marché du livre, boulevard de Maisonneuve, où sa fidélité de client lui avait valu l'amitié du patron. Partout ailleurs, on n'avait jamais entendu parler de son roman.

— Vous n'en trouvez pas ? fit Pigeon-Lecuchaux. Mais de quoi vous plaignez-vous ? C'est très bon signe ! S'ils ne sont pas en librairie, c'est qu'on les a vendus ! Préféreriez-vous des piles qui s'empoussièrent ? Quant à ces commis qui disent n'avoir jamais entendu parler de votre roman, ils ne me surprennent pas le moins du monde. La plupart sont des idiots qui ignorent ce qu'ils ont en boutique. D'ailleurs, je les comprends un peu : on est tellement inondé de parutions de nos jours qu'il y a de quoi en perdre la tête.

Bref, compte tenu des circonstances, tout allait pour le mieux. Mais certains signes commencèrent à éveiller la méfiance de Charles. À chacune de leur rencontre, Pigeon-Lecuchaux avait de moins en moins de temps à lui consacrer, et il ne répondait presque jamais à ses appels.

Finalement, Charles, après avoir insisté, obtint de son éditeur qu'il lui remette quelques centaines d'exemplaires pour tenter de les placer en consignation chez certains libraires. Steve Lachapelle, qui venait d'avoir son permis de conduire, convainquit l'un de ses oncles de leur prêter sa camionnette pour une tournée de distribution à Montréal. Et c'est ainsi qu'un après-midi, après s'être tracé un itinéraire sur une carte, ils partirent à la conquête des lecteurs. À la demande de Charles, Steve avait nettoyé ses espadrilles, mis un jean neuf et enlevé l'anneau d'argent à son oreille droite. Charles n'eut pas à se soucier des écarts de langage de son ami : les librairies, où celui-ci n'avait jamais mis les pieds, l'intimidèrent affreusement et le transformèrent en manutentionnaire muet.

À cinq heures, ils s'arrêtèrent dans une taverne, vannés mais d'assez bonne humeur. À force d'entregent et d'aimable persuasion, Charles avait réussi à placer une cinquantaine d'exemplaires ici et là, et quatre libraires, manifestement conquis par ses bonnes manières, avaient promis de lire son roman. S'ils y prenaient plaisir, cela en ferait sans doute d'efficaces agents de promotion.

— Si tu veux, offrit Steve que Charles régalait, on fera une autre tournée dans une semaine ou deux pour voir si ton livre se vend un peu.

— Ah ! t'es chouette, mon vieux. Disons dans quinze jours. Il faut laisser à mon roman le temps de faire son chemin, non ?

◆

Quinze jours plus tard, Charles avait vendu cinq exemplaires. Vu le lamentable travail de son éditeur, c'était presque un miracle, mais l'auteur novice en fut profondément découragé. Céline tenta de le réconforter, sans grand succès. Les efforts combinés de Parfait Michaud, de sa femme, de Lucie et de Fernand, qui se mirent à harceler tout ce qui était susceptible de lire dans leur entourage, permirent à Charles d'écouler une cinquantaine d'autres exemplaires, mais un boueux cafard continuait à le submerger.

Finalement, au début de septembre, dans un sursaut d'énergie, il décida de tenter un grand coup et alla porter son roman au *Devoir* et à *La Presse*. Le critique du *Devoir* était absent du journal et il dut se contenter de remettre le livre à une secrétaire, accompagné d'un mot, mais il eut la chance de rencontrer Réginald Martel dans la salle de rédaction de *La Presse*. Ce dernier, un peu surpris et manifestement débordé de travail, le reçut néanmoins fort civilement, posa le roman sur une pile qui se dressait près de son bureau et interrogea brièvement Charles sur son œuvre, faisant mine de ne pas voir l'état de liquéfaction dans lequel se trouvait le jeune homme écarlate et bafouillant.

— J'y jetterai un coup d'œil dès que j'aurai le temps, lui promit-il, sans vouloir s'avancer davantage.

Un mois plus tard paraissait l'entrefilet suivant dans le cahier littéraire du samedi :

> Les Éditions Otis, une nouvelle maison montréalaise, ont obtenu il y a quelques mois un petit succès de scandale avec une biogra-

phie de la chanteuse Ginette Reno. Les voici qui nous proposent à présent *Arnaque dans l'ombre*, premier polar de monsieur Charles Thibodeau, jeune auteur québécois. N'étant ni spécialiste ni grand amateur de ce genre de romans, je me bornerai à quelques remarques. *Arnaque dans l'ombre* nous offre une intrigue bien ficelée, rondement menée, sans grande originalité mais assez plaisante à lire. Il est dommage que le travail d'édition bâclé (présentation minable, nombreuses coquilles, fautes grammaticales et syntaxiques, etc.) affaiblisse le texte d'un auteur novice qui aurait eu besoin d'un soutien plus éclairé, nous empêchant ainsi de pouvoir juger en toute certitude si le talent est au rendez-vous. Un prochain livre nous l'apprendra peut-être.

Ce fut Céline, vers six heures du matin, qui vint lui porter le texte, en insistant avec vigueur sur ses aspects positifs. Charles, mal réveillé, le lut trois fois sans dire un mot, pâlissant un peu plus à chaque lecture, puis demanda à son amie de le laisser seul.

— Mais qu'est-ce qui te prend? demanda-t-elle, inquiète. Tu te tortures pour rien, mon pauvre Charles... Il est plutôt favorable, ce texte, je t'assure.

Alors Charles rougit brusquement et, pour la première fois depuis qu'ils se connaissaient, se mit à lui parler très fort en utilisant des termes peu élégants.

Elle fut trois jours sans le voir. Charles quittait la quincaillerie à midi pile et s'enfermait chez lui, ne communiquant avec personne. Finalement, Blonblon et Steve, qu'elle avait alertés, se présentèrent chez lui un soir.

— Vous tombez à pic, leur annonça-t-il en souriant, tandis que Bof, réveillé en sursaut, reniflait avec méfiance les souliers de Blonblon qui semblaient avoir fréquenté des lieux suspects. Je voulais justement vous inviter. Je viens d'appeler Céline. Elle devrait être ici dans la minute.

— Nous inviter pourquoi? demanda Steve, intrigué.

Charles répondit par un geste évasif, les amena dans la cuisine et leur servit de la bière. Les questions répétées de ses amis n'eurent d'autre effet que de lui tirer des sourires mystérieux. Il fallait attendre l'arrivée de Céline. Après, tout s'éclaircirait.

Elle arriva enfin, plus inquiète que jamais, car le ton de son ami au téléphone lui avait paru étrange. Charles l'enlaça tendrement et lui souffla à l'oreille:

— C'est fini, mon petit renard, tout est réglé. Je suis revenu sur terre. Veux-tu boire quelque chose?

Elle fit signe que non, désireuse plutôt de savoir ce qu'il avait à leur annoncer. Il alla s'asseoir à la table, toujours souriant, et but lentement sa bière en refusant toujours de répondre aux questions. De temps à autre, il se tournait vers la fenêtre, comme pour scruter le ciel. On était à la mi-octobre et les journées avaient déjà pas mal raccourci. Une demi-heure passa. Faute de mieux, on échangeait des banalités. Céline, Steve et Blonblon se lançaient des regards perplexes. Est-ce que le pauvre Charles souffrait d'une fissure au plafond?

Soudain, après avoir jeté un long regard à l'extérieur, il se leva. La nuit était à présent tout à fait tombée.

— Je vous invite à un petit spectacle, annonça-t-il. Suivez-moi.

Et il s'empara d'une lampe de poche.

L'immeuble qu'il habitait donnait sur une cour asphaltée entourée de vieux hangars. Profitant d'une fente de l'asphalte plus large que les autres, une graine d'érable à Giguère avait réussi l'exploit de se transformer peu à peu en arbre. Ce dernier, devenu un jeune adulte, croissait paisiblement parmi des poubelles, seul de son espèce dans tout le voisinage, à quelques pas d'une misérable remise. On entendait bruire ses feuilles, déjà attaquées par l'automne.

— Où nous amènes-tu? demanda Céline en descendant un escalier de bois à la suite de Charles.

— Vous allez voir.

Un espace libre s'étendait au milieu de la cour, maintenant obscure. Charles y fit quelques pas, suivi de ses compagnons, puis alluma sa lampe de poche.

— Viande! qu'est-ce que c'est ça? s'exclama Steve. Tu veux faire un feu de camp?

Une sorte de petit bûcher se dressait, d'un aspect inusité. Il était constitué de livres, entassés pêle-mêle et entrelardés de vieux chiffons qui répandaient une odeur d'essence. À côté, on avait déposé par terre un sac de polythène bourré de papier.

Céline avait reconnu les livres et s'était mise à pleurer.

— Vires-tu fou, Charlot? fit Blonblon en s'emparant d'un exemplaire d'*Arnaque dans l'ombre*.

— Au contraire, répondit-il, j'ai retrouvé mes esprits. Il était temps!

Et il expliqua gravement à ses compagnons qu'après avoir longuement réfléchi il était arrivé à la conclusion qu'il n'avait pas une étincelle de talent comme romancier, que Réginald Martel avait vu juste et aurait pu se montrer bien plus cruel, que son minable éditeur, au fond, lui avait rendu un fier service en travaillant si mal, car cela avait limité le nombre de lecteurs qui s'étaient rendu compte de sa nullité et qu'en conséquence il fallait débarrasser la planète de son mauvais roman, d'où le bûcher.

— Il s'agit, bien sûr, d'un geste symbolique, ajouta-t-il avec un sourire amer. Il doit en rester quelques douzaines ici et là, mais dans deux ou trois mois les derniers exemplaires seront à la poubelle ou au pilon. Et tant mieux ! N'oubliez pas, termina-t-il avec une emphase qui fit sourire Blonblon, que chaque fois qu'un mauvais écrivain cesse d'écrire, l'humanité respire un peu mieux.

Il prit Céline dans ses bras :

— Allons, mon petit renard, ne pleure pas comme ça... Si tu savais comme je me sens soulagé ! Il fallait que je le brûle, ce livre. Je ne suis pas fait pour ce métier-là. Du moins, pas encore. Qu'est-ce que tu voulais que je devienne ? Un raté qui passerait sa vie à quêter des bourses et à faire bâiller les gens avec ses histoires plates ?

— Il est bon, ton roman, fit Céline dans un sanglot. C'est le découragement qui te fait perdre la tête.

— Au contraire, il est très mauvais, je t'assure. Je l'ai relu d'un bout à l'autre avant-hier. Mon principal problème, c'est qu'à tout moment je parle de choses que je ne connais pas. Ce n'est pas de la littérature mais du contreplaqué. Il n'y a rien à faire avec un texte pareil. La meilleure chose qui puisse lui arriver, c'est qu'il monte en fumée et qu'on n'en parle plus.

— Tu vas le regretter, Thibodeau, avertit Steve, et il se pencha au-dessus du bûcher pour récupérer quelques livres.

Charles bondit sur lui et le repoussa rudement :

— Mêle-toi de tes affaires, Lachapelle ! Et toi, Blonblon, n'avance pas d'un pas. Je vous ai invités à *regarder*, un point c'est tout.

La seconde d'après, il avait allumé son briquet et enflammé un bout de chiffon, qu'il jeta sur le bûcher.

Un bruit sec, semblable au jappement sourd d'un chien en état d'alerte, fit sursauter Bof. Il scruta la cour, devenue orange et pleine d'ombres dansantes, à la recherche d'un collègue non invité, prêt à lui montrer le chemin de la sortie. Mais il ne vit rien. Alors il se tourna vers le feu qui palpitait avec férocité, noircissant et racornissant les livres, dont certains commençaient déjà à s'affaisser.

Charles continuait à consoler Céline. Steve et Blonblon, graves et silencieux, contemplaient la destruction d'un travail de plus d'un an. Blonblon s'accroupit soudain devant le sac de polythène posé sur le sol et voulut en examiner le contenu. Charles s'avança aussitôt vers lui et le lui arracha :

— Ça, c'est le début de mon deuxième roman, et il ne mérite pas mieux que l'autre.

Et il se mit à chiffonner en boules les feuilles du manuscrit et à les jeter dans le feu.

Soudain, une porte claqua et on entendit des exclamations.

— Qu'est-ce qui se passe ? lança une voix d'homme au-dessus de leurs têtes.

— Rien ! cria Charles. On fait un feu. Il n'y a pas de danger !

L'homme répondit quelque chose, mais un long hurlement de Bof, saisi tout à coup d'une angoisse incontrôlable, couvrit sa voix.

— On est mieux de décamper, déclara Steve. Les flics vont venir nous écœurer !

— Ils n'auront pas le temps, répondit Charles. C'est presque fini, à présent.

Et, en effet, de l'amas de livres, il ne restait plus qu'une masse de minces feuilles noires et tordues, qui s'envolaient dans le ciel par fragments. Charles tisonnait les cendres. Son visage, éclairé par les dernières flammes, exprimait un sombre plaisir. Céline se planta devant lui, les bras croisés :

— Et maintenant, qu'est-ce que tu vas faire ?

Il la fixa quelques secondes, comme envahi par une pensée qu'il n'osait pas exprimer.

— Je vais VIVRE ! lança-t-il tout à coup. C'est par là que j'aurais dû commencer.

— Vivre ? Qu'est-ce que tu veux dire ?

Mais elle s'arrêta. Une sirène s'était mise à mugir quelque part et approchait rapidement.

— Ça y est ! s'exclama Steve. Je vous avais avertis ! V'là les flics ! Foutons le camp !

Charles le saisit par l'épaule :

— Minute, pissou ! Il faut que tu me donnes un coup de main. Amène-toi aussi, Blonblon.

Il avait tout prévu. Une lourde bâche détrempée, pliée en quatre, gisait au pied de l'érable à Giguère. Les trois garçons la saisirent, l'apportèrent jusqu'aux cendres fumantes et la laissèrent tomber dessus. Au bout d'un moment, la cour déserte avait repris son morne aspect.

Son livre renié et réduit en cendres, on comprendra que Charles se fichait éperdument d'en perdre les droits. Il suspendit ses versements à Pigeon-Lecuchaux. Ce dernier le relança deux ou trois fois, lui envoya une lettre de menaces ronflante et ampoulée, puis Charles n'en entendit plus parler. Quelques semaines plus tard, Céline appelait secrètement chez l'éditeur pour obtenir des exemplaires d'*Arnaque dans l'ombre*, car son ami lui avait confisqué le sien, comme il l'avait fait pour tous les membres de son entourage, mais on avait suspendu le service téléphonique. Elle se rendit sur place. Le local des Éditions Otis était occupé à présent par une compagnie de distribution de tasses, stylos, sous-verres et autres objets à motif d'unifolié, fondée grâce à une subvention du Conseil pour l'unité canadienne. Le propriétaire, un petit homme soigné aux regards obliques et furtifs, d'ailleurs charmant, baragouinait une sorte de français truffé d'anglais et d'allemand, et réussit à faire comprendre à Céline que l'ancien locataire avait quitté le pays. En apprenant la nouvelle, Charles serra les dents et ne dit pas un mot.

— Eh bien! le nargua Steve, il t'a pris presque quatre mille piastres et tu n'en as même pas eu pour mille! Si c'est pas se faire fourrer, je m'appelle Jos Pue-de-la-Gueule!

— Que tu es dur! s'exclama Isabel, indignée. Qu'est-ce que ça te donne, dis-moi, de lui faire de la peine comme ça?

Et, d'une main tendrement maternelle, elle caressa la joue de Charles, qui la repoussa avec un sourire fanfaron.

— Peut-être qu'il a fait faillite, tenta de le défendre Blonblon. Je viens de lire dans *Le Devoir* un article où on disait que le métier d'éditeur était très difficile: presque personne ne lit!

— De toute façon, déclara Charles avec hauteur, ne vous inquiétez pas, vous ne perdrez rien avec moi. Je vais vous rembourser jusqu'au dernier sou. Mais à une condition.

— Laquelle? demandèrent-ils.

— Qu'on ne me parle plus jamais de mon livre. Je n'ai pas tourné la page, j'ai fait mieux: je les ai toutes brûlées. À partir de maintenant, je passe à autre chose.

11

Bien malin qui aurait pu dire à quoi. Les semaines s'écoulaient. Charles continuait de travailler à la quincaillerie – mais huit heures par jour désormais – et avait repris son ancienne vie, aimant Céline de son mieux, lisant ses deux livres par semaine et fréquentant avec ses amis bars, cinémas, salles de billard et librairies, où il semblait se plaire comme auparavant.

René Lévesque, usé et aigri, avait quitté la politique en juin 1985 avec l'aimable assistance de son ministre de la Justice, Pierre Marc Johnson; celui-ci l'avait remplacé pendant deux mois, puis s'était fait vider à son tour, lors des élections de décembre 1985, par un Robert Bourassa surgi miraculeusement des limbes comme un polichinelle; certains disaient que la longue retraite qu'il s'était imposée après son humiliante défaite de 1976 en avait fait un homme nouveau; d'autres le déclaraient au contraire aussi retors qu'avant, donnant toujours la même illusion de faiblesse et d'indécision, alors qu'il était de granit et d'acier, mais affligé d'un manque fondamental d'ambition qui le rendait incapable de penser grand. Le Québec s'engageait de nouveau en bâillant dans un long tunnel gris sans trop se demander ce qui l'attendait au bout. Le tonus national baissa, c'est-à-dire qu'il revint à la normale. La routine devint un peu plus routinière, la vie un peu plus pesante.

Vers la fin du mois de décembre 1986, en dînant avec Charles un jour, Blonblon lui annonça qu'il croyait avoir aperçu Wilfrid Thibodeau au coin des rues Amherst et Ontario. L'homme se trouvait à une centaine de mètres en avant de lui, hélant un taxi. Blonblon avait pressé le pas pour s'assurer qu'il ne se trompait pas, mais, le temps de le rejoindre, l'autre avait filé.

Sur le coup, Charles ne réagit pas et s'en retourna travailler à la quincaillerie. Quelques heures plus tard, une étrange fébrilité s'empara de lui. Quand il n'avait pas de client à servir, il arpentait les allées, les mains dans les poches, en se mordillant les lèvres avec de petites grimaces, et sa réponse fut rêche lorsque Lucie lui demanda si quelque chose n'allait pas. Est-ce que la présence de son père – même lointaine, même hypothétique – avait agité ses humeurs noires ? La redoutait-il au point de vouloir la fuir à tout prix ? Toujours est-il qu'un bon matin il entra en coup de vent dans le bureau de Fernand pour lui donner sa démission.

— Il faut que je change de vie, expliqua-t-il au quincaillier stupéfait. Je tourne en rond ici. Je manque d'air. Je vais peut-être quitter Montréal. Il faut que je voie du pays.

— Du pays ? Quel pays ? Le pays de Boubou ? ricana l'autre.

— Laisse la politique, je t'en prie, il s'agit de bien autre chose.

— Est-ce que Lucie ou moi, on t'aurait trop...

Charles s'avança, l'œil brillant d'émotion, et lui prit la main, geste rare s'il en fut :

— Non, non, Fernand ! Avec moi, vous avez toujours été corrects au max. Tu le sais bien que sans vous deux je ferais dur en sacrament – et peut-être que je ne serais même plus sur la planète. Il ne s'agit pas de vous ni de personne d'autre, il s'agit de moi, Fernand, de moi seul... Je ne suis pas content de moi-même et... et j'ai besoin de changer de vie, c'est tout.

— Bon, soupira le quincaillier en fourrant machinalement des factures dans un tiroir. Je suppose que tu t'es mis un peu d'argent de côté et que tu veux en profiter pour... aller sentir à gauche et à droite et t'aérer les idées... Combien de temps me donnes-tu pour te trouver un remplaçant ?

— Mais tout le temps qu'il te faudra, Fernand, voyons ! Me penses-tu assez sans-cœur pour te laisser tomber comme un moins que rien ?

◆

Quatre jours plus tard cependant, Fernand Fafard dut rappeler Clément, son ancien commis, qui avait pris depuis peu une quasi-retraite, pour lui demander de le dépanner, le temps qu'il trouve quelqu'un de fiable, car Charles venait d'obtenir un autre emploi, et des plus pittoresques. Un emploi qui faisait naître un sourire sceptique lorsqu'on en apprenait l'existence et qui, pourtant, existait bel et bien. Un emploi qui semblait avoir été inventé expressément pour Charles tant il semblait conforme à ses dispositions naturelles comme à ses goûts les plus profonds. Celui d'aboyeur.

La Ville de Verdun, dans le souci bien légitime d'augmenter ses revenus tout en luttant contre les pratiques illégales, avait décidé de traiter le dossier des permis de chiens avec une rigueur accrue. Bien des citoyens, propriétaires d'un Fido à poil ras, long ou frisé, négligeaient, croyait-on, d'acquitter la taxe annuelle que les autorités municipales avaient prévue dans leur cas. Leur tromperie était d'autant plus difficile à démasquer que plusieurs d'entre eux, possédant des animaux de petite taille (caniches, pékinois, loulous de Poméranie, etc.) ne se montraient guère avec eux en public, les considérant comme des sortes de bibelots à vocation purement domestique et rendant de ce fait extrêmement difficile un contrôle rigoureux des médailles pour chiens.

Mais un fonctionnaire futé avait eu cette brillante idée de créer le poste d'aboyeur. Comme presque toutes les idées brillantes, elle était d'une simplicité à en perdre ses lunettes (si on en portait). Il s'agissait tout bonnement d'engager une personne capable d'aboyer à la perfection et de lui faire parcourir les quartiers résidentiels durant la nuit, un registre à la main, en poussant régulièrement son cri. S'il se trouvait un chien quelque part dans un domicile, la bête finirait nécessairement par lui répondre. On n'avait alors qu'à noter l'adresse de son propriétaire, puis à vérifier si ce dernier avait acquitté la taxe prévue par le règlement. Si cela n'avait pas été fait, on se présentait chez lui pour exiger le paiement immédiat, agrémenté, bien sûr, d'une amende.

C'est en parcourant les petites annonces un dimanche matin que Charles était tombé sur cette curieuse offre d'emploi. Le mot « aboyeur » avait naturellement attiré son attention, la description de la tâche l'avait amusé, et soudain l'idée lui était venue de se mettre sur les rangs, car il jappait fort bien.

— Ouais, ouais, ouais... Pourquoi pas?

Levant alors la tête, il avait aperçu Bof assis devant lui qui le fixait. Il avait plongé son regard dans celui du chien sans ressentir la moindre culpabilité. Car, bien que ce travail reposât sur la tromperie de ses confrères canins, il ne visait pas leur punition mais celle de leurs propriétaires, coupables d'infraction. Et puis l'idée de parcourir la nuit les rues d'une ville qu'il connaissait à peine lui paraissait excitante, presque romantique.

Sans en parler à personne, il se rendit le lendemain au Service des ressources humaines de Verdun pour remplir le formulaire de demande d'emploi. Quelques jours plus tard, un comité d'évaluation constitué d'un vétérinaire, d'un zoologiste spécialiste des canidés et de l'ancien chef de police de Verdun, grand amateur de chiens, lui faisait passer une audition. Après l'avoir longuement interrogé sur ses antécédents, on lui demanda de japper. Il jappa de tout son cœur. Les membres du comité échangeaient de graves regards, prenaient des notes, fixaient le candidat, la main sous le menton. La voix de Charles commença à s'érailler. Le chef de police, avec un sourire paternel, lui fit signe de s'arrêter. On lui apporta un verre d'eau, il se reposa quelques minutes, puis recommença ses aboiements.

— Merci, fit brusquement le zoologiste et, d'un geste courtois, il indiqua que l'entrevue était terminée.

Charles salua, traversa une petite pièce où attendaient six autres candidats, retourna chez lui et, l'âme barbouillée par un sentiment d'échec, essaya de s'absorber dans un reportage télévisé sur la fabrication des mocassins.

Trois jours plus tard, on lui annonçait par lettre qu'il était engagé ; il devait se présenter à huit heures le lendemain au Service de perception. Le directeur, un grand homme aux cheveux gris d'apparence ascétique, dont le crâne et le visage semblaient avoir été étirés vers l'arrière par une sorte de tornade, le reçut avec un sourire débonnaire et, d'une voix grave et soyeuse, l'entretint pendant une demi-heure de l'importance de la mission qu'on s'apprêtait à lui confier. Une secrétaire lui remit ensuite une carte de la ville, la liste des trajets pour la semaine à venir et les clés d'une petite Honda banalisée dont il se servirait pour ses déplacements. Il travaillerait quatre nuits et un jour par semaine, le jour étant consacré à la perception des frais de permis et des amendes.

— Quatre nuits ! s'exclama Céline, atterrée, en apprenant la nouvelle. Quand est-ce qu'on va se voir, dis-moi, si tu dois dormir le jour ? Et un travail à Verdun ! Ma foi, c'est comme si tu partais pour Chibougamau !

— Allons, calme-toi, tu parles comme si j'entrais en communauté ! C'est un emploi que je prends comme ça, en passant, pour le temps qu'il va m'amuser. Dans six mois, peut-être même avant, j'aurai sûrement trouvé autre chose.

— On ne se verra plus, répéta Céline, accablée.

Malgré tous ses efforts, il ne réussit pas à lui faire retrouver sa bonne humeur. Est-ce qu'elle sentait que Charles était en train de lui échapper ? Il l'invita au cinéma ; elle accepta mais resta morne et congelée tout au long de la soirée et s'en retourna directement chez elle après le film, refusant d'aller à son appartement comme ils en avaient l'habitude. Charles, piqué, commençait à la trouver lassante.

◆

Sa première nuit de travail lui laissa une merveilleuse sensation d'aventure. On lui avait demandé de se présenter au Service de perception, rue Bidoux, à dix heures du soir ; un inspecteur l'accompagnerait durant quelques nuits afin de le conseiller.

C'était un quinquagénaire ventripotent aux joues tombantes d'épagneul, aux épaules affaissées, du nom de Roger Laprotte, surnommé Craque, sobriquet qui surprit d'abord Charles, mais dont il reconnut bientôt la pertinence.

Laprotte ne savait pas japper mais, pratiquant le métier d'inspecteur depuis vingt-huit ans, il était devenu une sommité dans le domaine et jouissait du respect de tous, malgré une tare curieuse qui pouvait anéantir brutalement son efficacité.

Il était sujet à des dépressions subites et profondes, comme s'il était traversé par une sorte de faille de San Andreas qui s'ouvrait et se refermait brusquement ; à n'importe quel moment, et pour des raisons inconnues, un tremblement de terre intérieur le transformait soudain en décombres, le plongeant dans une apathie minérale dont rien ni personne n'arrivait à le tirer. Il s'affalait alors dans un coin, hagard, les bras ballants, sourd et aveugle à tout ce qui l'entourait, ou rentrait précipitamment chez lui pour se coucher, parfois dans les circonstances les plus pressantes et délicates. Heureusement, ces accès duraient peu, quelques heures tout au plus, parfois moins. Mine de rien, on laissait alors Craque cuver son vin noir, et bientôt tout revenait à la normale. Mais cela n'était pas sans causer parfois des frustrations.

Laprotte se prit aussitôt d'une affection toute paternelle pour Charles. Il le fit d'abord japper devant lui, le félicita pour la perfection de son cri, puis le conduisit à la petite Honda qui les attendait dans la cour en lui demandant de se mettre au volant. Et il commença la visite de la ville, lui indiquant les quartiers mal famés, où il fallait faire preuve de prudence, les rues affectionnées par les amateurs de vitesse, dont il fallait se défier, les restaurants ouverts nuit et jour, qui permettaient de faire des pauses réparatrices, les portions de chaussée mal entretenues, fatales pour certains amortisseurs, et surtout il lui donna une longue liste de citoyens soupçonnés de braver la loi en ce qui avait trait aux permis de chiens et lui indiqua la meilleure façon de les aborder, car il connaissait plusieurs d'entre eux. Et, tout en causant de ces choses, il lui enseignait la manière de rédiger ses rapports, de remplir les différentes formules *ad hoc* et lui donnait toutes sortes de conseils utiles.

Tout alla bien jusque vers trois heures du matin. Charles arrêtait son auto au coin d'une rue, baissait la vitre et aboyait. Quand un chien lui répondait, il notait l'adresse, puis allait recommencer son manège un peu plus loin, tandis que Craque, souriant, laissait échapper de petits reniflements de satisfaction en se frottant les mains.

À trois heures, il avait repéré quatre chiens soupçonnés d'être sans médaille; il s'arrêta à la demande de son compagnon devant un magasin Pneus Unifoliés au-dessus duquel se trouvaient deux logements. Après avoir pris une gorgée d'eau minérale pour se rafraîchir le gosier, Charles poussa un long jappement. *Trois* bêtes lui répondirent simultanément! Laprotte jubilait.

— Ça vient du 2004, tu vois, en haut, les deux fenêtres aux rideaux roses, juste au-dessus de l'enseigne! Je m'en étais toujours douté! Ha! on va s'en payer toute une, mon garçon! Je vais t'accompagner moi-même chez ces demoiselles Dansereau, trois araignées restées vieilles filles qui fournissent le quartier en venin depuis trente ans. Des visages à deux faces, mon cher, tout en petits sourires sucrés, qui se rendent à la messe de six heures chaque matin avec des mines de pruneau cuit, mais qui n'arrêtent pas de nous casser la tête en dénonçant leurs voisins à propos de tout et de rien. Vendredi, on va leur rendre une petite visite, et tu vas voir ce que tu vas voir ! Bravo, mon gars. Ça mérite une pause.

Il tendit le doigt vers la vitrine graisseuse d'une beignerie qui brillait quelques portes plus loin :

— Je t'offre un café et tous les beignes que tu veux.

Son offre tombait pile, car Charles, qui avait dépensé une énergie considérable à japper plus chien que les chiens eux-mêmes, avait une faim dévorante.

Ils entrèrent dans l'établissement, où flottait une odeur de café bon marché, de friture et de cigarette, et Charles sortit son paquet, mais Laprotte lui donna une petite tape sur la main :

— Jamais pendant le travail. Très mauvais pour la voix. Les chiens ne fument pas, ne l'oublie jamais.

Et il l'enveloppa d'un regard déçu.

L'inspecteur s'approcha du comptoir, commanda beignes et cafés, et ils allèrent s'asseoir. Son entrain, pour une raison inexplicable, venait de tomber. Tout en engouffrant ses pâtisseries, Charles essayait, sans grand succès, d'animer la conversation. De temps à autre, inquiet et mal à l'aise, il jetait à Laprotte un regard à la dérobée. Chaque fois, le visage de son compagnon semblait s'être allongé un peu plus.

Et soudain, *cela* se produisit. Laprotte poussa une sorte de râlement et se recroquevilla sur lui-même, le visage caché dans les mains. Ses épaules s'affaissèrent et son corps rapetissa comme s'il cherchait à disparaître sous la table. Craque venait d'apparaître.

— Merde de merde de merde, soupira-t-il à travers ses doigts.

— Ça ne va pas ? s'enquit Charles, ahuri.

— Merde de merde de merde, répéta l'autre avec un accent de souffrance indicible. Maudite vie sale et inutile... Toujours la même boue puante... Rien que des petits crosseurs qui s'amusent à se tromper les uns les autres, jusqu'à leur mort... Et dire que mon métier, c'est de courir après... Le cœur me lève... Si je pouvais, j'arrêterais de respirer...

Et il poursuivit pendant quelques minutes ces considérations quelque peu lugubres. Charles essayait de le réconforter, mais l'autre ne semblait pas l'entendre. Soudain, il se tut et des soubresauts agitèrent ses épaules. Il pleurait. Trois clients, assis au comptoir, s'étaient retournés et le fixaient, intrigués.

— Besoin d'aide ? finit par demander l'un d'eux à Charles.

Ce dernier eut un geste d'impuissance et, d'une main timide, tapota l'épaule de son compagnon. Elle s'affaissa un peu plus, devenue presque gélatineuse. Allait-il se liquéfier de tristesse en plein restaurant ?

Un petit homme au visage buriné, avec une barbe grise de trois jours et une casquette crasseuse, avait quitté son tabouret et s'était approché de la table. Charles lui fit signe de s'éloigner.

Soudain, Craque écarta un peu ses mains et d'une voix rauque et farouche :

— Va-t'en. Va travailler. Je rentre chez moi en taxi. Va-t'en, je te dis. Débarrasse !

Charles se hâta d'obéir et reprit sa ronde. Mais il avait perdu tout entrain. Ses aboiements sonnaient faux et obtenaient moins de réponses. À six heures, il n'avait repéré que deux autres chiens. En revenant chez lui pour dormir, il avait l'humeur morose. De quel mal étrange souffrait le pauvre homme ? Charles avait-il, sans le vouloir, provoqué sa crise ?

À dix heures le même soir, Charles se présentait de nouveau au travail. L'inspecteur l'attendait à son bureau, comme si de rien n'était, et ne fit aucune allusion à son accès de la veille. Il en avait sûrement honte.

La nuit se déroula sans incident et Charles dépassa sa performance de la veille, repérant onze chiens. À la fin de son quart, Laprotte l'invita à déjeuner dans un petit restaurant près du bureau, où il lui fit un long exposé sur les joies et les souffrances du métier d'inspecteur. Il passait huit heures quand Charles vint porter son rapport au service. En l'apercevant, une secrétaire lui adressa un radieux sourire, puis un employé, qu'il ne connaissait pas, se leva de son bureau pour lui serrer la main et s'informer du déroulement de sa nuit. Laprotte avait manifestement fait les plus grands éloges du petit nouveau auprès du personnel.

Le vendredi arriva, journée où l'on devait aller exiger des contrevenants le paiement de leur permis assorti d'une amende. Pour la dernière fois, Laprotte accompagna Charles. Le travail se fit rondement et dans la bonne humeur, et les deux hommes, vers le milieu de l'après-midi, firent une découverte piquante et inattendue, qui concernait cette fois l'espèce féline : un homme de la rue Moffat, sous l'effet de la nervosité qui saisit parfois les citoyens convaincus d'illégalité, commit un lapsus en parlant de son chat Louis-Philippe et permit à Laprotte de se rendre compte que l'individu avait frauduleusement enregistré la bête à l'aide sociale afin de toucher des prestations. Dès le surlendemain, le gouvernement allait prendre des mesures énergiques afin de ramener Louis-Philippe à sa condition de simple chat.

Mais ce fut vers cinq heures que Laprotte connut sa plus grande joie. Il s'était gardé les trois cancanières demoiselles Dansereau pour la fin et avait même demandé la présence d'un vétérinaire. Leur visite-surprise révéla que chacune des sœurs possédait un caniche non enregistré ; le vétérinaire évalua l'âge des bêtes, qui avaient respectivement cinq, neuf et douze ans; les sœurs, dans un moment d'affolement, avouèrent qu'elles les avaient achetées à l'état de chiots et les amendes cumulatives s'élevèrent à huit cent vingt-deux dollars.

Émilie, la plus âgée, s'évanouit de rage, Berthe s'étouffa avec un morceau de biscuit et Léontine, plus prosaïquement, pleura toutes les larmes de son corps. Laprotte les contempla un moment, silencieux, les bras croisés, puis quitta les lieux avec un air de dignité triomphante qui amusa Charles au plus haut point :

— Je pourrais prendre ma retraite, à présent, murmura l'inspecteur, comme sous l'effet d'une félicité surhumaine. Elles vont maintenant nous sacrer la paix pour un maudit bout de temps ! C'est le directeur qui va être aux petits oiseaux...

Il serra la main de ses collègues et s'éloigna dans la rue du pas souple et léger des anges sur leurs nuages au paradis.

À cause de ses heures de travail, Charles ne devait plus revoir Laprotte que rarement. Celui-ci l'avait beaucoup aidé dans l'apprentissage de son nouveau métier. L'homme lui inspirait autant d'admiration que de dégoût. Ce mélange de perspicacité, de vigilance et de souci du bien public perverti par le sadisme l'impressionnait fort, tout en lui inspirant de l'inquiétude. Finirait-il lui aussi comme inspecteur ? Tout mais pas ça ! Ce métier, il ne faisait qu'en tâter, afin de mieux apprendre la vie.

Quelques semaines s'écoulèrent ainsi et il apprit, en effet, beaucoup. Sa nouvelle fonction était comme une clé qui lui permettait de circuler dans tous les étages de l'édifice social, de la résidence du dentiste cossu et celle du professeur d'université jusqu'à l'appartement de la jeune putain accro qui n'arrivait pas à payer son loyer ; il avait accès à l'intimité de chacun et posait toutes les questions qu'il lui plaisait, ou presque. Il vit tous les visages que pouvaient prendre la ruse, la peur, la haine, la bêtise et la naïveté ; la franchise, elle, n'en avait qu'un et il le voyait rarement.

Cependant, la solitude qui accompagnait son travail commençait à lui peser. Un soir, il emmena Bof avec lui dans sa ronde, mais le regretta bientôt, car ce dernier, excité par les jappements – ceux de son maître comme ceux qui lui répondaient –, devint une terrible nuisance et Charles dut le ramener à son appartement au milieu de la nuit. Blonblon et Steve l'accompagnèrent quelques fois. La virtuosité canine de leur ami les éblouit, mais ils l'abandonnèrent bientôt, crevés de fatigue qu'ils étaient le lendemain par leur nuit blanche. Lucie et Fernand, quant à eux, refusèrent farouchement que Céline le suive, jugeant cela trop hasardeux et craignant aussi pour ses résultats scolaires. Elle s'échappa quand même de la maison deux ou trois fois et lui tint compagnie jusque vers minuit, pour ensuite rentrer chez elle par le dernier métro ; ils purent ainsi faire l'amour sur la banquette arrière de la petite Honda et cela les amusa beaucoup, mais Charles, finalement, dut apprendre à se passer de sa petite amie.

Elle avait fini par accepter la nouvelle vie que ce métier d'aboyeur imposait à son ami. Un soir de grande déprime, elle était allée trouver Isabel pour lui raconter sa peine et cette dernière, d'ordinaire si chaleureuse et maternelle, l'avait critiquée vertement, lui déclarant qu'il était vain et d'ailleurs très maladroit d'essayer de retenir un garçon piqué par le goût de l'aventure.

— Ma pauvre petite, c'est la meilleure façon de le perdre ou de l'amener à te tromper, crois-moi ! Après tout, tu ne l'as pas acheté, hein ? Ce n'est pas un bibelot que tu peux mettre ici ou là, puis ranger dans un tiroir, non ? Est-ce que c'est un bibelot, dis-moi ? Alors, un peu de patience, Céline, un peu de patience, tu n'as pas le choix. Un bon matin, il va finir par se tanner de japper toute la nuit et pfuitt ! fini les chiens, il va se chercher un nouveau travail avec des heures normales, et tu l'auras de nouveau tout à toi.

Isabel avait beau être généreuse et pleine de bon sens, sa conception de la vie appartenait à la tradition ; c'était celle de sa mère et de sa grand-mère, où l'homme était vu à la fois comme un maître et un enfant, à qui on devait obéir sans rouspéter tout en le manipulant sans qu'il y paraisse.

Le petit sermon eut son effet, Céline arrêta ses pleurnicheries et Charles, soulagé, en ressentit une impression de liberté qui lui fit trouver sa petite amie plus adorable que jamais. Cela ne l'empêcha pas, toutefois, de connaître une aventure assez inusitée.

12

C'était un vendredi, jour des contrevenants, et il se présenta au début de l'après-midi à un appartement du boulevard Desmarchais où il avait suscité l'avant-veille une série de petits aboiements pointus très affriolants. Les aboiements provenaient d'une fenêtre du coin supérieur gauche d'un immeuble de deux étages à façade en pierre artificielle, assez quelconque mais bien entretenu et dont on devinait que les appartements étaient confortables et spacieux.

Il venait de sonner pour la quatrième fois et s'apprêtait à repartir lorsque la porte s'entrouvrit, laissant apparaître une tête de femme à petites lunettes rondes, aux cheveux châtains ondulés coupés à mi-oreille, qui posa sur lui un regard ensommeillé, vaguement ennuyé :

— Oui ?

Il se présenta, expliqua le motif de sa visite. La tête eut un léger soubresaut, tandis que les yeux, devenus vifs, se mettaient à le détailler. Charles montra ses pièces d'identité, que la femme examina avec soin. Elle parut alors toute confuse et le pria d'entrer, tandis que les aboiements pointus éclataient au fond d'une pièce et se rapprochaient dans un bruit de trottinement saccadé de petite bête hargneuse.

— Tranquille, Potiche ! lança-t-elle à un bichon blanc qui ressemblait à une sorte de houppette et répandait un parfum sucré.

— Le corps du délit, à ce que je vois, fit Charles, essayant de traiter l'affaire sur un mode plaisant.

— Oui, soupira la femme en se penchant pour s'emparer de la houppette, qui jappait soprano en dardant des yeux féroces sur l'inspecteur. Voulez-vous me suivre, s'il vous plaît ?

Elle le fit pénétrer dans une grande cuisine luisante comme une salle d'opération, prit place à une table devant un ouvrage de tricot en cours et l'invita à s'asseoir. Puis, sa chienne pressée contre sa poitrine, elle attendit sagement qu'il parle. Le bichon grognait, frétillant, son regard meurtrier toujours fixé sur Charles. Celui-ci en était surpris et vexé. De toute sa vie, c'était la première fois qu'un chien le haïssait et que lui-même éprouvait ce sentiment pour un chien.

— Vous êtes bien madame Aglaé Mayrand ? demanda-t-il en ouvrant un grand cartable noir.

La femme, de plus en plus troublée, fit signe que oui.

— Selon nos données, madame, vous avez omis de faire enregistrer votre chien et de payer la taxe annuelle exigée par la Ville.

— Je le sais, répondit la femme d'une voix douce et voilée. J'aurais dû. Excusez-moi.

Charles lui sourit avec indulgence. Il l'imaginait en bonne petite mère de famille, en train de préparer des muffins santé pour ses quatre enfants espiègles dans le bourdonnement de la machine à laver. Elle était légèrement boulotte, sans beauté particulière, avec un air doux et appliqué, le genre de femmes qu'on croise cent fois par jour dans la rue sans les remarquer.

— Cela peut arriver à tout le monde, répondit-il dans un effort charitable pour excuser le délit. Mais, en plus de vous facturer quarante dollars pour le permis, je suis obligé d'ajouter une amende de vingt-sept dollars. Je suis désolé. Le règlement ne me laisse pas le choix.

Elle opina de la tête avec un léger sourire, de plus en plus rouge et confuse et continuant d'envelopper Charles d'un regard dont la fixité commençait à le mettre mal à l'aise.

— J'aurais dû m'occuper de cette affaire depuis longtemps. Mais je suis pharmacienne et je fais des remplacements partout au Québec. Aussi, ne suis-je pas souvent chez moi. J'emmène Potiche dans tous mes déplacements. C'est ma petite compagne.

— Je vois, fit Charles avec un intérêt poli.

Et il commença à remplir une formule avec le vague pressentiment que quelque chose se préparait.

Pendant une minute ou deux, il ne se passa rien. Puis, après s'être longuement éclairci la gorge, la pharmacienne, d'une voix frémissante et troublée, eut cette phrase étonnante :

— Je crois que vous avez une petite éruption sur le cou, à gauche. Est-ce que vous permettez que j'y jette un coup d'œil ?

Charles leva la tête, muet de surprise, puis, ne voyant aucune façon de refuser, fit signe que oui.

— Je vais d'abord enfermer ce petit monstre dans le boudoir, fit la pharmacienne en se levant, toute fébrile.

Elle revint presque aussitôt auprès de Charles, qui avait un peu reculé sa chaise en essayant de cacher son ahurissement, et se pencha au-dessus de lui. Il entendait sa respiration légèrement haletante, tandis qu'elle promenait délicatement son index autour de la petite tache rouge.

— Une simple irritation, sans doute, murmura-t-elle au bout d'un moment.

Elle sembla hésiter un instant, puis :

— Est-ce qu'il y en a d'autres ?

— Oui, un peu plus bas... Ça m'arrive parfois. Mais... ça ne doit pas être grave, non ? J'ai toujours...

— Est-ce que je peux déboutonner votre chemise ?

Il n'eut pas le temps de répondre. Sa main courait sur les boutonnières, écartait le tissu, dénudait le haut de sa poitrine. Elle poussa une sorte de soupir rauque et se jeta sur lui, couvrant sa peau de baisers. Il chercha un moment à se dégager, un peu effrayé, puis, trouvant l'affaire très drôle, s'abandonna et finit par l'enlacer.

— Tu es tellement beau, bredouilla-t-elle parmi ses baisers. Excuse-moi. Je n'ai pas pu me retenir. Cela ne m'arrive jamais. Je suis devenue folle.

L'instant d'après, ils se retrouvaient dans sa chambre à coucher, où elle finit de le dévêtir et se mit à lui prodiguer des caresses si lascives et passionnées qu'il en devint comme soûl, plongé dans une sorte d'extase ahurie, car il avait le sentiment d'accéder à un monde inconnu, merveilleux, effrayant. Elle le dégustait comme un chou à la crème et réveilla bientôt en lui une fringale de caresses polissonnes et de petites morsures enragées, qui tournèrent bientôt en saillies brutales qui la firent hurler de plaisir. Ils faisaient l'amour avec une sauvagerie joyeuse et désordonnée, une ardeur grossière et inlassable, et de leurs corps échauffés montaient les effluves pénétrants des amoureux éperdus. Parmi ses rires et ses gémissements, elle lui donnait des indications crues et très précises, changeait de position, lui faisait pencher la tête, dirigeait sa main, le tournait et le retournait avec une aimable autorité, tandis que la voix de Potiche, toujours enfermée, s'éraillait peu à peu, devenait faible et lointaine. Et c'est ainsi qu'ils s'amusaient, lui la mer, elle le navire, renversant à tous moments leurs rôles avec des éclaboussements de joie sensuelle. Des portes s'ouvraient devant Charles : l'amour, c'était également *ça* ? Également ? *Ce ne pouvait être que ça* et, au fond, il n'était qu'un enfant, un tout petit enfant, naïf et un peu sot, encore en train d'apprendre la vie.

La houppette s'était sans doute endormie d'épuisement. Charles et la pharmacienne se reposaient, les jambes emmêlées, l'esprit embrumé par la bienheureuse torpeur des amants repus.

Soudain, il se souleva sur un coude :

— Tu sais, à te voir comme ça, si timide et réservée, on ne devinerait jamais que... Au fond, je ne connais rien aux femmes !

Elle se mit à rire doucement :

— Je ne m'y attendais pas moi non plus... Non, non, je t'assure ! Mais tu es si beau et tu as l'air si gentil... Je n'ai pas pu me retenir. J'ai perdu la tête. C'est la première fois que ça m'arrive comme ça.

— Ah oui ? fit-il avec un sourire sceptique.

— Je te le jure.

Le visage de la pharmacienne se crispa tout à coup, comme sous l'effet d'une pensée embarrassante :

— J'espère que tu ne vas pas croire que...

Elle s'arrêta, n'osant poursuivre.

— Que quoi ?... Allons, finis ta phrase.

Il se pressa contre elle et lui caressa la nuque.

— ... que je t'ai fait monter dans mon lit pour... éviter des frais.

Il se mit à rire et, très sottement, répondit :

— Voyons, même si je ne le voulais pas, je serais obligé de te faire payer.

— J'aime autant que ce soit comme ça, fit-elle avec une petite grimace.

Ils somnolèrent un peu, puis elle se mit à lui parler de son travail, qui l'obligeait à voyager constamment, de ses longues soirées dans les chambres d'hôtel et les pensions de famille – elle menait en effet une vie fort tranquille, détestant les bars remplis de dragueurs grossiers qui vous mettaient la main sur la cuisse au bout de deux minutes de conversation. Ses déplacements la ramenant souvent aux mêmes endroits, avec les années elle avait fini par se faire quelques amis et connaissances ici et là, qui lui permettaient de se distraire un peu, mais l'ennui montrait souvent sa morne tête ; elle le combattait de son mieux avec les livres et la télé. Malgré tous ses inconvénients, cette vie voyageuse lui plaisait, car elle lui apportait un sentiment de liberté.

— Parle-moi de toi à présent.

Et elle posa ses lèvres sur les siennes.

Charles se montra plutôt circonspect, mais raconta un peu son enfance, les circonstances de son adoption, parla de Lucie, de Fernand et de l'emploi qu'il avait exercé à leur quincaillerie, et il lui confia qu'il s'était déjà adonné à l'écriture et avait même, huit mois plus tôt, publié un roman.

— Ah oui ? fit-elle, tout impressionnée. Un vrai roman ? J'aimerais bien le lire. Quel est le titre ?

— Il était très mauvais, se contenta de répondre Charles. J'ai brûlé tous les exemplaires. J'en écrirai peut-être un autre plus tard.

— Tous les exemplaires? répéta-t-elle, étonnée. Mais c'est épouvantable!

— Et le manuscrit aussi.

— Un jour tu vas le regretter.

Ils firent de nouveau l'amour.

— Quand peut-on se revoir? lui demanda-t-il au moment de la quitter.

— Il faudrait que tu viennes tôt demain matin. Je vais à Malartic pour deux semaines. Est-ce que tu peux?

— Les deux jambes cassées, je viendrais, répondit-il avec un grand sourire.

◆

Charles aboyait depuis soixante-trois jours. Il aurait pu donner des leçons d'éloquence à n'importe quel chien, si bien engueulé fût-il. Mais son métier commençait à le lasser. La magie des nuits solitaires s'émoussait, comme le plaisir de mettre en boîte les contrevenants. Le jour approchait où il serait las de cette vie bizarre qui l'obligeait à dormir quand tout le monde travaillait et à travailler quand tout le monde dormait. Il négligeait ses amis et, depuis quelque temps, ces derniers semblaient se détacher de lui. Et puis Céline, qu'il voyait forcément moins souvent, lui manquait de plus en plus. Elle aussi, craignait-il, finirait peut-être un jour par le larguer.

Il avait revu son étonnante pharmacienne deux autres fois depuis l'inoubliable après-midi où il était venu lui imposer une contravention. Elle était revenue de Malartic pour filer presque aussitôt à Moncton, au Nouveau-Brunswick, d'où elle lui téléphonait parfois dans ses moments de cafard, qui, lui avait-elle avoué une fois, l'assaillaient plus souvent depuis leur rencontre. Un soir, elle avait essayé de le convaincre de se déclarer malade et de la rejoindre pour la fin de semaine. La proposition l'avait tenté un moment, mais il avait refusé, à cause de Céline. Aglaé Mayrand, compréhensive, n'avait pas insisté. Charles lui avait appris dès le début de leur aventure qu'il avait une petite amie.

— Le contraire m'aurait surpris, avait-elle répondu avec un sourire un peu triste. Je suppose que tu l'aimes beaucoup. Tant pis. Je te prends comme tu es. Je me trouve déjà bien assez chanceuse comme ça.

— Tu ne peux pas être plus chanceuse que moi, avait répondu Charles en la couvrant de baisers.

À sa grande surprise, son infidélité ne lui causait aucun remords et cela, bizarrement, l'inquiétait. Aimait-il encore Céline ? Il lui semblait pourtant que oui. Pourquoi alors n'éprouvait-il pas de honte à la pensée de sa conduite ? C'est à peine s'il ressentait un léger malaise, enveloppé dans une envie de rire. Et, pire que tout, il ne voulait aucunement arrêter, car jamais une femme ne lui avait donné autant de plaisir au lit. Est-ce qu'en vieillissant tous les hommes devenaient ainsi des jouisseurs égoïstes et sans scrupules, des menteurs à la double vie, de minables porte-couilles sans cesse à la recherche d'un cul où se soulager ? Est-ce que les hommes, au fond, pouvaient réellement aimer ?

Un après-midi de mars, il fit part à Parfait Michaud de ses doutes. Le notaire avait demandé son aide pour enlever une série de contre-fenêtres à demi pourries qu'il voulait faire remplacer. Ils avaient travaillé près d'une heure dans le vent humide et glacial, le bout des doigts rempli de picotements douloureux, les yeux larmoyants, les joues raidies par le froid, chacun pestant à part soi contre l'hiver et ses servitudes. Lorsque Charles, frigorifié, eut transporté la dernière fenêtre dans la remise, Amélie Michaud, emmitouflée dans un épais manteau violacé, un bonnet enfoncé sur la tête, apparut dans la cour pour examiner le travail accompli. À la grande surprise de son mari, elle se montra entièrement satisfaite. Se tournant vers Charles qui grelottait à ses côtés, elle le serra dans ses bras :

— Viens te réchauffer, pauvre petit mouton. Je vous ai préparé du thé aux épices et aux canneberges.

Charles et le notaire se rendirent à la cuisine et avalèrent consciencieusement la boisson bouillante, l'accompagnant de muffins aux pacanes tièdes et odorants, puis Michaud invita le jeune homme dans son bureau pour lui offrir un remontant plus vigoureux.

Quand il eut vidé son deuxième ballon de cognac, Charles sentit naître en lui un irrésistible besoin d'épanchement ; le Courvoisier flambait dans ses veines, repoussant l'hiver à des milliers de kilomètres, et son âme était devenue comme un fruit mûr, cuit par le soleil, prêt à éclater pour laisser couler sa pulpe tiède. Le notaire, fine mouche et rompu par son métier aux entretiens les plus délicats, eut une vague intuition du sujet que son jeune ami voulait aborder et lui tendit la perche en demandant des nouvelles de Céline.

— Elle va bien, répondit le jeune homme avec un léger frémissement dans la voix.

— Et vous deux ? Ça va bien aussi ?

— Ouais... Aussi bien que possible.

— Évidemment, tout le monde sait que la perfection n'est pas de ce monde.

— Sûrement pas, reconnut Charles. Et on dirait même que plus je vieillis, plus je trouve le monde imparfait. Et ça m'inclut.

— Tu fais là une constatation que bien d'autres ont faite avant toi, mon cher Charles.

— Pourvu que je ne vive pas jusqu'à cent ans !

— Oh ! à un moment donné, soupira le notaire, on en prend son parti et on se met à penser à autre chose, tout simplement.

Charles se pencha brusquement en avant et son visage devint très rouge :

— Dites-moi, monsieur Michaud, il y a une chose qui me chicote depuis un bout de temps...

— Charles, combien de fois t'ai-je demandé de m'appeler par mon prénom, même s'il ne me convient pas du tout ? Bon. Je viens de te couper le sifflet. Excuse-moi. Qu'est-ce qui te chicote, mon ami ? Je t'écoute de toutes mes oreilles.

— C'est *moi-même* qui me chicote, Parfait.

Et Charles lui raconta avec force détails son aventure avec la pharmacienne, lui faisant part de son étonnement un peu effrayé devant sa facilité à concilier les sublimes parties de fesses avec la quadragénaire et le profond amour qu'il ressentait pour Céline. N'était-il pas anormal ?

Parfait Michaud tendit la main vers le flacon de Courvoisier, qu'il inclina de nouveau au-dessus des deux ballons :

— Question intéressante, mon cher ami, qui va m'obliger à philosopher, ou du moins à tenter de le faire. Oui, tu es anormal, car le véritable amour devrait se suffire à lui-même. Le problème, c'est que presque tous les hommes sont comme toi, y compris moi-même.

— Ça, je le savais, ricana Charles.

L'autre eut un haussement d'épaules et poursuivit :

— Voilà cinquante-huit ans que je traîne sur cette planète. J'ai amplement eu le temps de réfléchir à cette fameuse et fumeuse question de l'amour. Mes réflexions ne m'ont pas mené très loin, mais je suis quand même parvenu à quelques petites conclusions. Pour moi, mon cher jeune homme, il existe trois âges de l'amour. D'abord l'âge ardent, où tous les désirs sont comblés et qui rend la fidélité facile, naturelle et comme inconsciente. C'est alors que les amoureux croient leurs liens éternels. C'est charmant. Puis vient l'âge tendre, où l'attachement qu'on éprouve pour l'autre demeure sincère et profond mais n'arrive plus à nous masquer ses limites et à capitonner ses aspérités. On s'aperçoit alors que la vie à deux est souvent un dur boulot, qui demande des nerfs d'acier et beaucoup d'abnégation. Il est compréhensible alors que bien des gens se mettent à chercher ailleurs l'ivresse qu'ils n'arrivent plus à trouver chez eux.

— Ce n'est pas mon cas! protesta Charles.

— Puis arrive l'âge de glace, poursuivit le notaire sans paraître avoir entendu, où l'on continue à vivre avec l'autre plus par habitude et convenance que par attachement. Presque tous les couples – à moins d'une rupture – finissent par atteindre cet âge. Amélie et moi-même l'avons atteint, comme tu l'as sans doute constaté. Une infime minorité réussit, par une sorte de miracle, à se maintenir à l'âge tendre. Ceux qui prétendent rester à l'âge ardent mériteraient de payer de très fortes amendes. Tu me demandes où tu en es dans ta propre vie? Ça, il n'y a que toi qui peux y répondre, Charles. Du reste, ces trois périodes que je viens de te décrire sont des divisions grossières et schématiques, bien sûr, qui ne conviennent pas nécessairement à tous les couples. Elles ne sont que le fruit de mes modestes réflexions, celles d'un amateur, rien de plus. Tu te trouves peut-être dans un entre-deux, ou ailleurs, dans une phase que je ne connais pas.

— Je suis sûr d'aimer Céline, et qu'elle m'aime, déclara Charles en serrant les poings, l'œil passionné. Et nous adorons faire l'amour, je vous le jure!

— Ah çà, je te crois sans peine, répondit Parfait Michaud en riant.

— Mais cette maudite Aglaé a tout de même le tour de me... Ah! que tout ça m'embête!

— Si j'avais un conseil à te donner, mon Charles, ce serait celui-ci: ne vous mariez pas trop vite, Céline et toi. Laissez la vie vous mûrir un peu; elle va vous apprendre des tas de choses sur vous-mêmes qui vont vous surprendre au plus haut point. Les principes moraux, c'est bien joli. On t'en a inculqué je ne sais combien depuis ta naissance. Mais tu finiras par t'apercevoir, toi aussi, que ce sont comme de petits bibelots que les gens époussettent de temps à autre pour le coup d'œil et oublient la seconde d'après. Ah ! Seigneur ! Qu'est-ce que je raconte ? Si on m'entendait, je serais accusé de corrompre la jeunesse ! Allons, ce doit être ce cognac. Encore un peu ?

◆

Charles quitta le notaire guère plus éclairé qu'avant. Tout ce qu'il savait, c'est qu'il était un homme comme les autres et ne pourrait s'empêcher de revoir sa pharmacienne. Et, en effet, il la revit peu de temps après.

C'est d'ailleurs à cause d'elle, et d'une certaine pilule prise par un fonctionnaire, qu'il perdit bientôt son emploi tout en apprenant une nouvelle dans les pires circonstances qu'on puisse imaginer.

Un mois plus tôt, Roger Laprotte, dit Craque, avait subi en deux semaines une spectaculaire métamorphose psychologique. Un médecin lui avait prescrit un antidépresseur nouvelle génération dont on parlait beaucoup dans la presse spécialisée. Laprotte avait commencé un traitement progressif pour s'arrêter à des doses quotidiennes de quarante milligrammes. L'action bénéfique du médicament ne tarda pas à se faire sentir. Les effondrements intérieurs, qui transformaient le pauvre homme en amoncellement de décombres et lui attiraient depuis si longtemps la pitié sarcastique de son entourage, s'espacèrent, puis disparurent. Mais les changements ne s'arrêtèrent pas là.

Une énergie démesurée s'empara de Laprotte, qui l'amenait au bureau dès le lever du soleil et le tenait à l'ouvrage jusque tard dans la soirée; il dévorait le travail comme le feu dévore une forêt de conifères. Ses compagnons, étonnés, puis admiratifs, et enfin presque effrayés, se perdaient en conjectures sur l'origine de ce changement extraordinaire; certains croyaient qu'il prenait de la coke; mais il n'avait pas le regard électrique du cocaïnomane, ni son expression acide et ses gestes fébriles. Un calme souriant et monumental émanait de sa personne. C'était comme une jubilation tranquille qui existait *en soi* sans égard pour rien d'autre. Mauvais dosage du médicament? Effets secondaires imprévus? L'âme de Laprotte s'était transformée en un bloc de granit poli, imperméable, indestructible. Il était devenu à lui seul plus inspecteur que tous les inspecteurs du monde entier.

Sur ces entrefaites, le directeur du service prit sa retraite. Tout naturellement, Laprotte le remplaça. Quelques semaines plus tard, le Service de perception était devenu célèbre à Verdun pour sa redoutable efficacité. Le nouveau directeur veillait à tout, savait tout, contrôlait tout. Les passe-droits disparurent, les interprétations complaisantes des règlements devinrent aussi caduques que la lampe à huile et le cinéma muet. Les conseillers municipaux et le maire lui-même tentèrent d'exercer quelques pressions. Ils échouèrent misérablement; on les voyait sortir de son bureau rouges de honte, annihilés par les arguments imparables et la rigueur ascétique du nouveau directeur. Certains songèrent à lui trouver un remplaçant. Encore fallait-il trouver une raison.

Quand ils se rencontraient, Laprotte continuait de manifester la même amabilité envers Charles. Mais c'était comme Jupiter de bonne humeur rencontrant un pauvre berger aux pieds crottés.

— Et alors, mon Charles, six chiens de plus cette semaine que la semaine passée? Merveilleux! Continue! Il faut bûcher encore plus fort!

— Oui, monsieur Laprotte.

Alors arriva le vendredi 27 mars 1987. Comme tous les vendredis, Charles consacrait sa journée au châtiment des citoyens fautifs. Or, l'avant-veille, Aglaé Mayrand lui avait annoncé qu'elle serait ce jour-là à Montréal, dans l'attente d'une nouvelle affectation ; elle souhaitait vivement le voir. Charles lui avait expliqué que la chose serait difficile, car on fêtait dans la soirée l'anniversaire de Blonblon, l'un de ses amis.

Mais, vers deux heures de l'après-midi, tenaillé par le désir, il décida de s'accorder une pause et de se rendre chez la pharmacienne. Vingt minutes plus tard, le Service de perception recevait un appel urgent qui lui était destiné. On tenta de le joindre à l'aide de son téléavertisseur. Mais l'appareil était fixé à la ceinture de son pantalon et le pantalon gisait sur un plancher, tandis que son propriétaire se trouvait six mètres plus loin, se livrant à une activité qui le rendait sourd à tout appel.

Une demi-heure passa. Après quatre ou cinq essais, la téléphoniste du Service de perception s'étonnait à voix haute de son silence lorsque Roger Laprotte passa près d'elle et l'entendit. Il posa quelques questions. L'affaire lui parut bizarre et méritait un rapide éclaircissement. Quelques minutes plus tard, cinq employés municipaux patrouillaient les rues de Verdun à la recherche de la petite Honda de Charles Thibodeau. À trois heures trente-deux, on la repéra boulevard Desmarchais. Le directeur, aussitôt informé, devint profondément pensif. Il se promenait de long en large dans son bureau, mâchouillant un morceau de gomme à la cannelle et cherchait un moyen de poursuivre son enquête (on ne pouvait tout de même pas sonner à toutes les portes du pâté de maisons !) lorsqu'une plaisanterie grivoise que Charles avait lancée en sa présence quelques semaines auparavant lui revint à l'esprit. Il se fit apporter le registre des contrevenants, tourna quelques pages et un cri de joie étranglé jaillit de sa gorge. L'instant d'après, il filait en auto vers le boulevard Desmarchais.

Charles, affalé sur Aglaé, redescendait lentement du quatorzième ou treizième ciel, prenant un plaisir subtil et particulier à contempler chaque étage, lorsque la sonnette retentit. Ni l'un ni l'autre ne bougea.

— C'est peut-être le concierge qui vient pour mon évier, soupira enfin la pharmacienne à la troisième sonnerie. S'il pense qu'il n'y a personne, il risque d'entrer. Je vais lui dire de revenir.

Elle enfila une robe de chambre et remit un peu d'ordre dans sa coiffure. On frappait à présent dans la porte avec ce qui semblait être une pièce de monnaie et le petit bruit sec et obsédant amenait à l'esprit des scènes bizarres et effrayantes : coups de bec d'oiseaux devenus fous en train d'attaquer une maison, tic-tac horribles d'une bombe à retardement, toc-toc osseux de phalanges de morts-vivants surgis en foule du cimetière pour se rappeler à la mémoire de leurs frères humains, etc.

— Qui est-ce ? demanda Aglaé.

— Roger Laprotte, madame. Je suis le directeur du Service de perception. Je voudrais parler à un de mes employés, Charles Thibodeau. Non, non, madame, n'essayez pas de me conter des histoires, je sais qu'il est ici. Il a stationné son auto en face de chez vous et je connais les relations que vous entretenez tous les deux. Avec votre permission, je vais l'attendre sur le palier. Dites-lui que j'ai tout mon temps.

La pharmacienne, épouvantée, alla retrouver Charles et lui rapporta les propos du directeur. Il réfléchit quelques instants, puis :

— Fais-le entrer et demande-lui de m'attendre dans la cuisine pendant que je me rhabille. Je n'aime pas beaucoup les explications sur les paliers. Et surtout, arrête de pleurer, ça n'arrange rien.

— Bonjour, mon ami, fit Laprotte en voyant apparaître le jeune homme en train de boutonner sa chemise. Merci de ne pas m'avoir fait poireauter, tu sais quelles journées de travail j'ai à me farcir. Je suis désolé de te trouver ici, alors que tu devrais être ailleurs en train de t'occuper du respect de nos règlements. Tu n'ignores pas que ta période de probation ne devait se terminer que dans trois mois. Eh bien, mon garçon, je t'annonce qu'elle est finie, puisque je te mets à la porte. Je le regrette beaucoup, crois-moi, car tu étais un de mes meilleurs employés, mais, que veux-tu, ta conduite ne me laisse pas le choix. Si je t'accordais un passe-droit, je devrais l'accorder à d'autres et mon autorité ne vaudrait bientôt plus une tête d'épingle.

Charles le fixa un moment, puis essaya de sourire, mais ne parvint qu'à esquisser une grimace.

— Bon... Vous avez raison, fit-il avec un calme stoïque. J'ai couru après les coups. Alors tant pis si le cul me chauffe.

— Je vois, Charles, que tu comprends tout à fait la situation.

— Tout est de ma faute, monsieur le directeur, dit la pharmacienne dans un sanglot. C'est moi qui l'ai harcelé. Il ne voulait pas venir !

Charles fronça les sourcils :

— Ne l'écoutez pas. Je suis assez grand pour savoir ce que je fais.

— C'est bien mon avis, approuva le directeur en se levant. Passe au bureau lundi vers dix heures. J'aurai fait préparer ton chèque.

Il allait partir quand Charles l'arrêta d'un geste :

— Est-ce que je peux vous poser une question ? Je n'arrive pas à trouver... ce qui vous a mis sur la piste.

Roger Laprotte se frappa le front du plat de la main :

— Mon Dieu ! J'allais oublier ! C'est que tu as reçu un appel au bureau vers deux heures et demie, Charles, d'une certaine Céline Fafard, ou quelque chose comme ça. Un de tes amis a eu un accident au début de l'après-midi, un très grave accident ; il est peut-être mort au moment où on se parle. Téléphone au plus vite, je t'en prie.

Et, après un aimable salut aux deux amants, Roger Laprotte retourna en toute hâte à son travail.

13

Vers une heure et demie, ce même jour, Steve Lachapelle traversait la rue Ontario pour se rendre au cégep du Vieux-Montréal, lorsqu'il avait été happé par une fourgonnette. Inconscient, il n'avait pas entendu les soupirs horrifiés du conducteur, debout devant lui, passant frénétiquement ses doigts dans sa tignasse poivre et sel, stupide et impuissant. Il n'avait pas vu la foule de badauds assemblée autour de lui, poussant des exclamations et prodiguant une quantité incroyable de conseils contradictoires. Il n'avait rien senti quand les ambulanciers l'avaient déposé avec des soins infinis sur un brancard, et cela avait été une bonne chose, en vérité, la seule bonne chose que comportât la situation où il se trouvait.

Quand Charles, accompagné de Céline et de Blonblon, arriva à l'hôpital Notre-Dame, il était en salle d'opération, polytraumatisé avec une fracture du crâne qui nécessitait une intervention délicate et hasardeuse. Isabel les rejoignit au début de la soirée. Après avoir échangé quelques paroles avec ses amis, elle s'assit près de Blonblon, pencha la tête et parut se recueillir. Charles comprit qu'elle priait.

D'une cabine de consultation parvenaient les éclats d'une discussion orageuse entre un jeune homme et une femme médecin; le pauvre nigaud avait tenté de soulager une migraine au moyen d'un mélange de coke, d'alcool, de mari et de Tylenol qui n'avait rien fait pour améliorer son état. Le médecin essayait de le convaincre d'avaler un demi-litre d'une mixture à base de charbon de bois, mais l'aspect du médicament révulsait le malade qui, livide, haletant, déclara vouloir retourner chez lui.

— Allons, dépêche-toi et avale-moi ça comme un grand garçon, l'exhorta le médecin d'une voix ferme mais un peu lasse. Tu es en pleine dépression respiratoire. Sais-tu ce que ça veut dire? Que tu pourrais claquer si on n'agit pas rapidement. Tu veux claquer?

Finalement, le jeune homme se résigna et se mit à ingurgiter le liquide avec force haut-le-cœur. Céline et Charles eurent un soupir de soulagement.

Charles remarqua alors parmi la foule des malades installés sur des chaises ou des civières une femme au début de la quarantaine vêtue d'un méchant manteau de drap noir, prostrée dans un coin, avec une petite fille de deux ans qui sommeillait sur ses genoux, insensible, semblait-il, au tapage et au va-et-vient qui régnaient dans la salle. Charles reconnut soudain en elle la mère de Steve. Il ne l'avait vue qu'une seule fois, son ami n'aimant guère recevoir chez lui. Il alla la trouver pour lui demander des détails de l'accident et essayer de la réconforter. Elle leva vers lui des yeux de veau larmoyants, lui marmonna quelques vagues paroles et replongea dans sa stupeur.

Vers dix heures, un gros homme mal rasé, en combinaison tachée de peinture, apparut soudain et, l'ayant aperçue, s'avança à grands pas vers elle, passant près de heurter une civière qui venait de surgir d'un corridor. À sa vue, madame Lachapelle se leva brusquement, sa petite fille dans les bras, et toute la peine qu'elle contenait depuis des heures éclata. L'homme la serra maladroitement, gêné par l'enfant qui s'était mise à pleurer elle aussi, et essaya de la consoler de son mieux tandis qu'elle poussait des plaintes graves et enrouées qui sonnaient par moments comme de l'orgue. À leurs propos, Charles comprit que l'homme était l'oncle de Steve et qu'il était très attaché à son neveu.

À minuit, les chirurgiens opéraient toujours le blessé, étonnés par sa résistance et la déplorant en leur for intérieur, car le pronostic qui se formait dans leur esprit n'était guère réjouissant.

Vers deux heures, Isabel revenait de la cafétéria avec des sandwichs et du café, collation nocturne qu'elle avait décidé d'offrir à ses amis, lorsqu'un homme de belle prestance vêtu d'un complet gris aux reflets soyeux, mais sans cravate et le col de sa chemise déboutonné et marqué d'un cerne, apparut dans la salle, l'air épuisé et vaguement maussade ; il échangea quelques mots avec une infirmière et se dirigea vers madame Lachapelle. Elle s'était redressée, livide, la bouche tremblante, une mèche de cheveux tombée sur un œil et ne prenant pas la peine de la relever, comme si l'ange de la mort lui était apparu. Charles, Céline et Blonblon s'étaient discrètement rapprochés, malgré les gestes de désapprobation d'Isabel.

— Et alors, docteur... comment va-t-il ? balbutia-t-elle.

— Aussi bien que possible dans les circonstances, madame. On vient de le transférer aux soins intensifs. Je ne vous cacherai pas que votre garçon a subi un grave traumatisme... Nous avons fait tout ce que nous pouvions, ça, je peux vous l'assurer... Maintenant, il ne nous reste plus qu'à espérer...

La femme saisit le médecin par le bras et d'une voix haletante, en proie à une terreur indicible :

— Est-ce qu'il va s'en tirer, docteur? C'est ça que je veux savoir. Est-ce qu'il va s'en tirer?

Le médecin la regardait, essayant mollement de libérer son bras, que la femme serrait d'un mouvement convulsif, tandis que son frère, tout rouge, lui caressait la tête pour tenter de la calmer.

— Il faudra attendre quelques jours pour savoir comment son état va évoluer. C'est déjà beau qu'il ait survécu à toutes ces chirurgies, vous savez... Et il faudra sans doute l'opérer encore.

Alors, laissant sa sœur, qui venait de s'écrouler en sanglots sur sa chaise, l'homme à combinaison se planta devant le médecin et, d'un ton sans réplique, presque menaçant :

— Alors là, docteur, je veux savoir ce qu'il lui a fait, à Steve, cet hostie de chien de camionneur de mes deux fesses. Je veux le savoir *dans les détails.*

Le médecin poussa un soupir résigné, ses yeux se mirent à papilloter et l'expression de fatigue répandue dans son visage s'accentua :

— Votre garçon, monsieur...

— Ce n'est pas mon garçon, c'est mon neveu.

— ... votre neveu a subi une double fracture du bassin, une fracture ouverte de la jambe gauche et du bras gauche, des fractures aux côtes avec possibilité de lésion au foie (des examens nous le diront demain), mais surtout un grave traumatisme crânien qui a causé un épanchement de sang au cerveau. Par contre, la colonne vertébrale n'a pas été touchée.

— Est-ce qu'on peut aller le voir? poursuivit l'homme du même ton vindicatif.

— Demain. Ce que vous avez de mieux à faire pour l'instant, mon cher monsieur, est d'aller vous coucher. De toute façon, il est pour le moment dans le coma.

En entendant ce mot, synonyme sans doute pour lui de mort, l'homme se mit à jurer avec une telle fureur que le médecin recula, décontenancé, leva les bras avec lassitude et s'en alla.

Avant de sortir du taxi qui venait de s'arrêter devant son appartement, Charles embrassa Céline.

— J'ai oublié de te dire... Le Service de perception m'a foutu à la porte aujourd'hui – ou plutôt hier... Je te raconterai... Une connerie...

Il ouvrit la portière, la bouche distendue par un bâillement, puis, se tournant de nouveau vers son amie :

— Penses-tu que Fernand pourrait m'engager à la quincaillerie, le temps que je me trouve un autre emploi ?

Elle eut un geste vague et se recroquevilla sur la banquette en fermant les yeux, sa tête appuyée sur l'épaule d'Isabel.

◆

Charles travaillait à la quincaillerie depuis trois mois. Malgré un nouveau ralentissement des affaires, Fernand l'avait repris à son service sans discussion, comme s'il s'agissait d'un devoir sacré. L'ex-aboyeur avait inventé une histoire de jalousie pour expliquer son congédiement, et Céline l'avait cru tout naturellement. Son mensonge l'humiliait, car il y voyait de la lâcheté et s'était toujours efforcé jusque-là de mentir le moins possible. En comparaison, l'infidélité lui paraissait mille fois plus acceptable, car, après tout, elle constituait une sorte d'exploit qui demandait de l'adresse, parfois de l'audace, et supposait chez celui qui s'y adonnait du charme et de la séduction. En outre, il était sûr d'une chose : il n'aimait pas Aglaé Mayrand et adorait Céline. N'était-ce pas ce qui importait ?

Depuis son congédiement, il n'avait pas revu la pharmacienne, retenue au loin par son travail ; elle venait de quitter

Saint-Georges-de-Beauce pour Fermont, à trois sauts de lapin du pôle Nord. Cela faisait parfois rêver Charles pendant qu'il dosait la couleur d'un seau de peinture ou pesait des clous. Aglaé flambait pour lui de cette passion qui ravage les femmes mûres éprises d'un homme jeune, en qui elles voient sans doute comme un dernier reflet de leur propre jeunesse, et lui téléphonait deux ou trois fois par semaine, ce qui mettait parfois son amant dans l'embarras, car elle l'appelait toujours chez lui et Céline s'y trouvait souvent. À chaque sonnerie, il bondissait vers le téléphone, mais deux ou trois fois Céline le devança.

— C'est qui, cette femme? demanda-t-elle un soir, intriguée.

— Hein? Je ne sais pas. Faux numéro.

— Elle demandait à te parler.

— Elle demandait plutôt à parler à Charles... Bilodeau. Ce n'est pas moi.

— Charles Bilodeau, Charles Bilodeau, murmura-t-elle, pensive, en posant sur lui un long regard sceptique.

— Allons, tu ne t'imagines quand même pas que...

— Ah! de la chnoute! lança-t-elle avec une colère soudaine. Si tu penses que je vais jouer à la police ou à l'espionne, détrompe-toi! C'est trop con! J'aurais honte! Tu veux me tromper? Trompe-moi, ne te gêne pas, lance-toi la tête la première, les fesses à l'air, couche avec toute la rue, toute la ville, si tu le veux, je m'en crisse, je m'en crisse comme tu ne peux pas savoir, je m'en crisse comme du premier pet de ton chien, comme de la dernière menterie de Trudeau, comme...

Les sanglots l'empêchèrent de poursuivre.

— Mais Céline! qu'est-ce qui te prend? Je ne t'ai jamais vue comme ça! Pour un simple coup de téléphone!

Et, à son grand étonnement, ses yeux à lui aussi s'embuèrent de larmes. Il la serrait dans ses bras et l'embrassait en essayant de la consoler, rempli de dégoût pour lui-même et voyant d'un regard neuf et impitoyable la laideur de sa trahison.

Céline se calma rapidement, sourit bientôt dans ses larmes et, une heure plus tard, semblait même avoir oublié sa crise. Charles, soulagé, s'en étonna. Lui accordait-elle de nouveau sa confiance ou fermait-elle plutôt volontairement les yeux dans la crainte de le perdre ?

Le lendemain avant-midi, il s'esquiva de la quincaillerie pendant la pause-café, se rendit à une cabine téléphonique et défendit formellement à la pharmacienne de l'appeler désormais chez lui. Il vint même à deux doigts de lui annoncer leur rupture, mais une faiblesse soudaine, quelque chose de mou et d'infiniment décevant quelque part en lui-même, l'empêcha de prononcer les paroles qu'il fallait.

Le lendemain de l'accident, Charles, Blonblon ainsi qu'Isabel et Céline allèrent rendre visite à Steve au début de la soirée. On ne leur accorda que cinq minutes. Elles leur parurent bien longues. Toujours inconscient, le visage boursouflé, une narine distendue par un gros tube translucide, la chevelure ravagée par une trépanation, une grotesque demi-calotte de pansements sur le crâne, il était méconnaissable. L'horrible halètement qui s'échappait de sa bouche grande ouverte, aux lèvres crevassées, et l'appareillage sinistre qu'on avait branché sur son corps pour le maintenir en vie en faisaient presque un objet de répulsion. Se pouvait-il que cet être mutilé fût le garçon insouciant et quelque peu irresponsable, toujours prêt à s'amuser, qui faisait rire tout le monde par ses pitreries ? Où donc était le vrai Steve ? Reviendrait-il un jour ?

— Oui, affirma Isabel avec force. Si nous le demandons très fort au bon Dieu.

Blonblon, livide, opinait de la tête.

Deux jours plus tard, Charles retourna à l'hôpital sans Céline, retenue à l'école par la répétition d'une pièce ; Steve lui parut plus mal en point, le teint crayeux, le visage encore plus déformé. Il fut quelques jours avant de pouvoir y aller de nouveau et prit ensuite l'habitude de se présenter deux ou trois fois par semaine. Il le faisait par obligation morale et sans grand espoir, trouvant douloureux et futile de tenir compagnie à quelqu'un qui habitait à présent un autre monde, pitoyable mécanique qui n'arrivait plus à produire que des bruits sinistres et une odeur vaguement acide.

Blonblon et Isabel, par contre, s'étaient fait un devoir de rendre à leur ami des visites presque quotidiennes. Ils s'assoyaient de longs moments devant son lit, main dans la main, lui murmurant de temps à autre des encouragements et se donnant des baisers furtifs, qu'interrompait parfois l'arrivée bruyante de madame Lachapelle ou d'un membre de la parenté.

Quelques semaines passèrent. Le blessé reprenait peu à peu forme humaine et avait à présent quelques courts moments de demi-conscience ; il promenait alors dans la chambre son regard noyé dans la morphine, ne semblant pas reconnaître ceux qui se trouvaient autour de lui.

— Est-ce qu'un jour il va retrouver sa tête ? demandait aux infirmières madame Lachapelle, alarmée.

On lui répondait que les examens neurologiques n'avaient décelé aucun dommage cérébral, que la guérison avait commencé mais qu'elle demanderait du temps.

Charles espaça ses visites, car elles le jetaient dans un état d'abattement épouvantable, dont il avait toutes les peines du monde ensuite à se tirer. En effet, malgré les pronostics encourageants, le sentiment grandissait en lui que Steve ne sortirait pas vivant de l'hôpital. Un soir qu'il regardait son ami dormir la mâchoire pendante, le souffle bruyant, la peau du visage jaunâtre et comme transparente, le bras gauche momifié dans un pansement énorme qui reposait près de lui comme un objet, une angoisse étouffante s'empara de lui tout à coup. Il se trouvait devant la Mort et voilà longtemps qu'il ne l'avait vue aussi jeune. Le petit cadavre de sa sœur Madeleine apparut dans son esprit. Il avait quatre ans et se tenait sur la pointe des pieds contre la couchette, le menton pressé entre deux barreaux. Il s'étonnait de voir le bébé enfin silencieux et serrant les dents avec une telle expression de méchanceté. Sa mère se mouchait en pleurant derrière lui. Il voulut toucher son visage luisant et trop rose. « Non, Charles, laisse Madeleine faire dodo, elle a besoin de se reposer », avait murmuré Alice d'une voix étouffée. Wilfrid l'avait agrippé par le bras et sorti de la pièce, malgré ses larmes.

Il quitta la chambre de Steve, descendit à la cafétéria prendre un chocolat chaud, puis décida de rentrer chez lui. Toute la soirée, il resta affalé, lugubre, devant la télévision. Blonblon et Isabel sonnèrent à sa porte et tentèrent sans succès de le convaincre de les accompagner dans un café. Le lendemain, il accumula tellement de distractions à la quincaillerie que Lucie, inquiète, lui demanda si tout allait bien. Il y vit une critique, l'envoya au diable et se retira dans l'entrepôt, la laissant seule avec les clients.

Céline s'étonnait de son humeur sombre.

— Mais voyons, Charles, puisque le médecin dit qu'il va guérir !... Allons, secoue-toi un peu, tu vas tourner en guenille !

Fernand aussi essayait de l'encourager et lui raconta un accident spectaculaire auquel il avait assisté à l'âge de dix-sept ans.

La maison paternelle se trouvait non loin d'un garage spécialisé dans l'entretien et la réparation de véhicules lourds. Un samedi matin, il observait un mécanicien en train de gonfler l'énorme pneu d'un camion de dix tonnes lorsque le pneu avait explosé.

— Heureusement que je ne me trouvais pas trop près, sinon, mon gars, le nez m'aurait changé de place dans la face ! J'ai reçu dans le front un écrou qui m'a fait une bosse grosse comme le pouce, et les oreilles m'ont tinté pendant trois jours. Mais si t'avais vu le mécanicien ! Il était étendu par terre, le visage aussi noir que les morceaux du pneu, et il arrondissait de partout ! De partout ! On ne voyait plus son nez, ni ses yeux ni même ses oreilles ! Un vrai monstre ! Même les ambulanciers faisaient des yeux ronds. « Pauvre Édouard, a soupiré mon père, c'était un beau gars... Si jamais il s'en tire, il n'est pas près de se remettre à courir après les filles... » Eh bien, trois mois plus tard, il avait retrouvé son visage et draguait les poules comme avant !

Même Henri, qui n'avait pourtant jamais ressenti pour Steve qu'une sorte de mépris amusé, avait joint ses encouragements à ceux des autres – et il avait poussé la compassion un soir jusqu'à lui rendre visite à l'hôpital.

— Allons, Charles, ne fais pas cette tête-là. Il a tellement le diable au corps, ton Steve, qu'il va passer à travers son accident comme une balle, tu verras.

Et il lui avait donné une bourrade affectueuse.

Charles avait été surpris et touché par cet encouragement. Henri qui, durant leur enfance, avait été si longtemps son protecteur, était devenu à présent comme un étranger pour lui ; il avait son cercle d'amis, qu'on ne voyait presque jamais, et fréquentait une grosse fille blondasse employée dans une agence de voyages et dont Charles essayait encore de découvrir les attraits. Passionné de sports extérieurs, c'était un garçon plutôt renfermé qui ambitionnait d'aller à l'École des hautes études commerciales et de succéder ensuite à son père pour insuffler au commerce familial un élan que Fernand, malgré tous ses efforts, n'avait su lui donner.

Mais l'abattement de Charles avait également une autre cause. S'il s'était cassé la margoulette à vouloir conquérir Montréal par sa plume, se disait-il parfois avec mélancolie, il n'y réussirait sûrement pas en travaillant dans une quincaillerie. Ce curieux métier d'aboyeur, malgré son côté un peu ridicule et biscornu, avait tout de même « enrichi son expérience » et il s'y était relativement plu. Hélas, ses pulsions sexuelles avaient mis un terme brutal à sa jeune carrière. Il fallait trouver autre chose, et vite. Depuis longtemps, la vente de boulons, de cordons de calfeutrage et de perceuses électriques n'avait plus rien à lui apprendre. Il tournait en rond, perdait son temps et s'usait sans profit. Et la vie voyageuse d'Aglaé Mayrand continuait de le faire rêver.

Un dimanche après-midi, Charles se trouvait seul avec Steve dans sa chambre d'hôpital. Ils avaient causé quelques minutes, Charles se chargeant de la plus grande partie de la conversation et y mettant tout l'entrain qu'il pouvait. Son ami lui avait demandé des nouvelles de Fernand et de Lucie, d'Henri et de sa drôle de blonde, et même de monsieur Victoire, qui venait de quitter le taxi pour un emploi d'emballeur aux Tabacs

Macdonald, puis Charles avait paru susciter son intérêt pendant quelques instants en lui décrivant les contorsions incroyables auxquelles se livrait le premier ministre Bourassa pour que le Québec signe la Constitution de 1982, rapatriée d'Angleterre sans son consentement; on travaillait très fort en milieu fédéraliste pour que la Belle Province « réintègre la maison canadienne » par une porte basse déguisée en grande porte. Mais, à certaines questions et remarques du malade, Charles avait senti que le monde extérieur était encore pour lui quelque chose de lointain et d'un peu confus, qui ne retenait son attention que par à-coups.

Soudain, Steve avait fermé les yeux et paru s'endormir. Charles avait alors consulté sa montre. Il approchait seize heures. Céline, qui s'était lancée dans l'art culinaire, venait sans doute de glisser dans le four le poulet au citron qui serait leur souper et qu'ils accompagneraient d'une bouteille de vin blanc. Il sortit doucement de la poche de son manteau un cahier du *Devoir* et allait se plonger dans la lecture lorsque Steve se souleva brusquement sur un coude et, le fixant avec une étrange intensité, murmura :

— Je veux une cigarette.

Charles eut un sourire étonné :

— On n'a pas le droit de fumer dans une chambre d'hôpital, Steve.

— Je m'en crisse. Je veux fumer.

Il avait dit ces mots sur un ton de lassitude si désespérée que Charles, interdit, avait porté la main à la poche de sa chemise, hésitant à sortir son paquet.

— Aboutis, hostie ! lança l'autre avec une rage soudaine. C'est pas après ma mort que je veux fumer, c'est tout de suite !

Alors Charles alluma une cigarette et la glissa entre les lèvres de son ami.

— Allume-m'en une autre, ordonna ce dernier au bout de quelques minutes.

— Tu vas te faire engueuler, Steve, je t'avertis.

— Ils m'engueuleront, c'est tout. Ils ne pourront quand même pas m'enlever les bouffées que j'aurai prises, non?

Il venait à peine d'entamer sa deuxième cigarette lorsqu'une garde à tête grise, menue et nerveuse, entra dans la chambre et s'arrêta sur le seuil, les mains sur les hanches :

— Monsieur Lachapelle! Eh bien! c'est là que je vous prends!

En deux pas, elle était près du lit et, d'un geste vif et précis, enlevait la cigarette des lèvres du patient.

— Désolé, monsieur Lachapelle, on ne fume pas ici. De toute façon, vous savez bien que c'est du poison à rat, ces petits tubes-là.

— Et si j'ai le goût de m'empoisonner, moi?

— Eh bien, mon beau monsieur, vous le ferez ailleurs.

— Ailleurs? Quand? Comment? Je ne peux même pas me traîner jusqu'à la porte.

— Je vais vous dire quelque chose, monsieur Lachapelle, pour vous encourager. À chaque cigarette que vous fumez – et je ne blague pas, là, croyez-moi –, vous allongez votre hospitalisation *d'une demi-journée*. Au moins. Aviez-vous pensé à ça?

— Non, mais maintenant j'y pense.

— Ne riez pas, monsieur Lachapelle, c'est très scientifique ce que je vous dis là. Toutes les revues médicales en parlent, et même les journaux à présent. Vous ne pouvez pas vous imaginer le tort que vous font ces maudites cigarettes, sans compter – pouah! – leur affreuse odeur! Mon Dieu qu'elles puent! Alors, si vous étiez vraiment malin, vous arrêteriez de fumer tout de suite pour ficher le camp d'ici au plus vite.

Quelques minutes plus tard, Charles quittait la chambre dans un état d'allégresse qui lui faisait adresser des sourires à tout le monde. Le sentiment lugubre qui l'avait écrasé à chacune de ses visites venait de s'envoler. Grâce aux cigarettes, il avait compris que son ami vivrait – et mieux encore : qu'il redeviendrait le Steve que tout le monde aimait voir blaguer et dont personne ne pouvait se passer.

14

Les tournants du destin se font parfois d'une façon si anodine que par la suite on en reste étonné, comme la victime ahurie d'une savante mystification.

Un vendredi soir, Charles filait vers la sortie de la station de métro Berri-UQAM (on venait de la baptiser ainsi) pour aller rejoindre Céline qui l'attendait dans un café de la rue Saint-Denis, lorsque son regard tomba sur une brochure gisant à terre sous une rangée de téléphones publics. Intrigué, il la ramassa et laissa échapper un soupir d'agacement.

CE MESSAGE EST POUR TOI, annonçait la couverture en gros caractères blancs sur fond de nature morte aux fleurs. Encore un autre de ces rabâchages mystiques, se dit Charles, que des illuminés laissaient traîner pour répandre la Bonne Nouvelle. Et il pensa d'abord l'abandonner où elle était. Mais la brochure était propre et en bon état, comptait une soixantaine de pages de papier fin et le texte aéré s'agrémentait de plusieurs dessins. Par respect pour l'imprimé, Charles la glissa dans sa poche avec l'intention d'y jeter un coup d'œil et l'oublia presque aussitôt.

Ce n'est que plusieurs jours plus tard que, assis dans un autobus et n'ayant rien à lire, il s'en souvint tout à coup et se mit à la feuilleter. Il ne s'était pas trompé. C'était l'habituel et insipide blabla dont il n'avait jamais pu lire trois lignes sans se mettre à bâiller.

Qu'est-ce que la vérité ? *se demandait l'auteur.* Tous les hommes, s'ils sont honnêtes, désirent la connaître. Mais comment le peuvent-ils ? Il y a tant de choses en ce bas monde, tant d'opinions et d'idées différentes sur chacune d'elles, souvent sans preuve à l'appui ! Et que dire lorsqu'il s'agit des choses spirituelles ? En ce domaine, la science et la sagesse de l'homme se montrent incapables de nous guider, car la lumière de l'intelligence humaine ne peut éclairer l'immensité de l'Au-delà.

Pilate, le gouverneur romain, a demandé à Jésus : « Qu'est-ce que la vérité ? » (Jean 18,38). Mais il n'a pas voulu entendre Sa réponse. N'imitons pas le chef païen. Imprégnons-nous des enseignements de Celui Qui Seul connaît. Car Il « veut que tous les hommes soient sauvés et parviennent à la connaissance de la vérité » (Timothée 2,4).

Malgré l'envie de bâiller qui s'était mise à lui chatouiller les muscles des mâchoires, il passa au cœur du texte, qui se voulait une initiation à la Bible sous forme de dialogue ; on avait dû recourir à une autre plume, car le ton changeait, devenait plus vivant et naturel, et les sempiternelles citations bibliques disparaissaient. Une section sur les parchemins du monastère du Sinaï et sur les papyrus des grottes de Qumrân attira même son attention. Puis les fadaises refirent surface. Il tourna les pages avec impatience et parvint à la dernière. Quelqu'un y avait écrit à l'encre noire en caractères fermes et appliqués :

Si tu veux gagner ta vie honorablement tout en aidant à l'avènement du Royaume de Dieu, téléphone au numéro indiqué ci-dessous.

Suivaient les coordonnées de l'Église des Saints Apôtres de la Prochaine Venue de Jésus-Christ, établie avenue de Lorimier dans le nord de la ville.

— Tu parles si je vais téléphoner, murmura Charles en fourrant la brochure dans sa poche. Allume-moi une chandelle, que je te brûle les deux fesses...

Mais, quelques jours plus tard, étendu dans le plus simple appareil près de Céline assoupie, il repensa à l'offre d'emploi. On ne cherchait sûrement pas des prédicateurs (la Parole de Dieu ne choisit pas la première bouche venue), mais plutôt des exécutants : distributeurs de tracts, concierges, téléphonistes, animateurs de loisirs, organisateurs, etc. Les sectes ambitionnaient de plus en plus de remplacer les organisations paroissiales en pleine débâcle et tentaient pour cela de répondre dans la mesure de leurs moyens aux différents besoins de la vie quotidienne et familiale. Peut-être un emploi l'attendait-il qui lui permettrait de faire comme Aglaé et de voyager un peu partout au Québec ? Il en rêvait depuis longtemps. Le romancier inaccompli en lui le réclamait avec force.

Mais un obstacle de taille se dressait devant lui : Céline, qui crierait à l'abandon et interpréterait ce désir de vie errante comme un signe de désaffection.

Aussi se garda-t-il bien ce jour-là de lui en parler. Il se confia plutôt le lendemain à Blonblon, comme il le faisait toujours pour les choses importantes. Ce dernier, tout d'abord, s'esclaffa, puis devint songeur, la mine grave. L'offre d'emploi de l'Église des Saints Apôtres de la Prochaine Venue de Jésus-Christ avait sans doute réveillé ses tendances mystiques et ce goût incoercible de faire le bien qui l'avait si souvent transformé en philanthrope et parfois même en prédicateur.

— Peut-être, après tout, que tu devrais leur téléphoner, Charles. On ne sait jamais. Ces sectes ne sont pas toutes aussi *flyées* qu'on pense. Il y en a qui aident vraiment les gens, sans chercher à les évangéliser de force. Le travail est peut-être intéressant. Et puis, de toute façon, la quincaillerie te sort par les oreilles. Qu'est-ce que t'as à perdre? Si ça ne te plaît pas, tu reviendras chez Fernand.

— Oh, je ne pense pas qu'il me reprendrait. Les affaires ne vont pas si bien que ça, tu sais. J'ai l'impression que mon départ l'arrangerait.

— Eh bien...

Et Blonblon eut un geste pour dire que ce genre de risque faisait partie de la vie.

Quelques jours passèrent. Charles n'arrivait pas à se décider. Il ne se sentait guère enclin à travailler pour des illuminés assaillant tout le monde avec leurs obsessions – ou, pire encore, pour des trafiquants de vie éternelle exploitant les naïfs et les angoissés. La peur de se faire embrigader le retenait. Il y avait parmi ces gens, disait-on, des spécialistes en lavage de cerveau, des pots de colle professionnels, de doux mais tenaces déséquilibrés et d'autres aussi qui n'étaient pas doux... Et puis, que dirait-on de lui? Travailler pour des escrocs ou des fous, n'était-ce pas avouer qu'on l'était un peu aussi?

Finalement, un après-midi où il avait dû expliquer pendant vingt minutes à une vieille dame comment fixer dans un mur un boulon à ailettes, Charles décida de se présenter aux bureaux de l'Église des Saints Apôtres de la Prochaine Venue de Jésus-Christ, quitte, si l'offre qu'on lui faisait était trop biscornue, à pouffer de rire au visage du bon pasteur et à filer par le chemin le plus court.

Vers quatre heures trente, comme les affaires étaient très calmes à la quincaillerie, il demanda à Fernand la permission de partir, prétextant une course urgente. Une demi-heure plus tard, il arrivait en vue d'une belle église victorienne en brique ouvragée. Une imposante enseigne de bois fixée au-dessus de la porte principale déparait la façade; le nom de la secte s'y étalait en grosses lettres rouges sur fond blanc dans un tape-à-l'œil grossièrement commercial. Et, déployée sous l'enseigne, une longue banderole affirmait:

DIEU T'AIME COMME TU ES
MAIS IL T'AIME TROP POUR TE LAISSER DANS CET ÉTAT

Charles, planté devant l'église, hésitait. Puis son regard tomba sur une maison voisine de même style, construite en brique elle aussi, qui se dressait au fond d'un petit parc au bout d'une allée; c'était sans doute l'ancien presbytère. La porte s'ouvrit, deux jeunes hommes sortirent et s'avancèrent en causant joyeusement. Charles glissa une main dans sa poche, se mordit une lèvre avec détermination et enfila l'allée. En le croisant, les jeunes hommes lui adressèrent un aimable sourire. L'instant d'après, il gravissait un perron aux pierres un peu disjointes surmonté d'un joli auvent de bois peint en blanc; un petit écriteau de plastique fixé près de la porte indiquait: « Sonnez et entrez ».

Il sonna et entra. Ses narines se remplirent aussitôt d'une prenante odeur de sauce à spaghetti. Une rumeur joyeuse mêlée de tintements et de cliquetis d'ustensiles lui parvenait d'une pièce éloignée. Il se trouvait dans une grande salle d'attente, ne comportant pour tout meuble qu'une série de chaises bordant trois de ses murs et une table basse placée au centre, parsemée de revues pieuses. Sur un des murs, un immense tableau à cadre noir représentait une tête de Christ à la barbe blonde, à la peau rosée, aux traits délicats et plutôt mièvres, entourée d'un nimbe orangé; de ses yeux d'un bleu profond et comme mouillés de larmes, le Christ semblait adresser à Charles un doux reproche.

Des pas s'approchèrent lentement et un quinquagénaire aux cheveux blancs clairsemés apparut, la peau du visage aussi rose que celle du Christ, mais les traits lourds avec quelque chose de bon enfant et de trivial. Il souriait.

— C'est la journée des bénévoles, dit-il à Charles comme pour s'excuser de l'avoir fait attendre. Nous soupons toujours très tôt le mercredi à cause de la distribution de tracts. C'est plus facile et agréable de travailler à la clarté, n'est-ce pas? Vous venez pour un emploi?

Charles fit signe que oui.

— Voulez-vous me suivre, s'il vous plaît?

Il sortit un trousseau de clés, déverrouilla une porte, le fit pénétrer dans une minuscule pièce encombrée de classeurs, prit place derrière un bureau et invita Charles à s'asseoir. Au-dessus de sa tête, on apercevait en plus petit la banderole au message quelque peu déprimant installée sur la façade de l'église.

— Normalement, c'est sœur Jocelyne qui aurait dû s'occuper de vous, mais elle est absente, car sa mère vient de mourir. Cela me donne le plaisir de faire votre connaissance. Je suis le frère Miguel Fortier, ajouta-t-il en se levant, la main tendue. Je suis le pasteur de cette Église fondée par Notre Bienheureux Balthasar Chicoine qui a quitté notre terre il y a quinze ans pour aller jouir de la contemplation de Dieu. Et vous, comment vous appelez-vous?

« Merde, se dit Charles, il faut que je fiche le camp d'ici! »

Et il se nomma.

— Parlez-moi de vous, l'invita le frère Miguel avec un sourire doucement impératif. Après tout, il faut que je vous connaisse un peu pour me faire une idée de l'apport que vous pourriez fournir à notre Église. Venez-vous pour une simple question de travail ou parce que vous avez senti l'appel de Dieu ?

— Pour une simple question de travail, répondit Charles, espérant que sa réponse mettrait fin à l'entretien.

— Très bien, très bien. Vous n'avez pas à en rougir, tout au contraire, mon garçon. Sans le travail, un homme ne peut être un homme ni une femme une femme. Dieu, pour nous sanctifier, veut que nous accédions au plus haut degré de notre humaine condition, ce qui ne peut se faire sans le travail, comme l'affirme Paul dans l'Épître aux Corinthiens, 4,28. Mais laissons cela. Vous n'êtes pas venu ici pour entendre un sermon. Où êtes-vous né ? Quelles études avez-vous faites ?

Charles, de plus en plus soupçonneux et brûlant de mettre les voiles, raconta fort succinctement sa vie, omettant tout ce qui aurait pu titiller l'apostolique curiosité du pasteur, qui le fixait avec un sourire insistant, comme s'il eût cherché à pénétrer les replis les plus secrets de son âme.

Au bout de trois minutes, il avait terminé. Le frère Miguel, ne laissant paraître aucun signe de dépit devant tant de circonspection, qu'on ne pouvait attribuer qu'à de la méfiance, allongea les bras sur le bureau et se frotta les mains en chantonnant, la bouche fermée, absorbé dans une profonde réflexion.

— Nous avons besoin d'un apprenti électricien, annonça-t-il soudain en relevant la tête.

— Un apprenti électricien ? s'étonna Charles. Je ne connais rien à l'électricité.

Le frère Miguel eut un sourire un peu condescendant :

— Un apprenti, c'est quelqu'un qui apprend.

— Oui, si vous voulez, mais il y en a sûrement qui pourraient mieux...

— Nous payons bien.

— Combien?

— Huit dollars l'heure, et la semaine est de quarante heures.

Devant un salaire aussi fabuleux, Charles ne put qu'ouvrir une bouche silencieuse, les yeux ronds.

— Vous êtes... sérieux? réussit-il enfin à dire.

— Pour les choses sérieuses, nous sommes toujours sérieux. Tous nos employés sont engagés par contrat et nous respectons notre signature. Nous avons vingt-deux églises au Québec et cinq en Ontario. Il faut voir à leur entretien et se conformer aux règlements municipaux. Une autre doit ouvrir bientôt à Rimouski. Le travail ne manquera pas, vous verrez. Cela dit, se hâta d'ajouter le frère Miguel avec un sourire d'une intensité extraordinaire, nous aimons rire et plaisanter, car nous essayons d'agir en véritables enfants de Dieu, comme nous le recommandait avec tant d'insistance Notre Bienheureux Balthasar Chicoine, qui ne faisait que s'inspirer des Saintes Écritures. Le cheminement spirituel, comme vous savez, ne peut se faire que dans la joie et la gaieté. Est-ce que le poste d'apprenti électricien vous intéresserait?

— Euh... oui.

— De mon côté, je pense que vous feriez un très bon apprenti. Vous avez l'œil intelligent et vous me paraissez honnête. Si vous ne changez pas d'idée, venez me voir après-demain à la même heure pour que nous réglions notre petite affaire.

Ils se levèrent en même temps et rirent de ce synchronisme. Le frère Miguel reconduisit son visiteur à la porte, la main posée sur son épaule avec une paternelle bienveillance. On n'entendait plus un bruit dans le presbytère. La distribution de tracts avait dû commencer. Charles n'arrivait pas à croire que dans deux jours il se mettrait à gagner plus de trois cents dollars par semaine, un salaire mirobolant, auquel personne de son âge et de son instruction ne se permettait même de rêver. Il y avait une attrape. Laquelle ?

Il se tourna brusquement vers le frère Miguel et, le regardant droit dans les yeux avec un sourire impertinent :

— Est-ce que vous allez essayer de me convertir ?

— Le faut-il ? demanda l'autre, ironique.

— Je ne crois pas en Dieu – ou alors très peu, ajouta Charles sans trop savoir ce que cela voulait bien dire.

— Rassurez-vous, Charles, je n'essayerai pas. Ce serait maladroit, et d'ailleurs futile. C'est Dieu qui vous convertira, quand Il le jugera bon. Nous ne sommes que Ses instruments. Cela peut se faire demain – ou dans dix ans. Voyez-vous cette cicatrice en demi-cercle près de ma tempe gauche ? Elle vient d'une trépanation que j'ai subie il y a dix-sept ans à la suite d'un accident vasculaire cérébral. Dieu s'est servi de cette grave maladie pour me ramener à Lui. Auparavant, je n'obéissais qu'à mes passions et à mon désir d'argent. Mais, après mon opération, je me suis retrouvé à moitié paralysé et forcé de garder le lit pendant six mois. J'ai pu alors réfléchir à ma vie ; cette vie était le don précieux de Dieu, qui avait bien voulu me tirer du néant pour que j'accède à Lui, et pourtant je le gaspillais comme un homme privé de raison.

15

En quittant le presbytère, Charles se rendit à la Villa Medica, rue Sherbrooke, où Steve, depuis deux semaines, poursuivait sa convalescence. Culotté de plâtre, la jambe et le bras gauches immobilisés par un appareillage de câbles et de tiges de fer qui lui donnaient l'air d'un danseur de ballet pétrifié dans son envol, il passait l'essentiel de son temps à rouspéter contre les soins, la nourriture et l'absence de cigarettes, à faire la cour aux infirmières et à réclamer des traitements de physiothérapie. Deux ou trois fois par semaine, il poussait sa mère aux larmes. Il ne lui serait pas venu à l'idée de se réjouir d'être encore en vie et, somme toute, à peu près indemne. De temps à autre, la télévision ou une violente migraine – suite de son traumatisme crânien – le plongeait dans le silence pendant une heure ou deux et permettait au personnel de souffler. Son mécontentement croissait avec ses forces et il était devenu tellement fébrile que le médecin lui avait interdit le café et songeait à lui administrer des calmants. Il se plaignait également que ses amis le négligeaient, mais une fois qu'il les avait devant lui, il n'avait rien à leur dire et bâillait. Seules Céline et Isabel parvenaient parfois à l'apaiser, à lui tirer un sourire, à le réconcilier pour un temps avec son sort en lui parlant des jours meilleurs qui approchaient. Il devenait alors presque tendre et se mettait à soupirer, se promettant, aussitôt guéri, de partir à la recherche d'une belle petite blonde.

— Je manque de femmes, se plaignait-il. Je pogne pas comme je voudrais. Ça doit être parce que j'ai le nez trop long.

— Mais qu'est-ce que tu racontes là ? s'était exclamée Céline un soir. Il est joli, ton nez... Je connais bien des garçons qui seraient contents de l'avoir !

Il l'avait regardée d'une façon étrange, puis avait répondu :

— Merci, Céline, t'es bien gentille, mais je ne suis pas aveugle.

◆

Ce jour-là, Charles lui trouva si bonne mine que, allant contre sa résolution, il se risqua à lui parler de son nouvel emploi. Steve le fixa en silence pendant dix longues secondes.

— L'Église de quoi ? demanda-t-il enfin.

— L'Église des Saints Apôtres de la Prochaine Venue de Jésus-Christ, répéta Charles en rougissant un peu.

Dix autres secondes passèrent.

— Dis donc, Charles, c'est moi qui ai reçu un coup sur la tête, mais c'est toi qui perds la boule ? Qu'est-ce qui s'est passé ? La Sainte Vierge t'est apparue en bikini pendant que tu prenais ta douche, ou quoi ?

— Rien de ça. J'y vais pour le fric : on m'offre trois cent vingt piastres par semaine. Y penses-tu ? Si on te les offrait, tu ferais comme moi.

— Jamais de la vie, bonhomme ! C'est plein de fifs et de fous, ces sectes-là ! Le fric, ils s'en servent comme appât. Ils vont d'abord essayer de te farcir la tête de leurs folies, et puis, quand tu seras bien étourdi... eh bien, ils vont t'enculer !

L'autre éclata de rire :

— Décidément, tu ne t'enfarges pas dans les nuances, toi... On ne m'encule pas comme ça, bonhomme !

— Tss, tss... ils en ont vu beaucoup des finfins comme toi qui pensaient les avoir et qui ont été eus.

— Alors, quand tu sortiras d'ici, viens travailler avec moi : on se protégera l'un l'autre.

— Non. Moi, aussitôt que j'aurai tous mes morceaux en place, je finis mon cégep, je me déniche une job, je me trouve une belle petite poule et je lui fais quatre enfants.

— Eh ben... je vois que tu ne manques pas d'ambition. Bravo ! Mais pourquoi seulement quatre ?

— On verra, on verra, répondit Steve avec le plus grand sérieux.

La conversation bifurqua. Steve se mit à raconter des anecdotes sur son père, qu'il avait perdu à l'âge de dix ans. Félicien Lachapelle était un bonhomme extraordinaire, camionneur de son métier, qui pouvait rouler quarante-huit heures d'affilée sans laisser échapper un bâillement. Son appétit l'avait rendu célèbre. Steve se rappelait l'avoir vu manger deux énormes assiettées de spaghetti avec force bières, puis couronner son repas d'une tarte au sucre accompagnée de six boules de crème glacée.

— Quand j'étais petit gars, il me prenait par le fond de culotte et me lançait en l'air si fort que mon dos touchait au plafond. Ma mère criait au meurtre. Lui et moi, on riait comme des fous. Une fois – je devais avoir sept ans –, il m'avait emmené prendre un chargement de pamplemousses en Floride. À mon retour, je voulais laisser l'école pour travailler avec lui ! Il avait été obligé de m'engueuler pour que je reprenne mon sac et mes livres. Dommage qu'il soit mort... Je pense souvent à lui. Des fois, il vient me voir dans mes rêves, les baguettes en l'air, toujours aussi farceur...

Charles l'écoutait, envahi tout à coup par une poignante tristesse mêlée d'envie. Voilà longtemps qu'il n'avait vu son ami aussi loquace. Le matin même, le médecin avait annoncé à Steve qu'il y avait de bonnes chances qu'on le libère dans quelques jours de sa culotte de plâtre et de son appareillage de tiges et de câbles ; il pourrait alors entreprendre ses traitements de physiothérapie.

— Si j'avais pu, raconta Steve, je lui aurais embrassé les mains – et même les foufounes !

Cette image aussi forte qu'originale les ramena aux sectes.

— Charlot, lui dit Steve, si tu voulais me faire plaisir, tu y penserais à deux fois avant d'aller travailler pour ces craqués-là. Prends au moins des renseignements sur eux... Les journaux sont pleins d'histoires de gens qui se font fourrer à l'os par des *preachers* et des gens de leur espèce... Tiens, tu te rappelles ce fameux Moïse Thériault avec son troupeau de femmes en Gaspésie... Je te le dis, si tu ne fais pas attention, tu vas attraper un coup dur, mon vieux...

Ses yeux exprimaient une telle inquiétude que Charles en fut saisi. Il retourna chez lui à pied pour se donner le temps de réfléchir. Une vague appréhension l'avait envahi et, malgré toutes les précautions qu'il se promettait de prendre, il ne réussit pas à la chasser. Cela l'agaçait. Tout en marchant, il levait de temps à autre la tête vers le ciel, devenu à cette heure d'un bleu presque noir et parcouru par de lourds amoncellements de nuages d'un gris plombé qui, dans une confusion épouvantée, semblaient fuir quelque chose. Était-ce un avertissement ? « S'ils essayent de me rouler, ces vendeurs d'eau bénite, murmura-t-il en plissant des yeux menaçants, ils vont frapper un nœud... Oh ! que oui ! » Et il donna un violent coup de pied à une bouteille de plastique qui traînait sur le trottoir et qui se mit à bondir, affolée, jusqu'au milieu de la rue, où un pneu l'aplatit. L'incident le remplit d'une joie enfantine, comme s'il s'était agi d'un bon présage.

Mais le sommeil, ce soir-là, fut si long à venir que Bof, importuné par ses mouvements saccadés, sauta du lit et alla dormir sur un fauteuil.

L'Église des Saints Apôtres de la Prochaine Venue de Jésus-Christ ne se contentait pas de répandre la Parole de Dieu mais donnait avec beaucoup d'ardeur dans la bienfaisance sous toutes ses formes. Différentes équipes – certaines volantes – tentaient de fournir une aide « morale, psychologique et spirituelle » tant aux alcooliques, aux toxicomanes, aux personnes seules, aux familles monoparentales et aux vieillards démunis qu'aux célibataires et aux couples mariés ; des librairies et des bibliothèques assuraient la circulation de livres « constructeurs » ; des banques alimentaires venaient en aide aux personnes dans le besoin ; Impact Ado, un *band* de trente apprentis musiciens dirigé par un quadragénaire à cheveux longs, virtuose du saxophone, rassemblait chaque semaine trois cents jeunes amateurs de spectacles qui meublaient ainsi leurs loisirs d'une façon « saine et explosive », tout en s'imprégnant du Message de Dieu par le truchement de la musique rock ; les comptoirs Écono-Linge offraient des vêtements neufs et usagés mais aussi des fournitures scolaires à des prix imbattables ; on songeait à mettre sur pied une équipe d'alphabétisation. Toutes ces actions charitables avaient comme but ultime, évidemment, le recrutement de nouveaux fidèles.

Le frère Miguel, passant de bureau en bureau, présenta à Charles les responsables des différentes équipes qui se trouvaient sur les lieux cet après-midi-là, insistant sur le fait que, sans le travail bénévole, aucune de ces activités de bienfaisance n'aurait pu voir le jour. Le chef du groupe Impact Ado, avec ses longs cheveux graisseux, sa voix rauque et ses traits durs, donna l'impression à Charles de sortir tout droit de prison. La libraire, une femme blonde au visage assiégé par l'acné, lui tendit une main fine et molle, presque immatérielle, et, posant sur lui un regard étrange qui semblait le traverser pour se perdre dans un ailleurs indéfini, lui souhaita doucement la bienvenue ; son arrivée dans leur Église, lui prédit-elle, le rendrait chaque jour un peu plus conscient de la présence de Dieu en lui, source de joies indicibles.

Puis, en attendant l'arrivée de José Coïmbro, l'électricien avec qui Charles allait travailler, le frère Miguel l'invita à le suivre dans son bureau. Il lui présenta un contrat et lui demanda de le lire attentivement, puis de le signer, si tout lui convenait.

Le document, très simple, ne comportait que deux feuilles. Une clause, qui concernait la période d'essai, le fit sursauter; il y était stipulé que celle-ci durerait deux ans.

— C'est bien long, s'étonna Charles.

— Aucune importance, répondit le frère Miguel avec un grand sourire. Quand j'engage des gens, je ne me trompe jamais. En dix ans, je n'ai eu aucune déception. S'il y avait eu le moindre problème, le Saint-Esprit m'aurait alerté. Il ne l'a pas fait.

Charles eut une moue ironique.

— Je ne vous demande pas de me croire, fit le frère Miguel en riant. Je vous demande tout simplement de nous observer dans notre travail de chaque jour. Dieu fera le reste – s'Il le veut bien.

José Coïmbro tardait. Le pasteur donna un coup de fil, puis raccrocha, l'air ennuyé. Personne ne savait où se trouvait l'électricien.

— Il n'est pas très ponctuel, soupira le frère Miguel, et cela m'embête parfois. Que voulez-vous? Chacun a ses défauts. Dieu nous a donné la vie pour nous en corriger, mais il y en a qui auraient besoin de plus d'une vie, ajouta-t-il en riant.

Charles signa les deux exemplaires du contrat, en déposa un sur le bureau et glissa l'autre dans la poche de sa chemise. Calé dans son fauteuil, le frère Miguel observait une petite fissure dans le haut du mur en face de lui, déployant, semblait-il, une intense activité mentale pour en déceler l'origine. Le tic-tac d'une grosse horloge accrochée au mur sous un Christ sanguinolent prenait un poids de plus en plus désagréable.

— Quelle est votre doctrine? demanda brusquement Charles pour rompre le silence.

Le frère Miguel abaissa aussitôt sur lui un regard brillant et incisif.

— Nous n'en avons pas.

— Vous n'en avez pas?

— Non. Pas de doctrine particulière. Notre seul guide, c'est la sainte Bible, qui est la Parole de Dieu. Nous croyons tout ce qu'elle dit et rien de ce qu'elle ne dit pas. Par exemple, la Bible parle de l'enfer mais aucunement du purgatoire; nous ne croyons pas au purgatoire. La Bible condamne l'homosexualité; nous la condamnons nous aussi, malgré la mode, *sans condamner toutefois les homosexuels eux-mêmes*, qui sont nos frères en Jésus-Christ comme tous les autres chrétiens. Il n'est dit nulle part dans la Bible que les prêtres et les évêques n'ont pas le droit de se marier; plusieurs passages nous donnent même des exemples du contraire; aussi, nous permettons à nos pasteurs de prendre femme et à nos pasteures de prendre mari. La Bible annonce à plusieurs endroits le retour prochain du Christ; nous croyons à ce retour et nous l'affirmons publiquement par la dénomination de notre Église. Et ainsi de suite. C'est dans ce sens que je dis que nous n'avons pas de doctrine.

Des pas pesants résonnèrent soudain dans le corridor, on frappa à la porte et, avant même que le frère Miguel n'ait eu le temps d'émettre un son, un homme à gros nez et en bleu de travail apparut dans la pièce et s'assit en souriant à côté de Charles; il adressa un bienveillant signe de tête à ses deux compagnons, sans un mot d'excuse pour son retard.

— Un petit pépin, José? demanda le pasteur avec aménité.

— Non, répondit ce dernier.

Et il n'ajouta rien de plus, se contentant de sourire.

— Je te présente Charles Thibodeau, ton nouveau compagnon de travail, reprit l'autre après un soupir. Il a hâte de s'entraîner avec toi. Charles, José Coïmbro.

— Salut, fit l'électricien en lui tendant une main étonnamment énergique.

— Charles est prêt à travailler dès demain. N'est-ce pas, Charles?

— Euh... c'est à dire que... je ne pensais pas... Voyez-vous, je n'ai pas encore averti mon patron...

— J'ai besoin de lui tout de suite, coupa Coïmbro. Il faut absolument que je finisse d'installer les nouvelles prises avant l'assemblée de ce soir, sinon les problèmes vont recommencer.

Charles se leva :

— Alors, allons-y. Mais pour demain, je ne peux rien promettre.

Charles, malgré la tenue de l'assemblée, travailla jusqu'à minuit. Tout au long de la soirée, José Coïmbro ne s'adressa à lui que pour de strictes raisons techniques, et cela fort laconiquement, mais il rachetait son manque de loquacité par de nombreux sourires, tous d'un éclat incomparable.

— Alors, tu nous quittes, murmura Fernand d'une voix éteinte.

Et, de saisissement, il s'assit sur le bord du comptoir tandis que Lucie, les lèvres pincées par l'émotion, portait les mains à son cœur.

En ce paisible début de matinée, la quincaillerie silencieuse semblait tout à coup un peu triste et solennelle.

Charles les enveloppa d'un regard malheureux :

— Il ne faut pas le prendre comme ça, voyons... J'ai besoin de changement... Et puis, ça va me donner sans doute l'occasion de voyager un peu partout au Québec... J'en rêve depuis si longtemps...

— C'est vrai que mon petit commerce *plate* n'a rien pour intéresser un jeune comme toi, reprit Fernand avec une moue sarcastique. Quand pars-tu ?

— C'est toi qui décides, Fernand. Je ne veux pas te prendre au dépourvu.

L'autre eut un haussement d'épaules désabusé :

— Bah! le dépourvu, ça me connaît... Je suis en train de devenir un spécialiste du dépourvu... On s'arrangera bien sans toi... De toute façon, dans l'état actuel des affaires, c'est sans doute mieux ainsi.

Lucie posa les mains sur les épaules de Charles et, plongeant un regard angoissé dans ses yeux :

— Mais qu'est-ce que c'est que cette Église, dis-moi ? Es-tu sûr qu'ils sont honnêtes, ces gens ? On entend tellement d'histoires épouvantables sur les sectes... Est-ce que par hasard tu te serais fait embrigader, Charles ?

— Mais non, mais non, répondit ce dernier en riant. Ne craignez rien, je n'y vais que pour le travail – et peut-être aussi pour un peu d'aventure.

— Le salaire est bon, au moins ? demanda Fernand.

— Oui, oui, se contenta de répondre Charles sans donner de précision par crainte de l'humilier.

— Alors, si t'as décidé de partir, aussi bien le faire aujourd'hui, mon garçon. Bonne chance.

Et, se penchant vers le comptoir, il se mit à déballer un colis.

— Mais qui va s'occuper de Bof si tu te mets à voyager ? demanda soudainement Lucie en s'épongeant le coin de l'œil.

— Vous autres, répondit Charles avec la légèreté impertinente de celui qui peut compter sur un amour inconditionnel. Il restera chez vous. Céline et Henri lui feront faire ses promenades. Ils adorent ça.

Au nom de Céline, Lucie eut un tressaillement et une question faillit franchir ses lèvres. Mais elle jugea préférable de la garder pour elle-même.

16

Charles assimilait les rudiments de son nouveau métier avec une facilité remarquable. Ses années de travail à l'atelier de Blonblon avaient beaucoup développé sa débrouillardise. Après quelques jours, José Coïmbro se mit à faire des éloges sur son habileté qui lui firent rougir les oreilles de plaisir, même s'ils provenaient d'un homme qui lui paraissait chaque jour un peu plus bizarre.

Ils avaient terminé leurs travaux à l'église de l'avenue de Lorimier et s'occupaient maintenant du câblage électrique d'une misérable petite église située près du boulevard Taschereau à Brossard. Grâce aux bonnes dispositions de l'électricien à son égard, Charles avait toutes ses soirées libres et les passait naturellement avec Céline, qui se remettait bien lentement de l'émoi que lui avait causé son changement de métier. Il avait jugé préférable de ne pas lui annoncer tout de suite que, dans quelques mois, lorsque les travaux qu'ils avaient à effectuer dans la région de Montréal seraient achevés, il devrait se déplacer ailleurs au Québec, et peut-être aussi loin qu'en Gaspésie.

Mais c'est dans des circonstances bien différentes que son rêve de voyages allait bientôt se réaliser.

Un jour qu'ils se trouvaient à Verdun en train d'installer de l'éclairage d'appoint dans une salle de « rencontres bibliques » jouxtant une de ces églises récentes qui ressemblent davantage à des immeubles à bureaux ou à logements qu'à des lieux de culte, une jeune femme apparut, portant sur un plateau des tasses, une cafetière et une assiette de muffins. Elle se présenta comme la femme du pasteur, le frère Roch. Ce dernier demandait qu'on l'excuse de ne pas venir les saluer : la grippe le retenait au lit.

Charles se mit à causer avec elle, car elle était avenante, fort jolie et – Dieu en soit loué – elle n'émaillait pas chacune de ses phrases d'une citation biblique. Tout au contraire, elle semblait être une femme tout ce qu'il y avait de sain et de normal, pleine de bon sens et de joie de vivre. José Coïmbro suivait leur conversation de loin tout en travaillant et, de temps à autre, exprimait son assentiment par un léger hochement de tête. Au bout de quelques minutes, elle partit.

— Elle est à mon goût, celle-là, dit alors l'électricien.

— Ouais... un beau brin de fille... Mais il n'y a que son mari et le Saint-Esprit qui ont le droit de la toucher.

Coïmbro lui jeta un regard scandalisé, mais poursuivit son travail en silence.

— As-tu une blonde, toi, José ? demanda Charles au bout de quelques instants.

— Non.

Puis il ajouta :

— Je n'en ai jamais eu.

— Ça ne te manque pas ?

Coïmbro plissa le front, réfléchit un moment, puis, se tournant vers son compagnon avec un large sourire :

— Quand Dieu jugera bon de m'en faire rencontrer une, j'en aurai une.

— Mais si Dieu a oublié qu'il t'en fallait, qu'est-ce que tu vas faire ?

— Cesse de plaisanter. Dieu n'oublie jamais rien.

Une heure plus tard, la femme du pasteur revenait avec un autre plateau. Les deux hommes la remercièrent vivement et Charles la félicita pour ses muffins, se disant confus devant tant de gâteries.

— Ça me fait plaisir, ça me fait plaisir, répondit-elle en riant. Vous travaillez fort, il vous faut des calories !

Elle revint ainsi deux ou trois fois au cours de la journée, apportant des pâtisseries et du café. Coïmbro, de plus en plus épris d'elle, se risquait maintenant à lui dire quelques mots, puis dévorait les muffins et avalait café sur café, au grand amusement de Charles, qui se rappelait les déclarations vitrioleuses de son compagnon contre la noire boisson, que ce dernier considérait comme un poison sournois et l'une des causes de la violence dans le monde.

Vers quinze heures, fébrile et survolté, le pauvre essayait de tout entreprendre à la fois, incapable de se concentrer sur rien, échappant pinces, fils et tournevis, tournant sur lui-même à la recherche d'un outil qu'il avait dans la main, puis s'arrêtant tout à coup, hagard, ayant oublié ce qu'il voulait faire. Charles le prit en pitié et lui suggéra de faire une pause afin de se détendre un peu. Ils allèrent s'asseoir dans la salle. L'électricien allongea les jambes, leva les bras et essaya de prendre de profondes respirations, mais des tremblements l'en empêchaient.

— Je pense que j'ai pris trop de café, constata-t-il d'une voix misérable.

Charles, très sérieusement, approuva d'un hochement de la tête.

— Pauvre José, pourquoi en as-tu tant pris, toi qui n'aimes pas ça ?

— C'était pour lui faire plaisir *à elle*, avoua l'autre. Mais je ne suis même pas sûr qu'elle s'en soit aperçue ! C'est bien moi, ça... J'essaye toujours de trop bien faire. Regarde les résultats !

Était-ce l'effet de la caféine ? Il se mit à lui raconter sa vie. Il était né dans le quartier Saint-Henri de parents destinés à être malheureux et à transmettre ce malheur à leurs enfants. Lui et ses cinq frères avaient été abandonnés en bas âge, passant de foyer d'accueil en foyer d'accueil, d'orphelinat en orphelinat, l'un d'eux ayant même échoué dans un établissement pour personnes âgées tenu par les Sœurs Grises!

— Une expérience magnifique, assura Coïmbro avec son sourire éclatant, vaguement pathologique. J'ai connu de très beaux moments. C'était parfois très dur, mais ça m'a renforcé. Dans le fond, j'étais chanceux.

— Tu n'as pas beaucoup connu tes parents, si je comprends bien?

— Non. Mais à quatre ans, quand on se fait bousculer, on se rappelle tout. Je n'ai revu ma mère qu'une semaine avant sa mort. J'avais quatorze ans. Elle avait laissé sur la table de la cuisine une lettre où elle nous demandait pardon de nous avoir abandonnés. Ça m'a fait drôle de lire ça.

Il continua de se raconter. Il avait toujours vécu seul et ne s'en portait pas plus mal pour autant. Charles comprit que la solitude l'enveloppait comme un vêtement presque confortable, ni trop lourd, ni trop serré, ni trop voyant, mais un peu mince quand le vent se faisait âpre. Coïmbro la traînait partout avec lui, sans trop y penser, un peu triste et un peu las parfois, mais la plupart du temps d'une humeur passable. L'Église des Saints Apôtres lui servait un peu de famille, sans en être vraiment une, car il ne parlait presque à personne.

Pendant longtemps, poursuivit Coïmbro, il avait vécu une vie de larve, travaillant parce qu'il le fallait bien, mais n'ayant pas la moindre idée de la raison pour laquelle il se trouvait sur cette planète, car sa jeunesse chaotique ne lui avait pas permis d'acquérir de solides convictions sur quoi que ce soit.

Puis, un jour, Dieu, par le moyen d'une épreuve, lui avait ouvert Ses bras. Il faisait des travaux de réfection à l'ancien cinéma Loew's, rue Sainte-Catherine, lorsqu'un câble, en tombant, l'avait électrocuté. En revenant à lui après deux semaines de coma, il avait aussitôt senti l'appel de Dieu et le besoin d'une vie meilleure, *élévatrice* et *signifiante*. Pendant sa convalescence, il avait commencé à se documenter sur les différentes religions et c'est une longue conversation avec le frère Miguel qui avait décidé de tout. Il était sur la bonne voie. Il suffisait d'avancer, même si la pente se montrait parfois abrupte.

— Toi aussi, tu finiras par la trouver, dit-il à Charles, et il lui tapota l'épaule en souriant, le coin de la bouche agité par un tic.

— Oui, mais en attendant, si on allait finir d'installer nos disjoncteurs ?

Ils se remirent à l'œuvre. Mais Coïmbro se montra tellement maladroit qu'au bout d'un moment Charles éclata de rire et l'envoya prendre l'air, lui assurant qu'il pouvait fort bien terminer l'installation lui-même. L'électricien revint au bout d'une heure et demie, ayant raté un service de muffins et de café, et, un peu calmé, inspecta le travail de son apprenti.

— Eh ben ! C'est tiguedou ! conclut-il, admiratif. Vraiment, Charles, je n'aurais pas pu faire mieux moi-même ! Tu vas devenir un vrai champion, c'est moi qui te le dis !

Le surlendemain, quand Charles se présenta au bureau du frère Miguel pour son chèque de paye, il comprit, à l'accueil que lui fit ce dernier, que Coïmbro avait fait de son assistant des éloges dithyrambiques. À certaines remarques que lui adressèrent les jours suivants d'autres responsables de l'Église, il comprit qu'on le tenait en très haute estime et que tout le monde priait pour sa conversion.

Cela allait bientôt avoir pour lui des conséquences imprévues.

L'Église des Saints Apôtres de la Prochaine Venue de Jésus-Christ dépendait d'un Président qui siégeait, chose curieuse, à

Waterloo, une petite ville de l'Estrie dotée d'un excellent restaurant chinois ; son action semblait s'exercer d'une façon bien mystérieuse et subtile, car on ne Le voyait jamais, et les rares fois où Charles entendit parler de Lui, ce ne fut que par des allusions respectueuses mais plutôt obscures.

Cela dit, l'organisation semblait fonctionner de façon efficace et les différentes attributions de chacun avaient été délimitées avec beaucoup de précision. Il y avait au bas de l'échelle les pasteurs, dont le rôle équivalait à celui de curé ; puis les évangélistes, sorte de prédicateurs itinérants ; venaient ensuite les enseignants, professeurs de « théologie » qui formaient les pasteurs dans des écoles bibliques ; un cran au-dessus d'eux, les prospecteurs étaient des enseignants émérites qui scrutaient et analysaient le texte biblique pour en tirer le maximum d'enseignements (un prospecteur pouvait passer des mois sur trois versets !). Enfin les pionniers, apôtres de choc, voyageaient d'un endroit à l'autre pour tenter d'ouvrir de nouvelles églises.

Ces fonctions n'étaient pas complètement étanches. Le pionnier, par la force des choses, devenait souvent évangéliste. Le pasteur, lui, l'était régulièrement, puisqu'il faisait chaque semaine des sermons aux fidèles de son église, et il pouvait aussi – comme l'enseignant – consacrer une partie de son temps à une école biblique.

Une église pouvait compter plusieurs pasteurs qui exerçaient leur ministère sous la direction du pasteur principal. Trois mois avant l'arrivée de Charles à l'église de l'avenue de Lorimier, le frère Miguel avait perdu ses deux aides-pasteurs dans des circonstances dont les gens donnaient des versions contradictoires. Depuis ces départs, le frère Miguel se retrouvait seul et passablement débordé. Aussi le temps lui manquait-il pour s'occuper comme il l'aurait souhaité de l'état spirituel de Charles, qui, du reste, travaillait souvent à l'extérieur. Quelquefois, cependant, il l'invitait discrètement, et comme en passant, à l'une des « réunions de prières » ou des « soirées de témoignages » qui se déroulaient chaque semaine à l'église. Parfois, c'était la libraire aux mains presque immatérielles qui l'entretenait, et avec beaucoup de retenue, de questions spirituelles, changeant aussitôt de sujet dès qu'elle sentait chez son interlocuteur le moindre signe d'ennui ou d'agacement.

Charles pouvait donc répondre aux plaisanteries caustiques de Steve et de Céline, et à celles, un peu moins appuyées, de Blonblon et d'Isabel, en affirmant qu'à l'Église des Saints Apôtres on n'essayait pas de le convertir à tout prix, mais qu'on lui laissait, bien au contraire, l'entière liberté de ses opinions religieuses.

Cela dit, au bout de quelques semaines, il décida, par curiosité autant que par politesse (il était bon de soigner ses relations avec un employeur qui payait si bien), de se rendre à une soirée de témoignages.

Coïmbro venait de lui annoncer le passage à l'église d'un invité exceptionnel, le pasteur Bukuru Tabala-Taopé, venu directement d'Afrique pour partager avec les fidèles québécois son extraordinaire expérience mystique. Comme du reste Céline avait une sortie ce soir-là, il soupa avec l'électricien dans un petit restaurant près de l'église, où il mangea un filet de sole qui semblait avoir nagé il y avait bien longtemps, et à sept heures il se joignait à l'auditoire plutôt clairsemé venu entendre le témoignage du visiteur étranger.

Charles, le nez en l'air, inspectait les outrages qu'une infiltration du toit avait causés à une fresque du plafond représentant Jésus au temple devant les docteurs de la Loi, lorsqu'une vague de toussotements signala l'arrivée du pasteur Taopé avec son présentateur, le frère Miguel, qui apparurent dans le chœur, privé à présent de son maître-autel, et s'arrêtèrent à quelques pas de la balustrade, la mine grave et recueillie, les mains jointes, la tête légèrement penchée, tandis qu'une guitare électrique et un saxophone, appuyés par une batterie, jouaient l'air du cantique *Jésus, Tu nous apportes la Vie.*

La musique terminée, le frère Miguel, d'un geste, indiqua une chaise à son invité, remercia les assistants de leur présence, puis se lança dans une longue présentation. Au bout de dix minutes, Charles ressentait un tel ennui qu'il avait peine à se tenir droit. Les fadeurs pieuses succédaient aux redondances, engluées dans une banalité sirupeuse, entrecoupées à tout moment de citations bibliques obscures, et le tout était débité d'une voix forte et saccadée qui essayait d'insuffler la ferveur et l'enthousiasme, mais ne parvenait pas à faire naître un début d'émotion. Charles regrettait que le frère Miguel soit si ennuyant, car, malgré tout, il le trouvait sympathique. Il se tourna vers Coïmbro qui écoutait, imperturbable, le regard fixé sur le pasteur noir.

Vint enfin le tour de Bukuru Tabala-Taopé. Ce dernier, un homme mince et nerveux, à demi chauve, aux abords de la quarantaine, avait vécu une expérience aussi merveilleuse que terrible. Deux ans plus tôt, se mit-il à raconter, après une longue période d'épreuves et de surmenage, il avait subi un arrêt cardiaque. Un médecin appelé sur les lieux n'avait pu que constater son décès. Mais sa femme, rédemptioniste fervente, s'était jetée à genoux devant sa dépouille et avait longuement imploré le Nom Très Puissant de Jésus – et son époux, par la grâce du Seigneur, était revenu à la vie, malgré l'apparition des premiers signes de rigidité cadavérique !

Le pasteur fit un signe et deux adolescents, assis dans la première rangée, se mirent à distribuer parmi les assistants des photos de Bukuru Tabala-Taopé contemplant son certificat de décès.

Le pasteur raconta alors son voyage outre-tombe.

Après avoir traversé une zone de ténèbres dont aucun humain ne peut imaginer l'opacité, il avait survolé l'enfer, dont il fit une description peu réjouissante, pour aboutir enfin devant une énorme muraille de pierre où se laissaient vaguement deviner les contours d'une immense ouverture rectangulaire fermée par une porte massive, également de pierre. Les lieux baignaient dans une lumière d'un autre monde, impossible à décrire. Une sorte de souffle, ni chaud ni froid, enveloppa le nouvel arrivant, lui procurant un sentiment de bien-être à la fois étrange et exquis. Soudain, un être de taille moyenne apparut devant lui. Il portait une tunique lumineuse, sa chevelure blonde et son visage étaient lumineux, et il tenait à la main une épée dont l'éclat faisait mal aux yeux.

C'était un des anges gardiens de la porte du ciel, déclara Bukuru Tabala-Taopé à son auditoire silencieux. Il avait une nouvelle à apprendre au pasteur, à la fois bonne et mauvaise. « Bukuru, lui dit-il d'une voix forte et mélodieuse, tu es aux portes du Ciel. Mais le Seigneur a jugé que le moment n'était pas venu pour toi de partager avec Lui les félicités célestes. Il te renvoie à ta femme bien-aimée et à tes frères et sœurs humains afin que tu puisses continuer à leur prodiguer ton amour et ton soutien, et parfaire ainsi ta vertu. Retourne sur la terre et crains le péché. »

Et c'est ainsi que le pasteur revint à la vie pour la plus grande joie de sa femme, de ses enfants, de ses amis et de ses ouailles.

Mais ce qui aurait pu être dit en cinq minutes fut délayé pendant une heure et demie d'une voix nasillarde et monocorde qui arrondissait tous les « r », transformait les « o » en « ou » et mettait des « l » partout. Charles ne connut jamais le dernier épisode de la fabuleuse aventure du pasteur, car il dormait.

— Pourri, décréta Coïmbro, le visage sombre, à sa sortie de l'église. Ma chatte aurait pu faire mieux. Il a dit la vérité, mais la grâce de Dieu n'était pas avec lui...

Charles s'esclaffa :

— Allons, José, ne va pas me dire que tu crois à ces conneries-là, tout de même ! Se faire photographier avec son certificat de décès ! C'est enfantin ! Il ne lui manque plus que de se coller des ailes de plastique dans le dos et de se faire passer pour un ange !

Coïmbro, sans grande conviction, essaya de défendre le pasteur ressuscité, s'appuyant sur l'autorité et le prestige du frère Miguel, qui choisissait toujours ses invités avec beaucoup de prudence et de discernement. Puis, s'interrompant tout à coup :

— Mais la semaine prochaine, Charles, lança-t-il, le visage radieux, ça va être une autre paire de manches ! Alors là, mon vieux, je te garantis une soirée extraordinaire, car le bonhomme qui va nous parler, je l'ai entendu au moins trois fois. Et tout ce que je peux te dire, Charles, c'est que... c'est que...

Il chercha ses mots mais n'en trouva aucun capable d'exprimer ses sentiments. Alors, saisissant le bras de son compagnon :

— Il faut que tu viennes ! Promets-moi de venir !

— J'aimerais mieux passer dans un moulin à viande, ricana Charles.

— Viens, Charles. Viens, ou tu n'es plus mon homme.

Et Coïmbro s'éloigna à grandes enjambées.

17

Ce matin-là, Charles, assis dans son lit, les yeux fermés, humait avec ferveur le joli slip abricot que Céline avait dû lui abandonner la veille après une longue et fiévreuse soirée d'amour, lorsque le téléphone émit sa petite sonnerie impérieuse, aussi agréable et opportune qu'une contravention. C'était le frère Miguel, qui s'excusa de l'appeler si tôt. Depuis une dizaine de jours, il souhaitait discuter d'une chose importante avec Charles, toujours retenu aux quatre coins de Montréal par ses travaux. Est-ce que ce dernier aurait l'obligeance de passer à son bureau vers huit heures ?

— Qu'est-ce qu'il peut bien me vouloir ? se demanda le jeune homme, intrigué et vaguement inquiet, tout au long de son trajet en métro.

En approchant du presbytère, il remarqua qu'on avait installé une éclisse à la branche du petit marronnier qu'un vaurien avait stupidement cassée la semaine d'avant, et la vue de l'arbre pansé, qui paraissait tout ragaillardi et faisait luire joyeusement ses larges feuilles au soleil, lui amena un sourire.

Il pénétra dans l'édifice et son attention fut aussitôt attirée par une odeur de chocolat chaud qui flottait dans le hall, puis par des rires d'enfants provenant du bureau du frère Miguel. Il frappa à la porte.

— Entrez, Charles, fit le pasteur.

Un spectacle surprenant l'attendait. Le frère Miguel, assis derrière son bureau, où fumaient six tasses de chocolat, s'occupait, une brosse à la main, de démêler les longs cheveux blonds d'une petite fille d'environ cinq ans. À l'apparition du visiteur, elle se débattit en poussant des piaulements effrayés, s'échappa des bras du pasteur et fila vers la pièce voisine, tandis que quatre autres enfants, surgis d'on ne sait où, couraient la rejoindre en se bousculant et qu'un sixième, caché derrière un classeur, montrait la tête et poussait un « coucou ! » impertinent, pour se cacher de nouveau.

— Ce sont mes enfants, crut bon d'expliquer le frère Miguel, légèrement mal à l'aise. Un imprévu. Il faut que je les garde ce matin. Ma femme va chez le dentiste.

Puis, répondant à l'interrogation muette qui se lisait dans le regard de Charles, il ajouta :

— Ma pauvre femme a tellement peur du dentiste que la gardienne a dû l'accompagner.

— Ah bon, fit le jeune homme, pris d'une forte envie de rire.

Ce quinquagénaire bedonnant et à grosses lunettes avec sa flopée d'enfants lui paraissait si démuni et dépassé qu'il en ressentit une vague pitié.

— Coucou ! lança de nouveau le petit garçon derrière le classeur.

— Félix, soupira le pasteur, reste tranquille un peu et laisse-moi parler avec le monsieur. Tiens, fit-il, frappé d'une inspiration, va donc porter les tasses de chocolat à tes frères et à ta sœur avant qu'elles ne refroidissent. Prends une tasse à la fois et fais attention de ne rien renverser.

Félix trouva l'idée bonne et se mit à faire la navette à pas lents et précautionneux entre le bureau et la pièce voisine, d'où parvenaient depuis quelques moments des chuchotements excités. C'était un petit garçon d'apparence fragile, au visage mobile curieusement allongé et couvert de taches de rousseur.

— Assoyez-vous, Charles, je vous en prie, fit le pasteur en lui indiquant une chaise où se prélassait un chien de peluche. Tenez, donnez-le-moi. Désolé de vous rencontrer dans des circonstances aussi... agitées ! Comme vous voyez, ajouta-t-il en surveillant son fils du coin de l'œil, Dieu a béni notre union : ma douce épouse m'a donné un beau garçon très raisonnable, deux couples de jumeaux et une délicieuse petite fille avec les plus beaux cheveux du monde, mais des cheveux bien difficiles à démêler ! Bon. Entrons dans le vif du sujet ; avec des enfants, le temps nous est toujours compté.

Il se pencha en avant, les coudes sur son bureau, et son visage plein de bonhomie prit une expression grave, un peu gourmée.

— Voilà longtemps, Charles, que je voulais aborder avec vous une question importante et délicate. C'est celle des dons.

— Des dons?

— Sans les dons, vous le savez bien, notre Église ne pourrait survivre. Nous aidons les gens dans la mesure de nos moyens, mais en même temps nous dépendons de l'aide des autres.

— Bien sûr, fit Charles, qui devinait quel chemin allait prendre la conversation.

— Est-ce que je peux boire mon chocolat ici? demanda Félix, tout fier d'avoir terminé sans encombre la distribution des tasses.

— Oui, mais reste bien tranquille, hein, mon homme? Papa et le monsieur ont des choses très importantes à se dire.

L'enfant hocha la tête et se mit à fixer Charles en sirotant son chocolat, debout près du bureau.

— Donc, reprit le frère Miguel après avoir lentement croisé ses mains sur le bureau, nous dépendons de la générosité de nos fidèles, mais aussi de celle de nos employés.

Et il se mit à fixer Charles avec une gravité soutenue tandis que son fils, pris soudain d'une violente quinte de toux, déposait brusquement sa tasse en éclaboussant un peu le bureau.

— Vous voulez que je donne une partie de mon salaire? demanda Charles à voix basse, l'œil étincelant.

— Je m'adresse à votre générosité, Charles. La générosité exclut par essence l'idée d'obligation. « Quand la main du Juste donne, dit le Deutéronome, le cœur de Dieu tressaille de joie. »

— Et qu'est-ce qui arrive si je refuse?

Un cri désespéré jaillit de la pièce voisine:

— Papa, lança la voix d'un petit garçon, j'ai pipi!

Des rires éclatèrent.

— Gabriel est encore en train de faire pipi dans ses culottes, papa ! lança une autre voix d'un ton réjoui.

— Excusez-moi, fit le pasteur en bondissant de son fauteuil. Je reviens tout de suite.

Il se précipita dans l'autre pièce, ressurgit en tenant un petit garçon par la main et sortit à toute vitesse du bureau, laissant la porte grande ouverte.

Quelques instants passèrent.

Félix, imperturbable, continuait de siroter son chocolat, les yeux fixés sur Charles.

— C'est bon ? fit ce dernier pour dire quelque chose.

L'enfant hocha la tête, et un début de sourire incurva légèrement ses lèvres.

— Moi aussi, j'aime beaucoup le chocolat chaud, dit Charles. Mais quand j'étais jeune, je ne pouvais pas en boire beaucoup parce que ça me donnait mal au cœur.

— Moi, ça ne me donne jamais mal au cœur, répondit Félix avec un air de profonde satisfaction.

Un hurlement épouvantable éclata, faisant vibrer les murs du bureau.

— Papa ! Jacob *a tombé* sa tasse sur mon habit !

— C'est parce que tu *boyais* dedans, cochon ! répondit une autre voix, furieuse.

Des sanglots hystériques lui répondirent, suivis d'un bruit de bousculade, puis de plusieurs chocs. La petite blonde apparut dans la porte et annonça :

— Il y a du chocolat partout.

Charles, décontenancé, se leva, s'empara d'une boîte de kleenex qu'il venait d'apercevoir sur une chaise et s'élança vers la pièce. Deux petits garçons couverts de chocolat se battaient, étendus sur le plancher au milieu d'une flaque brunâtre, tandis qu'un troisième, assis dans un coin contre une bibliothèque, riait de tout son cœur. Charles sépara les belligérants, divisa en deux le contenu de la boîte de mouchoirs, en tendit une moitié à la petite fille en lui demandant d'éponger le plancher, et se mit en frais, avec l'autre, de nettoyer les garçons.

— Mon beau *nabit* est tout taché, sanglotait Marc.

— Ce n'est pas grave, ce n'est pas grave, le consola Charles. Ta mère va le laver et il va redevenir aussi beau qu'avant, tu vas voir. « Mais qu'est-ce qu'il fout, ce sacré Miguel ? Est-ce qu'il m'a fait venir comme gardienne ou quoi ? »

La petite fille, qui s'appelait Marie et paraissait habituée à ce genre de scène, quitta la pièce, puis revint avec un torchon, un seau de plastique rempli d'eau et une serviette mouillée ; quelques minutes plus tard, le plancher était propre et les deux garçons débarbouillés.

L'assistance que leur avait apportée Charles sembla avoir établi entre eux et lui un début d'amitié, et l'aimable sentiment gagna bientôt Marie et son petit frère, toujours assis dans son coin et qui s'était mis à décrire avec beaucoup de détails la peur de sa mère pour les dentistes. Quant à Félix, suprêmement indifférent, il était demeuré dans le bureau.

Charles, pour garder la situation en main, convainquit tout le monde de l'y rejoindre.

— Voulez-vous faire des dessins ? proposa-t-il en lançant un regard désespéré vers le hall.

— Pas *capave*, répondit Marc en secouant la tête d'un air découragé.

— Pas *capave*, répéta Jacob, avec la même conviction.

Félix se retourna :

— Raconte-leur une histoire. Ils aiment seulement les histoires.

— Quand on leur raconte une histoire, ils sont tranquilles, confirma Marie avec une condescendance maternelle.

— Youpiii! lança Pierre. Une histoire! Une histoire sur quoi?

— Sur le Renard bleu, répondit Charles, étonné par sa réponse.

Quelques minutes plus tard – l'absence du frère Miguel se prolongeant – Charles, son auditoire assis à ses pieds, s'était lancé dans le récit des aventures du Renard bleu, de sa sœur Clémence et de ses amis, Gustave l'ours, la Bonne Sorcière et le Canard athlète.

Transporté par son improvisation, flatté par les regards captivés de ses auditeurs, il avait perdu lui aussi la notion du temps et aurait poursuivi jusqu'à la fin des temps si un toussotement ne l'avait arrêté.

Un homme habillé de noir se tenait debout dans la porte avec un sourire narquois, dans une pose quelque peu altière, et semblait l'écouter depuis quelques minutes.

— Le pasteur n'est pas ici? fit-il en s'avançant.

L'inconnu déplut instantanément à Charles. À cette antipathie se joignit aussitôt une crainte étrange, qu'il ne se rappelait pas avoir jamais ressentie à l'égard de quiconque. Tout était feu chez cet homme: son regard, son sourire, sa voix, et même ses mouvements, dont il semblait contenir constamment l'impétuosité.

Les enfants, immobiles et silencieux, le fixaient avec circonspection.

— Il revient dans la minute, répondit Charles froidement, et il voulut reprendre son histoire.

Mais l'autre s'était avancé dans la pièce et, planté devant lui, s'était mis à le détailler, toujours avec le même sourire narquois.

— Vous aimez les enfants, à ce que je vois.

— Ouais... C'est parce que j'en ai déjà été un, répondit Charles d'un ton quelque peu insolent.

— Vous en êtes encore un. Nous sommes tous des enfants de Dieu.

— Si on veut.

Et Charles eut une moue qui frôlait l'impolitesse.

— Mais on n'a pas à *vouloir*, insista l'homme. C'est ainsi. C'est ainsi que Dieu l'a voulu de toute éternité. Non ?

Charles se mit à rougir et sa rougeur, née pour une bonne part de la crainte que lui inspirait son interlocuteur, l'humilia et fit monter sa colère. Feignant de pousser un soupir de profond ennui, il répondit :

— Oh, vous savez, moi, toutes ces histoires... je les ai dans le tréfonds du... vous savez quoi.

Puis il sentit le besoin d'ajouter :

— Excusez l'expression.

— Elle est un peu raide, en effet.

— Voyez-vous, moi, ici, je ne suis qu'un employé et la seule chose qui m'intéresse, pour être franc, c'est mon salaire.

— La franchise est une belle qualité.

Il allait sans doute répondre par une autre insolence lorsque, levant les yeux, il aperçut dans la porte, tenant son fils déculotté par la main, le frère Miguel, immobile, qui suivait leur conversation avec une expression horrifiée. Le visiteur se tourna vers lui et pouffa de rire :

— Dites donc, frère, vous avez des employés coriaces, vous !

— Coriace n'est pas le mot, bafouilla le pasteur tandis qu'à la vue de leur père les enfants reprenaient vie et se mettaient à chuchoter entre eux. Je crois qu'il... euh... vous doit des excuses en bonne et due forme, et tout de suite à part ça. Charles...

— Laissez, laissez, fit le prédicateur en le prenant par le bras, je vous assure que notre conversation m'a beaucoup amusé et que je ne lui en veux pas pour deux sous. J'adore les gens qui ont du tempérament, vous le savez, et votre Charles ne semble pas en manquer!

— Quant à ça... Mais je suis quand même surpris de l'avoir entendu... c'est un bon garçon, je vous assure, et travailleur, aussi...

— Je n'en doute pas.

Le prédicateur se mit de nouveau à rire, mais son rire, trop joyeux, sonnait d'une façon déplaisante.

— J'étais venu pour causer un peu avec vous, frère Miguel, mais je vois que vous en avez plein les bras. Est-ce que je peux revenir au début de l'après-midi?

— Mais oui, mais oui, quand vous voulez. Il se trouve seulement que ce matin ma femme devait aller chez le dentiste et...

— Très bien, à cet après-midi alors.

Et il s'éloigna.

Le frère Miguel alla refermer la porte, puis, se tournant vers ses enfants, il aperçut les habits souillés de Marc et de Jacob. Alors, mettant les poings sur les hanches, avec un air qui se voulait terrible:

— Quel gâchis! Quand votre mère va voir ça! Allez, ouste! disparaissez, tout le monde, et pas un mot!

— C'était bien pire que ça tout à l'heure, papa, crut bon de faire remarquer Marie, mais le monsieur et moi, on a presque tout nettoyé.

Le frère Miguel alla se rasseoir derrière son bureau, puis, après avoir enveloppé Charles d'un long regard de reproche, qui sembla avoir autant d'effet sur lui que les zigzags d'une mouche, il poussa un profond soupir:

— Vous savez à qui vous venez de parler?

Ce dernier haussa les épaules.

— Vous venez de parler à l'évangéliste Raphaël Grandbois, le plus remarquable prédicateur de notre Église – et sans doute de *toutes* les Églises.

— Ah bon, je suis désolé, répondit Charles sur un ton indifférent.

Le frère Miguel déplaçait nerveusement des feuilles sur son bureau.

— Je ne suis pas content. Mais pas content du tout. J'espère que vous allez prendre conscience de votre sottise. Enfin... il arrive à tout le monde d'en commettre... Moi-même je ne fais pas exception. Où en étions-nous ?

— À mon salaire, répondit Charles. Je vous avais demandé ce qui arriverait si je refusais de donner une partie de mon salaire.

Le frère Miguel détourna le regard, embarrassé :

— Faites ce que votre conscience vous dictera, Charles... Ici, pour ne rien vous cacher, tout le monde en donne une partie, sous une forme ou sous une autre, mais personne n'y est obligé. Je vous demande tout simplement d'y réfléchir.

L'hypocrisie de cette réponse déplut fort à Charles. Ainsi donc, les belles conditions du début n'étaient qu'un leurre ; on l'avait sans doute utilisé pour attraper bien d'autres naïfs.

Il se leva, tendit froidement la main au frère Miguel :

— Je vais y penser. Je vous donnerai ma réponse demain.

Mais il savait bien qu'un refus risquait de le mener à la porte.

Il allait quitter la pièce lorsqu'un bruit de pas le fit se retourner. Félix s'était arrêté au milieu du bureau sous l'œil réprobateur de son père, tandis que les autres enfants, massés dans la porte, fixaient Charles en souriant.

— Quand est-ce... Quand est-ce que tu vas finir ton histoire ? demanda le petit garçon avec un air suppliant.

◈

En sortant de chez le frère Miguel, Charles tomba sur José Coïmbro, à qui le pasteur avait demandé de venir prendre le jeune homme au presbytère avant de se rendre à son travail.

— Hé ! sais-tu quoi ? s'écria l'électricien. Je viens de croiser le père Raphaël, le prédicateur dont je t'avais parlé l'autre fois ! C'est lui qu'on va aller entendre ce soir.

— J'ai bien peur que tu y ailles seul, mon vieux, répondit froidement Charles.

— Pas question ! Tu m'as promis de venir !

— Je ne t'ai jamais rien promis.

— Viens, Charles, je t'en supplie ! Il faut que tu l'entendes ! Il n'y a personne qui parle comme lui, je te dis !

— Il vient de me parler dans le bureau du frère Miguel. Ça me suffit amplement.

L'électricien le fixa un instant, frappé d'une stupeur qui lui arrondissait comiquement le bas du visage :

— Tu lui as parlé ? Toi-même ? Comme tu es en train de me parler à moi, ici même, à présent ?

— C'est ça, fit Charles, moqueur. Je lui ai parlé avec ma bouche et il m'a répondu avec la sienne.

— Réalises-tu ta chance ? Qu'est-ce qu'il t'a dit ?

— Il m'a emmerdé. Allons travailler, José. Le temps file.

Durant le trajet, l'électricien redoubla d'efforts pour convaincre son compagnon d'assister au sermon de celui que, depuis quelque temps, on appelait par son seul prénom, comme s'il s'était agi d'un ange envoyé de Dieu. Charles s'entêta. Coïmbro insista. Le ton monta. L'électricien parla de se chercher un autre assistant. Charles menaça de porter l'affaire devant le frère Miguel, puis, réalisant qu'il ne trouverait peut-être pas en lui un arbitre aussi impartial qu'il l'aurait souhaité, il décida d'acheter la paix et promit de se trouver à l'église à sept heures.

◈

À l'heure dite, il se présenta, l'air maussade, l'estomac chargé d'une poutine graisseuse qui avait commencé à se décomposer en gaz acides, bien décidé à ficher le camp si jamais la réunion devenait trop assommante.

Coïmbro, qui l'attendait à l'entrée de l'église, faisait de grands gestes pour l'inciter à presser le pas.

— Plus vite que ça, bonhomme, dit-il en le poussant à l'intérieur, sinon on va être pris pour écouter le sermon debout!

Le saint lieu, bondé, bruissait d'un sourd murmure. L'auditoire comptait plusieurs têtes grises, mais aussi beaucoup de jeunes gens, des couples d'amoureux, des mères avec leurs enfants, des Noirs, des Blancs, des Sud-Américains, quelques Asiatiques, la plupart, semblait-il, de condition modeste. Les visages exprimaient la gravité, la ferveur, parfois une profonde mélancolie ou alors une jubilation extatique dont l'origine semblait surnaturelle. Une vieille femme en robe de coton blanche à motifs de cerises et de bananes, priait à voix basse, les mains jointes, le visage dressé en l'air.

Charles et son compagnon durent se séparer; Coïmbro dégota une place dans la troisième rangée; Charles, par prudence, en choisit une au milieu de l'église, près d'une allée.

À droite, sur la scène qu'on avait aménagée à l'emplacement de l'autel, trois musiciens (guitare électrique, saxophone, batterie), tous dans la vingtaine, jouaient en sourdine en échangeant des sourires. Charles, après avoir jeté des regards discrets autour de lui, consulta sa montre, poussa un soupir, puis, ne trouvant rien d'autre à faire, se mit à examiner la voûte.

La tache d'humidité qui menaçait la tête du Christ enseignant aux docteurs de la Loi venait d'atteindre sa joue droite, qui semblait à présent légèrement boursouflée, et cette déformation donnait au Fils de Dieu une expression patibulaire. La rumeur qui emplissait l'église augmentait de seconde en seconde. On entendit un long cri d'enfant, puis une voix grave et impérieuse, la voix d'un Noir, lança : « Que Dieu soit ! », et quelques applaudissements lui répondirent.

Tout à coup, des pas saccadés retentirent à l'avant et le silence tomba ; on n'entendait plus que le jeu discret des musiciens. Charles allongea le cou et aperçut le père Raphaël, debout au milieu de la scène dans un habit noir à longues basques, l'œil un peu hagard, tournant la tête à gauche et à droite comme s'il cherchait quelqu'un dans l'auditoire. L'homme lui parut grandi, plus farouche et impressionnant encore que dans le bureau du frère Miguel, avec son visage aux traits tendus qui semblait irradier une mystérieuse énergie. Soudain, il eut un sursaut et se mit à fixer les musiciens comme s'il venait de s'apercevoir de leur présence :

— Ah ! mes amis, mes amis ! arrêtez cette musique, je vous prie, cette musique qui essaye de célébrer Jésus, mais qui ne fait qu'exprimer notre misère d'hommes et de femmes à l'intelligence limitée, au cœur corrompu, au corps affaibli et sali par le péché. Ce soir, je ne peux la supporter... Oui, mes amis, malgré votre talent, malgré vos sensibilités jeunes et ferventes, je veux ce soir que vous teniez vos instruments au repos, car le Saint Nom de Dieu, plutôt que de pauvres musiques humaines, doit s'entourer d'un respectueux silence... Je n'ai pas la chance d'être musicien, moi. Mais si je jouais d'un de vos instruments, et aussi bien que vous, je ne pourrais pas, moi non plus, pécheur, en essayant de célébrer Jésus, exprimer autre chose que les limites de ma misérable nature humaine, que Dieu, dans sa bonté infinie, me fait la grâce d'aimer telle qu'elle est malgré toutes ses salissures.

Un léger frémissement courut dans l'assistance. Assis près de Charles, un gros homme à col roulé et aux joues très roses murmura :

— Merci, mon Dieu.

— Ah ! je T'aime, Jésus, poursuivit le prédicateur en joignant les mains, ou, du moins, mon cœur corrompu et souillé *essaye* de T'aimer, de toutes ses forces, mais sans Ta grâce, ô mon Sauveur, je sais bien que je ne pourrais y arriver, et vous aussi, mes frères et mes sœurs, vous en seriez bien incapables, tant le Malin a su répandre en nous le venin du péché. Ah ! comme je déteste le péché ! Le détestez-vous ? demanda-t-il à l'auditoire.

— Oui ! hurla l'église.

— Entends-tu, Lucifer ? Entends-tu bien ? Nous te détestons, toi et ton odieux venin qui fait notre malheur depuis Adam et Ève, et qui a plongé tant d'hommes et de femmes – *tant* d'hommes et *tant* de femmes – dans la damnation éternelle. Ô Jésus ! je T'en supplie, sauve-nous de la damnation !

— Sauve-nous de la damnation, implora la foule.

Charles, éberlué, regardait autour de lui. De l'autre côté de l'allée, une jeune femme, frêle et toute mignonne, pleurait à chaudes larmes en pressant son bébé contre elle, tandis que l'enfant, un peu effrayé, ouvrait de grands yeux.

— N'êtes-vous pas comme moi, mes frères et mes sœurs ? poursuivit le prédicateur en tordant ses mains. Ne sentez-vous pas votre cœur englué dans les souillures du péché et en train de se débattre désespérément contre le Mal ? Oui, je vous entends, j'entends vos soupirs et vos gémissements, je vois vos larmes. Vous êtes tous comme moi, nous sommes tous de pauvres pécheurs, qui ne doivent leur existence qu'à la bonté de Dieu et qui ne devront leur salut éternel qu'à Sa grâce miséricordieuse et infinie.

Tombant à genoux, le visage en larmes, les traits tordus, il leva les mains vers le ciel :

— Merci, mon Dieu ! Oh ! merci de m'aider à gagner mon salut éternel ! Comme j'en suis indigne ! Comme Tu es miséricordieux ! Je sens Ta grâce qui coule dans mes veines, je la sens battre dans mon cœur ! Merci d'être en moi pour m'aider à m'élever au-dessus de mon affreuse condition !

Une sorte de délire se répandait dans l'assistance. Des sanglots éclataient autour de Charles. Son voisin, les bras levés, invoquait le nom de Dieu d'une voix enrouée, frémissante, puis, plongeant une main dans sa poche, en sortait un mouchoir d'un blanc douteux et se mouchait violemment. Un cri retentit en arrière. Se retournant vers le fond de l'église, Charles aperçut une jeune femme étendue sur le dos dans l'allée, les yeux fermés, tremblant de tout son corps et poussant des gémissements.

Le père Raphaël s'était relevé et contemplait l'assistance d'un air grave où semblait transparaître une sorte de satisfaction. Il leva une main et le silence se fit.

— Ce matin, reprit-il sur un ton soudainement détendu, j'ai vu de beaux enfants, six beaux enfants aux visages lisses et roses, aux cheveux fins et brillants. C'était à quelques pas d'ici. J'avais l'impression d'avoir devant moi des anges, mes frères, de tout jeunes anges venus se réjouir sur la terre, et je les regardais s'amuser gracieusement, sans me lasser, le cœur rempli de joie. J'étais presque devenu l'un d'eux et pendant un instant je me suis senti, à leur image, pur et léger comme je l'avais déjà été moi-même dans mon enfance. Qu'ils étaient beaux ! Que leur délicieuse innocence faisait plaisir à voir ! Je les regardais et j'avais envie de les cajoler, de les embrasser, et le désir me prit de demander à Dieu qu'ils demeurent toujours ainsi, jeunes, roses et gracieux. Et si Dieu s'était amusé à me faire une petite malice? me suis-je demandé tout à coup. Cela Lui arrive parfois! Peut-être étaient-ils non pas des enfants, mais bien plutôt de vrais anges, envoyés par Lui pour me réconforter quelques instants...

Il s'arrêta et son visage exprima une profonde tristesse:

— Mais ce n'étaient que des enfants, de simples enfants d'humains, soumis au mal, eux aussi, mais à un mal qui se trouve pour l'instant à l'extérieur d'eux-mêmes, un mal venu des adultes, qui finira tôt ou tard par les infecter et leur faire perdre peu à peu leur merveilleuse grâce angélique.

Il s'arrêta un moment, l'œil hagard, comme s'il contemplait un désastre, puis, après un profond soupir:

— Ce mal, mes frères et mes sœurs, agit la plupart du temps en douceur – ce qui le rend d'autant plus sournois et terrible! Mais il peut frapper aussi, vous le savez bien, avec sauvagerie, et ces petits êtres qu'on dirait venus du ciel subissent alors coups, blessures, souillures – et parfois même la mort.

Charles, bouleversé, le fixait, la bouche entrouverte. Des images atroces venaient de surgir en lui, qu'il croyait enfouies à tout jamais, mais qui s'agitaient à présent dans sa tête avec des sifflements et des cris insupportables.

Il se leva, les larmes aux yeux, indigné par son émotion, et quitta l'église précipitamment, sans que personne remarquât son départ. Pendant des heures, il marcha dans les rues de la ville, cherchant à retrouver un calme qui fut bien long à revenir.

Finalement, Coïmbro avait raison: ce cabotin de prêcheur n'était pas n'importe qui.

18

À quelques jours de là, Charles venait de sortir de chez lui un matin pour se rendre à son travail, lorsque deux jeunes hommes l'abordèrent fort poliment et lui demandèrent s'il était bien Charles Thibodeau.

— Oui, répondit-il, étonné. Que voulez-vous ?

— C'est le frère Miguel qui nous a donné votre adresse, expliqua le premier.

— Nous aimerions vous rencontrer, ajouta le second.

— Et que voulez-vous ? répéta Charles, de plus en plus étonné, avec un début d'agacement dans la voix.

Un des inconnus semblait au milieu de la vingtaine, l'autre paraissait plus jeune. Les deux étaient châtains, avaient les cheveux longs et un visage aux traits agréables, avec une expression décidée. Le premier, au nez assez fort, aux pommettes saillantes et avec une belle dentition, paraissait le plus réfléchi ; le plus jeune avait de petits yeux vifs et malicieux, toujours en mouvement, une bouche un peu lippue et un début de fine moustache qui, loin de le vieillir, accentuait son air d'adolescent attardé. Contrairement aux gens de leur âge, qui portent généralement des espadrilles, un jean et un tee-shirt de coton orné d'un dessin et d'un slogan, généralement en anglais, ils étaient vêtus d'un pantalon noir au pli impeccable, de souliers noirs soigneusement cirés et d'une chemise beige à manches longues, qui leur donnaient l'apparence de serveurs dans un café chic ou de commis dans un magasin de produits haut de gamme.

— Nous venons de la part du pasteur Raphaël Grandbois, reprit le plus vieux.

— D'habitude, on l'appelle simplement le père Raphaël, précisa l'autre. Il préfère ça.

— Est-ce qu'il serait possible de causer un peu avec vous ?

— Par exemple, dans ce restaurant, là-bas, fit le plus jeune en pointant l'index vers un petit café.

— Je regrette, répondit Charles, curieux de savoir ce qu'on lui voulait mais un peu ennuyé, il faut que j'aille travailler. Je suis même en retard.

— Ça ne fait rien, fit la fine moustache, le frère Miguel est au courant de notre rencontre et il a fait avertir monsieur Coïmbro.

— D'ailleurs, nous n'en avons pas pour longtemps, ajouta l'homme aux pommettes. Dix minutes tout au plus.

— Cela ferait bien plaisir au père Raphaël si vous acceptiez.

Charles les suivit au café, où ses compagnons commandèrent des tisanes en l'invitant à prendre ce qu'il désirait. Peut-être n'avait-il pas encore eu le temps de déjeuner ?

— Je vous remercie, fit Charles, j'ai mangé. Tiens, je vais prendre un espresso. Et alors, demanda-t-il pour la troisième fois, qu'est-ce que vous me voulez ?

— Étiez-vous à l'assemblée de prières, mercredi dernier, celle qui s'est tenue à l'église de l'avenue de Lorimier ? se contenta de répondre les pommettes.

Charles fit signe que oui.

— Comment avez-vous trouvé le père Raphaël ?

Charles avoua que ce dernier l'avait impressionné, mais se garda bien de livrer le fond de sa pensée.

— Il est toujours comme ça, fit la moustache. Il est formidable.

Les jeunes hommes apprirent à Charles qu'ils travaillaient comme assistants du prédicateur, accompagnant celui-ci dans ses tournées depuis trois ans. Il s'agissait là des trois années les plus merveilleuses de leur vie, riches de toutes sortes d'expériences ; celle qui les surpassait toutes, évidemment, était de pouvoir côtoyer un être aussi extraordinaire que le père Raphaël ; c'était un homme d'une bonté, d'une élévation d'âme, d'une pénétration impossibles à décrire ; il répandait le bien autour de lui avec une abondance qui le faisait ressembler à Jésus lui-même.

— À ce point-là ? fit Charles, narquois.

— À ce point-là, répondirent gravement ses compagnons.

Il avait même accompli des miracles, poursuivirent-ils, quoique, à la vérité, ce ne fussent pas des miracles aussi spectaculaires que ceux décrits dans la Bible : la traversée de la mer Rouge, les noces de Cana, la résurrection de Lazare ou la pêche miraculeuse, pour en citer quelques-uns. On devait plutôt les décrire comme des phénomènes spirituels : de violentes conversions survenues chez des personnes jusque-là tout à fait réfractaires à la Parole de Dieu, des actes de générosité extraordinaires que rien ne semblait annoncer, et, chez le père Raphaël, un don de divination qui lui permettait de découvrir, sans qu'on lui ait fourni le moindre indice, des événements du passé de certaines personnes et de les décrire dans les plus petits détails.

Charles commençait à s'ennuyer.

— Vous m'en direz tant, fit-il en versant du lait chaud dans son café.

— Vous ne nous croyez pas, constata avec tristesse la moustache.

— C'est bien normal, fit son compagnon. J'ai eu la même réaction, moi aussi, lorsqu'on m'a parlé pour la première fois du père Raphaël. Ce n'est qu'en le voyant à l'œuvre que j'ai changé.

— Tu changerais toi aussi, assura l'autre, devenu soudainement familier.

— Écoute, Charles, fit son compagnon en l'imitant, on n'a peut-être pas été de bons messagers pour le père Raphaël. Tout le monde n'a pas le don de la parole. Mais, au fond, ça n'a aucune importance. Quand tu l'auras rencontré, tout s'arrangera.

— Il veut me rencontrer?

— Oui.

— Et pourquoi?

— Je n'en sais rien. Il te le dira lui-même. Il a un horaire extrêmement chargé aujourd'hui, mais si tu pouvais te présenter au bureau du frère Miguel à quatre heures précises, il t'accorderait une quinzaine de minutes.

— On dirait le pape! s'esclaffa Charles.

— Il est mieux que ça encore, tu verras! renchérit le plus jeune avec un clin d'œil assorti d'une grande tape d'amitié sur l'épaule.

Assis dans le fauteuil du frère Miguel, le père Raphaël considérait Charles avec un léger sourire. Une faible odeur de chocolat flottait encore dans la pièce. Était-ce le vestige d'un autre dégât causé par la flopée d'enfants du pasteur? Ou ce dernier souffrait-il du vice de la gourmandise?

— Notre conversation de l'autre jour m'a beaucoup plu, dit enfin le prédicateur.

— Je voudrais bien pouvoir en dire autant, ricana Charles, qui luttait de toutes ses forces contre l'embarras que lui inspirait son interlocuteur.

Et ses joues s'empourprèrent.

— Je vous tombe sur les nerfs, hein? fit l'autre avec une bonhomie souriante. C'est bien dommage, mais il n'y a rien là d'extraordinaire, évidemment. Personne n'est parfait, moi pas plus que les autres, et, de toute façon, on perdrait son temps à vouloir plaire à tout le monde, n'est-ce pas? Aussi, vous n'êtes pas le premier à me faire sentir mes insuffisances. Ce qui me frappe toutefois chez vous, c'est que vous le fassiez avec autant de franchise. J'aime la franchise. Je suis prêt à supporter bien des choses pour la franchise. Rien ne me déplaît comme l'hypocrisie. L'hypocrisie a été inventée par Satan.

— Et pourquoi voulez-vous me voir? demanda Charles, impatient de quitter la pièce.

— Le frère Miguel m'a longuement parlé de vous, Charles. Il vous tient en très haute estime, vous savez. Il prie tous les jours à votre intention pour que Dieu vous illumine de Sa grâce. Mais, au fond, cela n'est pas notre affaire. C'est Son affaire à Lui, n'est-ce pas? C'est à Lui de décider du moment où la Lumière vous pénétrera, vous permettant d'appréhender la vraie réalité. Peut-être cela ne se produira-t-il qu'au moment de votre mort, comment savoir? Mais, sincèrement, ajouta-t-il en riant, j'espère que la Grâce vous touchera avant!

— Bien. Mais cela ne me dit pas pourquoi vous voulez me voir, répondit Charles, que l'amabilité souriante du prédicateur commençait à radoucir.

— J'aimerais, Charles, que vous travailliez pour moi.

Le jeune homme, interdit, garda le silence.

— Je voudrais vous engager comme assistant pour mes tournées. Cela signifie que vous seriez en déplacement continuel partout au Québec et même, éventuellement, dans les pays de la francophonie, en Europe, en Afrique. Si vous le voulez, vous pourriez revenir à Montréal toutes les trois semaines environ. Vous auriez comme compagnons de travail Marcel-Édouard et Maxime, que vous avez rencontrés ce matin et qui pourraient alors se relayer, car, après trois ans passés en mon agréable compagnie à se promener de ville en village, ils éprouvent le besoin de souffler un peu, et je les comprends...

Il passa lentement sa longue main soignée dans sa chevelure, puis :

— Vous conserveriez le même salaire, j'assumerais tous vos frais de séjour et de déplacement – et je ne réclame pas de dons, moi.

Un curieux étourdissement s'était emparé de Charles. Une ronde échevelée de sentiments et d'idées contradictoires se déchaînait dans sa tête, le rendant incapable de tout jugement lucide. Ce qu'il désirait depuis si longtemps, on le lui présentait sur un plateau d'or (ou, du moins, qui en avait l'apparence). Mais, en même temps, l'homme qui lui faisait cette offre étonnante lui paraissait ambigu, vaguement inquiétant – en tout cas, c'était ainsi qu'il le voyait quelques instants plus tôt !

Son trouble devait être visible, car le père Raphaël détourna le regard en posant une main sur sa bouche, comme pour cacher un sourire.

Brusquement, Charles fut debout.

— Et alors ?

— Je ne sais pas... Il faut que j'y pense.

— Il faudra penser vite, mon ami, car je repars bientôt.

— Je vous donnerai ma réponse... demain.

Charles tendit la main au prédicateur, qui s'était levé à son tour pour le reconduire à la porte.

— Dites-moi, Charles... Avez-vous un permis de conduire ?

Charles fit signe que oui.

Le père Raphaël eut un grand sourire :

— Bien, très bien. Passez une bonne journée et que Dieu vous assiste dans votre réflexion.

19

Parfait Michaud, en robe de chambre et pantoufles, remplit soigneusement les deux verres de porto et en tendit un à Charles ; le jeune homme le remercia d'un mouvement de tête, encore étonné par ce rendez-vous impromptu à dix heures un samedi matin. Calé dans un fauteuil, il fixait avec envie une imposante pile de disques compacts posés sur un bahut à sa droite et qu'un rayon de soleil venait de transformer en une colonne lumineuse. Ce qu'il en fallait de l'argent pour se payer tous ces disques !

— Charles, comme tu es pressé, je ne passerai pas par cinquante-six chemins. Fernand m'a appris hier que tu allais bientôt partir en tournée à travers le Québec avec un *preacher*. Excuse ma question, mais... *est-ce que tu serais devenu fou ?*

Charles eut un léger sursaut et le porto dansa dans son verre.

— Pas du tout, répondit-il sèchement.

— Je suis content de te l'entendre dire. Mais ça ne calme guère mon inquiétude, crois-moi. As-tu réfléchi aux embêtements que cela pourrait t'apporter ?

— Je n'en vois aucun.

— Charles, Charles, ne sous-estime pas ces moineaux-là et leur capacité de séduction... et j'utilise le mot dans son sens le plus large, mon cher. Tu ris ? Tu riras peut-être moins dans quelque temps. Ce sont des manipulateurs hors pair, Charles, les rois de l'astuce : ils en ont fait un métier.

— J'ai presque vingt et un ans, Parfait, fit remarquer Charles, narquois.

— Je le sais, et tu es un jeune homme intelligent et cultivé en plus. Mais cela ne change rien. Des hommes plus mûrs et plus expérimentés que toi n'ont pu résister au lavage de cerveau. C'est une science, Charles. J'ai lu un livre là-dessus. Avec du temps et de l'habileté, on arrive à endoctriner presque n'importe qui. Tu as entendu parler des expériences soviétiques et chinoises, non ? Et américaines ? D'un homme libre, on fait un esclave consentant. C'est une question de patience. Qui est ce *preacher*, au juste ?

— Il s'appelle Raphaël Grandbois. Il aurait dû se lancer en politique. Il parle presque aussi bien que Pierre Bourgault.

— Tu penses me rassurer en me disant ça ?

— Il m'a promis de ne pas m'importuner avec les questions de religion.

— Bien sûr. Qu'aurais-tu voulu qu'il te promette d'autre ? Ça fait partie de leur stratégie. Petit pas par petit pas.

— Si jamais j'en ai assez, je n'aurai qu'à sacrer le camp, c'est tout.

— Oui, tu peux parler ainsi aujourd'hui, parce que tu es *libre*. Mais le seras-tu toujours ? Voilà la question.

Pour toute réponse, Charles se mit à rire.

Le notaire, assis en face de lui sur un canapé, haussa les épaules avec découragement, puis, allongeant les jambes, se mit à fixer le plafond. Son verre de porto, posé sur l'accoudoir, avait pris une dangereuse inclinaison. Charles bondit de son fauteuil et l'attrapa juste au moment où il allait tomber.

— Tu vois bien que j'ai l'œil à tout, dit-il en riant, penché au-dessus de Michaud.

Ce dernier le remercia d'un hochement de tête et reprit son verre. Charles alla se rasseoir et se mit à observer le notaire. Il faisait peine à voir.

— Parfait, dit-il à voix basse avec une tendresse inaccoutumée, tu t'inquiètes pour rien, je t'assure. J'ai envie de partir avec ce bonhomme parce que ça va être amusant, j'en suis sûr, mais surtout parce que ça va m'apprendre beaucoup de choses. C'est important pour moi, Parfait. Tu t'imagines ? Voyager dans tout le Québec pendant six mois, un an ! Je veux connaître la vie à fond, de toutes les façons, sous toutes ses coutures, les dégueulasseries comme les choses merveilleuses, tout, tout, tout, je te dis... J'en ai besoin... Sinon, je ne pourrai plus jamais me remettre à écrire, comprends-tu ?

— Est-ce que c'est absolument nécessaire, Charles, pour vivre toutes ces expériences, que tu te mettes à la solde d'un manipulateur qui, en plus, est probablement un détraqué ?

Charles, pris de court, ne répondit rien.

— Écoute-moi bien, mon ami, reprit le notaire d'une voix dure et pressante, si je t'ai fait venir ici ce matin, c'est que je prends la chose très au sérieux. Voilà plusieurs années qu'on se connaît, Charles, et je me rappelle comme si c'était hier le matin où tu es venu me trouver parce que tu voulais *divorcer de ton père*. Eh bien, ce jour-là, sans que ni toi ni moi ne le sachions, tu es devenu un peu mon garçon, ce garçon que je n'avais pas et que je n'aurai jamais et, à partir de ce jour, j'ai commencé, petit à petit, à m'attacher à toi et à essayer de t'aider de mon mieux. Charles, je t'en supplie, crois-en l'expérience d'un vieux notaire un peu chauve et bedonnant qui a vu bien des misères et des saloperies au cours de sa carrière : laisse tomber ce vendeur de signes de croix et cherche autre chose... Il n'y a rien, je t'assure, qui nous ferait davantage plaisir, à moi, à Fernand, à Lucie – et surtout à Céline.

Et, pour cacher les larmes qui commençaient à mouiller le coin de ses yeux, il pencha la tête en arrière et avala une gorgée de porto.

— Je vais y penser, répondit Charles au bout d'un moment. Mais je ne promets rien.

Le notaire eut un petit ricanement :

— Très bien. Je t'aurai prévenu. Je ne peux faire davantage. Si tu étais mineur, je te prendrais par la peau du cou et je t'enverrais réfléchir dans ta chambre. Mais, comme tu viens de me le faire remarquer, tu as presque vingt et un ans, hélas... Un peu de porto ?

Il remplit les verres, s'affala sur le canapé et s'amusa pendant un moment à faire miroiter le liquide ambré dans un rayon de soleil. Charles, ému, un peu agacé et pénétré depuis quelques minutes par une vague appréhension, songeait qu'à cette heure Céline devait l'attendre chez lui. Il avait laissé une note à son intention sur la table de la cuisine.

— Je t'ai fait venir également pour une autre raison, Charles, reprit tout à coup Parfait Michaud en abaissant son verre.

Il eut un sourire piteux, puis :

— Amélie et moi, nous allons nous séparer. Je tenais à te l'annoncer moi-même.

Charles, décontenancé, chercha quelque chose à dire, sans rien trouver.

— Je me demandais justement où elle était, murmura-t-il enfin. Partie faire des courses ?

— Non, mon cher. Elle est en train de suivre des traitements d'hydrothérapie à Baie-Saint-Paul. Cinq jours. Huit cents dollars. L'hydrothérapie... assez plaisant, n'est-ce pas, quand on pense que notre mariage est à l'eau ? J'aurais payé dix fois, vingt fois, cinquante fois plus, je t'assure, pour un traitement qui aurait été capable de la rendre heureuse. Ce traitement n'existe pas. Alors, avant de nous détruire totalement l'un l'autre, nous allons faire vie à part, comme c'est de plus en plus l'usage. Je te souhaite, Charles, d'être plus chanceux que moi en amour, ou plus habile.

— Est-ce que je peux aller une dernière fois dans la chambre de Noël ? demanda le jeune homme d'une voix misérable.

— Bien sûr. Restes-y aussi longtemps que tu voudras. C'est sans doute la dernière occasion que tu as de la voir.

Charles alluma l'arbre de Noël et, assis dans la chaise berçante, essaya de se perdre dans les scintillements multicolores, les chansons et les joyeux tintements. Était-ce à cause de cette belle journée de fin d'été ? La magie fonctionnait bien peu, comme si elle était devenue une chose usée, poussiéreuse, décrépite. Mais, de temps à autre, une petite bouffée d'enfance, surgie d'un long sommeil, lui amenait un soupir d'aise aux lèvres.

— Pauvre Amélie, murmura Charles, elle va en crever.

Il eut envie de lui laisser un mot d'amitié ou d'encouragement. Mais que lui dire ? Elle sentirait sa pitié et s'en offusquerait. Il quitta bientôt le notaire en lui promettant à nouveau de réfléchir à leur discussion.

En arrivant chez lui, il trouva un mot de Céline, griffonné à l'envers du sien. Lasse d'attendre, elle était partie faire des courses avec une amie. Elle le rappellerait à l'heure du souper. Depuis qu'il lui avait annoncé sa longue tournée avec le père Raphaël, les manières de sa blonde s'étaient bien refroidies...

Bof, qui dormait au salon, se réveilla et apparut dans la cuisine, la tête basse, les yeux lourds. Charles trouva soudain qu'il avait beaucoup vieilli.

Céline, pour marquer le départ de Charles et essayer de faire contre mauvaise fortune bon cœur, avait décidé d'organiser à son insu une petite fête pour lui à son appartement. Il quittait Montréal le surlendemain et ne serait pas de retour avant quelques semaines.

Elle avait beaucoup pleuré en apprenant sa décision. Elle l'avait supplié de refuser l'offre de ce prêcheur ambulant, qui ne pouvait être qu'un profiteur ou un malade, et peut-être les deux. Elle lui avait prédit, avec la gravité tragique de Cassandre devant le cheval de Troie, que ses longues absences tueraient leur amour. Elle avait menacé de le quitter.

Rien n'y avait fait. Charles s'accrochait à sa décision. Après tout, il ne lui demandait qu'un an, peut-être même un peu moins, le temps de mener à bien cette expérience qui, assurait-il, ferait de lui un homme complet, capable d'entreprendre de grandes choses – et, par voie de conséquence, un meilleur amant.

Elle regretta secrètement de ne pas être enceinte. La grossesse était un moyen infaillible pour amener certains hommes à se tenir tranquilles. Le père tuait en eux l'aventurier, et tout le monde ne s'en portait que mieux. Mais elle rejeta aussitôt cette idée comme laide et stupide.

Le lendemain, elle avait fléchi. Son amour pour ce beau garçon imprévisible l'avait vaincue. Après tout, s'était-elle dit, un an n'était pas une vie. Et puis, elle avait la conviction que l'expérience tournerait court. Un événement se produirait qui ferait tout voler en l'air. Pour travailler avec des craqués (et qu'y avait-il d'autre dans ces sectes ridicules ?), il fallait en être un soi-même – ou le devenir. Charles n'était pas sans défauts – oh çà, non ! –, mais il avait la tête solide et se lasserait sans doute très vite de cette atmosphère de folie religieuse dans laquelle il baignerait du matin au soir.

Alors, elle avait eu l'idée de cette fête, pour lui montrer son attachement et sa souplesse de caractère, espérant qu'il lui en saurait gré. C'était une toute petite fête : elle avait invité Blonblon, Isabel, Steve (dont c'était une des premières sorties) et son frère Henri, qui suivait des cours du soir à l'École des hautes études commerciales et n'avait pu se libérer. Après avoir longuement hésité, elle avait décidé de ne pas inviter ses parents ni le notaire Michaud, leur présence risquant, croyait-elle, d'alourdir l'atmosphère. Elle avait acheté de la bière et du vin et, empruntant une recette de sa mère, avait préparé avec beaucoup de soin des fettucines Alfredo, un des mets favoris de Charles, qu'elle servirait au souper. La reconnaissance du ventre, avait-elle lu quelque part, était un trait typiquement masculin et qui pouvait créer des liens solides entre l'homme et la femme. Pourquoi s'en priver?

Comme Charles finissait de travailler tôt depuis quelques jours (en apprenant son départ, Coïmbro s'était mis à le bouder et prétendait qu'il n'avait plus vraiment besoin d'assistant), Blonblon avait été chargé de le retenir en dehors de chez lui jusque vers sept heures pour donner le temps à Céline et à Isabel de terminer les préparatifs. Elles avaient rangé l'appartement (affligé d'un désordre chronique), passé l'aspirateur, lavé la vaisselle qui s'encroûtait dans l'évier, installé des banderoles dans la cuisine et le salon; Céline avait emprunté à Lucie une magnifique nappe brodée de fleurs et dressé le couvert. Bof, qui trottinait inlassablement d'une pièce à l'autre, avait supervisé les opérations, battant de la queue avec une grande énergie, reniflant tout objet inconnu et poussant de temps à autre de petits gémissements dont la signification demeura secrète.

— C'est une bonne idée que tu as eue là, Céline, fit Isabel en lui caressant la joue.

— Quelle idée?

— D'organiser cette fête pour Charles. Ça va lui faire énormément plaisir. Quand un homme a une idée plantée dans la tête, on perd son temps à s'y opposer, tu sais. Ça risque même de l'éloigner.

— Alors, toi, répondit Céline avec humeur, je vois que tu es allée à l'école de la soumission! Tu vas être heureuse dans la vie...

On sonna à la porte. C'était Steve, qu'un ami venait d'amener en auto. Il se déplaçait encore avec une béquille.

— Il n'est pas arrivé, j'espère? Parfait. J'ai un cadeau pour lui, ajouta-t-il en secouant au bout de sa main une petite boîte enrubannée.

— Qu'est-ce que c'est? demanda Isabel.

— Hé, hé! pas touche, bébé. Tout à l'heure. Dans la vie, il faut savoir attendre.

— Je n'aime pas que tu m'appelles « bébé ». C'est vulgaire.

Steve lui saisit la main et la baisa avec une effusion bouffonne :

— Alors, toutes mes excuses, *maaadaaame*... Faut me pardonner : je suis tellement *épppais*!

À part son boitillement, un peu de maigreur et un léger manque d'équilibre, consécutif à son traumatisme crânien, il était redevenu égal à lui-même, avec sa gaieté enfantine et le goût prononcé qu'il avait toujours manifesté pour les pitreries.

La porte s'ouvrit de nouveau et Charles apparut, accompagné de Blonblon.

— Qu'est-ce qui se passe? demanda-t-il, étonné.

— On est tellement contents de te voir sacrer le camp au diable vert, répondit Steve, qu'on te fête, mon vieux!

Un peu à l'écart, Céline adressa à Charles un timide sourire. Il s'élança vers elle, l'enlaça fougueusement; l'instant d'après, les deux amoureux chuchotaient dans un coin. Leurs épanchements avaient un caractère si intime que même Steve détourna les yeux.

La fête fut réussie. On but deux bouteilles de vin rouge et quelques bières, les fettucines, de l'avis de tous, se révélèrent un chef-d'œuvre, et personne ne fit allusion aux tensions causées par la décision de Charles, à part Steve au moment du dessert lorsqu'il lança, un peu gris, en guise de mise en garde plaisante à son ami :

— Chien qui va à la chasse perd sa place, mon *chum* !

Ce dernier fronça les sourcils, fut à deux doigts de répondre mais se retint, tandis que les convives gardaient un silence gêné.

Mais cela ne dura qu'un instant.

Steve jugea alors le moment propice pour offrir à Charles son cadeau. C'était une boussole, au boîtier de bois verni un peu éraflé, qui avait appartenu à son père.

— C'est pour t'aider à te retrouver, expliqua Steve, qui n'avait jamais craint les effets appuyés. Les *poètes* comme toi sont toujours perdus. J'avais pensé ajouter une boîte de ragoût de boulettes Cordon Bleu, au cas où tu te perdrais en forêt, mais il aurait fallu que je te fournisse en plus un ouvre-boîte, et là, ça commençait à faire un peu cher !

Il y eut une seconde fausse note à la fin de la soirée, au moment du départ des invités et, de nouveau, elle fut due au pauvre Steve. Mais, cette fois, on ne pouvait le blâmer.

C'était une belle nuit d'août tiède et venteuse ; entouré de ses amis, Steve attendait sur le trottoir l'auto qui devait le ramener chez lui lorsque, soudain, il se donna une tape sur le front et se tourna vers Charles :

— Zut ! j'allais oublier ! Sais-tu quoi ?

Il attendit une réaction de son ami, qui ne vint pas.

— Ma mère a reçu un drôle d'appel hier à ton sujet.

— À mon sujet ?

— Oui. Je ne t'en avais pas encore parlé, parce que je ne voulais pas *casser le fun*.

Il s'arrêta et jeta un coup d'œil autour de lui, jouissant de son effet.

— Allons, accouche, fit Charles, impatient. De quoi s'agit-il ?

— De ton père.
Un silence stupéfait accueillit ces mots.
— Mon père ? répéta Charles, incrédule. Et pourquoi aurait-il téléphoné à ta mère, dis-moi ?
— En fait, c'est à moi qu'il voulait parler, mais je n'étais pas là. Il vient d'arriver à Montréal. Il voulait prendre de tes nouvelles, mon vieux. Faut croire, ajouta-t-il avec un ricanement, qu'il avait la chienne de s'informer auprès de toi...

20

On aurait sans doute fait sourire Charles en lui disant qu'il finirait un jour par éprouver pour son travail une véritable passion. Et pourtant, cela faisait deux mois qu'il parcourait le Québec aux côtés du père Raphaël, et, malgré les fatigues et les inconvénients multiples de ces tournées, il adorait sa nouvelle vie de voyageur. Contrairement à ses craintes, le prédicateur se montrait un homme plutôt agréable, qui intervenait peu dans le travail de ses assistants, veillait à leur bien-être, n'avait à leur égard que des exigences raisonnables et n'hésitait pas à les féliciter chaudement lorsqu'ils avaient réussi un bon coup.

Cela dit, c'était un homme assez solitaire qui, en dehors de ses activités « apostoliques », ne semblait pas priser beaucoup le contact avec les gens, pas plus, d'ailleurs, qu'avec les pasteurs et autres évangélistes qu'il rencontrait durant ses tournées. Il prenait souvent ses repas seul dans sa chambre d'hôtel, appelant de temps à autre Marcel-Édouard ou Maxime (mais jamais Charles) pour lui tenir compagnie, et choisissait toujours une chambre éloignée de celles de ses compagnons (ou, mieux, une suite, quand cela était possible) et de préférence située à un autre étage. Avant chaque assemblée, il devenait sombre et nerveux, parfois même cassant, refusait toute nourriture et, seul dans la salle, allait et venait en poussant des soupirs. L'envahissement de la Parole de Dieu, à laquelle il servait de canal, ne semblait guère stimuler en lui la charité.

Quant à Marcel-Édouard et à Maxime, ils se montraient pour Charles des compagnons aimables, malgré leur tendance à lui refiler les tâches les moins intéressantes; mais celui-ci considérait la chose, somme toute, comme normale, étant donné son statut d'apprenti. Il aurait d'ailleurs accepté bien pis pour mener la vie d'hôtel (ou de motel) qui était la sienne; il en raffolait, car elle lui donnait l'impression d'être continuellement en vacances.

Au cours des premières semaines, son travail avait consisté en bonne partie à observer ses deux compagnons afin de s'initier au métier: préparation des salles (parfois louées), accueil des fidèles, distribution des brochures avant les assemblées, vente des livres de spiritualité (le père Raphaël en avait écrit cinq et c'étaient ceux-ci qu'il fallait d'abord proposer), etc. Mais depuis quelque temps le prédicateur, voyant que Charles s'exprimait avec aisance, possédait une certaine culture et un caractère sociable, lui avait demandé de jouer le rôle d'attaché de presse. Cela consistait à entrer en contact avec la radio et la presse locales pour annoncer l'arrivée du religieux comme s'il s'agissait d'un événement majeur. Le père Raphaël lui demanda bientôt de rédiger de petits textes « publicitaires », tirés à quelques centaines de copies, que l'on distribuait durant les assemblées et qui s'ajoutaient à son dossier de presse.

Malgré les répétitions inévitables de la prédication à jet continu, Charles continuait d'être impressionné par les talents oratoires de son patron – ou plutôt par ses dons de *tragédien mystique.* Le souffle qui parcourait soudain une salle chauffée à blanc le faisait toujours frissonner et il lui semblait qu'il en était de même pour Marcel-Édouard et Maxime, dont le visage devenait alors grave, l'œil brillant et comme enivré.

La plupart des assemblées étaient marquées d'événements spectaculaires : évanouissements, transes, accès de prophétie, pleurs, gémissements et parfois même crises apparentées à de l'épilepsie. Mais Charles se rendit bientôt compte que le moment le plus important de ces assemblées était la quête. Celle-ci avait toujours lieu vers la fin, quand la ferveur avait atteint son sommet, et elle rapportait généralement beaucoup.

Charles se souciait fort peu de ce qu'il advenait de tout cet argent. La seule chose qui comptait pour lui, c'était de continuer à mener une vie captivante qui lui permettait de se trimballer, toutes dépenses payées, aux quatre coins du Québec. Cependant, la corne d'abondance qui se déversait jour après jour dans les saintes mains du père Raphaël mêlait à ses joyeux flots de dollars bien des désagréments. Il n'était pas rare que Charles se fasse réveiller la nuit à grands coups de poing dans la porte de sa chambre par un fidèle en transe mystique ou en crise d'angoisse qui voulait absolument parler au prédicateur – toujours inaccessible à ces moments-là, car il prenait un soin jaloux de son sommeil. Il arrivait souvent au père Raphaël d'être arrêté dans la rue par un individu en quête d'orientation spirituelle, auquel il se devait de répondre avec patience et bonté. Et, en son absence, on s'adressait à l'un de ses assistants, parfois avec une obstination fort lassante.

Un après-midi, à Château-Richer, devant l'Auberge du Sault-à-la-puce, une dame menaça Charles avec une paire de ciseaux s'il ne l'amenait pas immédiatement auprès du prédicateur.

— Ceux qui nous empêchent de le voir travaillent pour le diable, avait-elle déclaré, farouche, le bras en l'air.

◆

En deux mois, la petite équipe apostolique avait parcouru la région de Québec, celle de Charlevoix et une partie de la Côte-Nord. À Baie-Saint-Paul, patrie du Cirque du Soleil, une assemblée tenue dans une salle de vente aux enchères fut marquée par un véritable miracle : un septuagénaire qui ne marchait plus depuis six mois marcha ! L'événement fit la manchette de la presse locale et régionale, et permit au prédicateur de donner cinq entrevues à la radio et une à la télé. À Chibougamau, le saint homme battit le record d'assistance établi précédemment par le célèbre monologuiste Daniel Lemire et les fidèles quittèrent la salle dans un état d'allégresse bien supérieur à celui que pouvait provoquer un spectacle d'humour – leur portefeuille ayant été mis à contribution à peu près dans les mêmes proportions.

Craignant de lasser ses auditeurs en leur prodiguant trop souvent les trésors de son éloquence, le père Raphaël voulait agrandir son « territoire de mission ». Il songeait à pousser une pointe jusqu'à Moncton et à Shédiac, au Nouveau-Brunswick, et parlait même d'une incursion dans ce qui restait de l'Ontario français, où la ferveur, lui avait-on dit, pouvait être d'une rare intensité. Mais il fallait d'abord préparer le terrain, chose délicate et difficile qui faisait l'objet de ses réflexions assidues.

Depuis le début de sa tournée, Charles était revenu à Montréal trois fois, pour des congés de deux jours. Un de ceux-ci avait coïncidé avec l'anniversaire de ses vingt et un ans. Céline lui avait offert en cadeau un joli chandail en tricot entre les plis duquel elle avait caché sa propre photo encadrée.

— Pour que tu ne m'oublies pas, avait-elle ajouté avec un sourire où il y avait une supplication mêlée à un avertissement.

— Comment veux-tu que j'oublie un petit écureuil aussi adorable que toi ? avait répondu Charles, et il avait posé ses lèvres sur les siennes en la serrant dans ses bras avec une tendresse si suave qu'elle avait failli en perdre le souffle.

Céline l'accueillait chaque fois joyeusement et, selon toute apparence, sans rancune, et passait alors avec lui le plus clair de son temps, se permettant même de découcher, nouveau privilège que son état d'amoureuse esseulée lui avait obtenu, semblait-il, sans trop de difficulté. Steve et Blonblon, par délicatesse, se tenaient à l'écart, laissant le couple, comme disait Steve, « faire son rattrapage ».

Mais il n'en était pas de même pour Fernand qui, un samedi après-midi, invita péremptoirement Charles à souper à la maison, poussé à la fois par la curiosité, son affection pour le jeune homme et la crainte de voir sa fille prendre un illuminé comme conjoint.

Dès le milieu du repas, cependant, il fut rassuré quant à l'état mental de Charles, quoiqu'un peu scandalisé par le cynisme avec lequel le jeune homme exerçait son nouveau métier.

— Ça ne te fait pas mal au cœur de voir tous ces pauvres gens vider leurs poches pour écouter des fariboles ?

— Que veux-tu, Fernand, ils ont besoin d'en entendre, faut croire. Personne ne les force à venir. Si ce n'était pas lui, ils iraient voir quelqu'un d'autre.

— Quand même ! La police devrait mettre son nez là-dedans... J'ai jeté un coup d'œil tout à l'heure sur son *Pèlerins du ciel* que tu m'as passé... J'aurais pu écrire ça en dormant, moi. Ça ne vaut pas une raclure de lampion. Produit avarié. Clous rouillés. Peinture pognée en pain. En d'autres mots – et sans vouloir m'imposer –, j'ai hâte en s'il vous plaît que tu quittes ce farceur-là, qui devrait être pensionnaire à la prison de Bordeaux.

— Je crois, fit Lucie en posant la main sur le bras de son mari, que Charles a maintenant saisi ton point de vue. On peut changer de sujet à présent.

L'occasion leur en fut fournie par Bof, qui venait encore une fois de prendre son maître d'assaut. L'arrivée de Charles l'avait métamorphosé. De vieux chien taciturne, apathique et souvent grognon, il était devenu un jeune chiot délirant qui ne savait plus que faire de sa joie. Et Charles, ému, avec une patience inlassable, l'accueillait chaque fois sur ses genoux, lui prodiguant des cajoleries dont la pauvre bête n'arrivait pas à se lasser.

— Il en arrache, ton chien, depuis que tu es parti, remarqua Lucie avec tristesse. Il est un peu difficile maintenant, je dois dire. Je me demande parfois qui d'autre que nous pourrait le garder.

— Merci de le faire, répondit Charles avec son plus séduisant sourire.

Ce soir-là, Céline, se pelotonnant contre lui après l'avoir longuement caressé, lui murmura à l'oreille :

— J'aimerais que tu m'aimes comme Bof t'aime.

— Tu veux un esclave, quoi ! C'est ce que je suis, mon petit écureuil. Tu peux faire de moi tout ce que tu veux...

Elle ne répondit rien et se contenta de le fixer d'un long regard dubitatif. Beau comme il était, avec combien de femmes avait-il bien pu coucher durant ces deux mois de vie voyageuse ?

Le père Raphaël racontait que le sens de sa destinée terrestre lui avait été révélé un soir, à l'âge de dix-huit ans, au cours d'un voyage sur le pouce qu'il faisait en Autriche avec un copain. Cela s'était produit plus précisément à l'auberge de jeunesse de la petite ville de Gadatz-Katapunkt. Il n'y avait pas eu d'apparition, de voix céleste ni d'autres phénomènes spectaculaires de ce genre. Il avait plutôt vécu une profonde expérience intérieure, une sorte de transport mystique qui l'avait tenu plus ou moins hors de la réalité pendant trois jours, sans qu'il éprouvât le besoin de boire ou de manger, à la grande inquiétude de son compagnon, qui avait voulu appeler un médecin.

Ce n'était pas le récit de cette expérience mystique qui intriguait Charles – en deux mois, on lui en avait tellement raconté! –, mais plutôt le lieu où elle s'était produite. Amusé par le nom, qui lui faisait vaguement penser à celui d'un groupe rock allemand, il avait demandé au père Raphaël de l'écrire sur un bout de papier. Et un jour qu'il se trouvait à Québec, attablé seul dans un café de la rue Saint-Jean après avoir conduit Marcel-Édouard à la gare du Palais (ses deux compagnons se relayaient à présent de temps à autre auprès du prédicateur), l'idée lui était venue de se rendre à la bibliothèque municipale pour repérer sur une carte l'emplacement de cette ville au nom si bizarre.

Au bout de deux heures de recherches, et malgré l'aimable assistance d'un bibliothécaire, il n'avait pas réussi à trouver la moindre trace de Gadatz-Katapunkt sur la planète.

En fait, cette ville n'existait pas.

En soi, cela n'avait aucune importance. Mais une conclusion découlant de ce fait pouvait en avoir beaucoup : le père Raphaël était un mystificateur qui se moquait éperdument des gens, n'hésitant pas à fabriquer des mensonges infantiles et grossiers pour le simple plaisir de les tromper – et Charles faisait partie de ses victimes!

Lorsque ce dernier lui avait demandé d'écrire le nom de la ville, le prédicateur s'était exécuté avec une calme impudence, se fichant royalement, semblait-il, de ce que son assistant pourrait penser de lui s'il découvrait sa petite fumisterie.

Une autre conclusion découlait inévitablement de cette minuscule découverte : le père Raphaël n'appartenait aucunement à la catégorie des détraqués sincères, obnubilés par leurs vapeurs mystiques, mais plutôt à celle des manipulateurs professionnels ; c'était un escroc, et peut-être pire encore. Fernand, avec toute sa naïve impétuosité, et sans connaître le bonhomme, avait vu juste.

Quelque temps passa, puis une autre question, sans lien direct avec la première, surgit un jour dans l'esprit de Charles : quels étaient les véritables rapports de Marcel-Édouard et de Maxime avec le prédicateur ? Ces derniers connaissaient sans doute depuis longtemps sa véritable nature. Aucun des deux cependant n'y avait jamais fait la moindre allusion devant Charles. Sous leurs manières amicales et dégagées, on devinait le profond respect qu'ils ressentaient pour l'homme, dont ils parlaient toujours avec admiration et à qui ils obéissaient au doigt et à l'œil. Ils étaient donc ses complices. Mais de quelle nature, se demandait Charles, était cette complicité ? Il n'avait pu jusque-là découvrir aucun indice qui lui eût permis de se former une idée là-dessus. À première vue, ils entretenaient les mêmes rapports que Charles avec le prédicateur, et celui-ci ne semblait guère manifester de préférence pour l'un ou l'autre des trois jeunes gens.

De temps à autre, Maxime ou Marcel-Édouard s'absentait pour plusieurs heures, sans donner de raison ; ils revenaient souvent avec une mine harassée, comme s'ils avaient eu à déplacer des montagnes, ou alors dans un état d'exaltation fébrile qui leur donnait des allures de cocaïnomanes ; pourtant, les deux jeunes gens professaient à l'endroit de la drogue le mépris le plus absolu. « Il n'y a que Dieu pour donner la vraie joie, affirmaient-ils gravement. Tout le reste n'est que destruction. » Charles, intrigué par ces disparitions furtives et inexpliquées, les questionna à quelques reprises, mais n'en tira que des ricanements et des haussements d'épaule, et il s'aperçut que sa curiosité contrariait quelque peu le père Raphaël. « Je finirai bien par savoir, se promit-il. Je n'ai pas deux quenœils pour rien. Même les petits malins finissent par se trahir. »

Un jour, il avait demandé à Marcel-Édouard s'il avait une petite amie.

— Le temps n'est pas encore venu pour moi d'en avoir une, mon vieux, lui avait répondu l'autre avec un sourire désinvolte.

C'était à peu près la même réponse que lui avait faite José Coïmbro. Mais Marcel-Édouard, silencieux, efficace et avisé, ne ressemblait en rien au pathétique José.

Charles allait bientôt obtenir des réponses à toutes ses interrogations, et dans des circonstances étonnantes.

21

Dans la soirée du 1er novembre 1987, René Lévesque fut terrassé par un infarctus à son appartement de l'Île-des-Sœurs. Une violente secousse réveilla brutalement le Québec qui, depuis le référendum de 1980, semblait plongé dans l'espèce d'engourdissement qui précède la mort. Tout le monde eut l'impression d'avoir perdu un père. L'expression revenait constamment. Les adversaires les plus acharnés de l'homme politique – secrètement soulagés peut-être par sa disparition – eurent l'air sincèrement peinés.

Ce soir-là, Charles se trouvait dans un restaurant de Trois-Rivières en compagnie d'une journaliste qu'il tentait patiemment d'enthousiasmer pour la personnalité hors du commun du père Raphaël; la jeune femme aurait souhaité rencontrer le prédicateur, mais il avait dû s'absenter.

En apprenant le décès de Lévesque par un bulletin spécial à la radio, Charles se précipita au téléphone et appela Fernand.

— Qu'est-ce qu'on va faire, maintenant qu'il n'est plus là ? demanda le quincaillier dévasté, oubliant que son idole avait quitté la politique depuis quelques années déjà.

Charles se rappelait avec une extraordinaire précision la visite-surprise de l'homme politique à la quincaillerie pendant la campagne référendaire de 1980. Il croyait sentir encore la poignée de main que le premier ministre lui avait donnée en plongeant dans ses yeux ce regard profond et attentif qui laissait l'impression à celui qui en était l'objet que son visage et les propos échangés resteraient à tout jamais gravés dans la mémoire du politicien.

Quittant la journaliste, qui venait de recevoir un message urgent par téléavertisseur, il courut à l'hôtel demander au prédicateur la permission de partir sur-le-champ pour Montréal, car Fernand lui avait demandé de l'accompagner pour aller rendre un dernier hommage au chef indépendantiste, comme allaient le faire dans les jours suivants des dizaines de milliers de Québécois.

Il trouva le père Raphaël seul, en robe de chambre, et plutôt ennuyé par sa visite impromptue. Le prédicateur était au courant de la mort de Lévesque (qui, au Québec, ne l'était pas ?). À la demande de Charles, il eut un sourire moqueur et refusa tout net, ajoutant qu'il ne comprenait pas pourquoi tout le monde pleurait la disparition d'un homme mort, pour ainsi dire, depuis longtemps.

— Que voulez-vous dire ? demanda Charles, offusqué.

L'autre éluda la question d'un geste et répéta :

— Je regrette, mais tu restes ici (il le tutoyait depuis quelque temps). Maxime prend congé demain et je vais avoir besoin de toi.

Charles, furieux, se rendit à sa chambre, fit ses bagages et prit le premier autocar pour Montréal. Son coup de tête allait sans doute lui valoir un congédiement. Eh bien, soit ! De toute façon, il n'avait plus guère envie de travailler pour un fumiste qui, en outre, avait une si piètre opinion de son idole politique.

Deux jours plus tard, il recevait chez lui un appel de Maxime.

— Le père Raphaël veut te voir.

— Si c'est pour me congédier, il peut le faire par téléphone. Ça va m'épargner le voyage.

— Il veut te voir, se contenta de répéter l'autre, énigmatique.

Intrigué et animé par le secret espoir de conserver son emploi, il retourna le soir même à Trois-Rivières. Le père Raphaël, en compagnie de ses deux assistants, le reçut avec cordialité, comme si de rien n'était.

— Je pense qu'on peut te classer dans le genre têtu, toi, fit-il en riant. Et alors ? Comment ça s'est passé ? Quelle commotion, hein ! On ne parle que de ça ! Il y a là matière à de longues réflexions.

Et il se fit décrire l'atmosphère qui régnait à Montréal.

Marcel-Édouard et Maxime, sourire aux lèvres, promenaient leur regard de l'un à l'autre, manifestement surpris par la réaction de leur patron. Charles n'y comprenait rien lui non plus et, tout en racontant avec force détails les événements petits ou grands auxquels il avait assisté, il sentait grandir et s'affermir en lui sa méfiance pour le prédicateur ; la suite des événements allait d'ailleurs montrer qu'elle n'était que trop bien fondée.

Le 10 décembre au matin, l'équipe des messagers de Dieu arriva à Sorel. Il s'agissait d'une des dernières assemblées de l'année avant la frénésie d'achats qui précède la célébration de Noël.

Normalement, cette assemblée aurait dû se tenir à l'église pentecôtiste de l'endroit, vénérable édifice néo-gothique qui se dressait devant le parc du Carré Royal, mais une obscure chicane opposait le père Raphaël au pasteur de l'église, qui refusait toute collaboration et menait une sourde guerre contre le prédicateur. Il fallut donc se rabattre sur le « centre de congrès » de l'Auberge de la Rive, rue Sainte-Anne, face au fleuve, ce qui entraînait une augmentation considérable des coûts et une diminution proportionnelle de la bonne humeur du père Raphaël. Charles reçut la ferme instruction de déployer tous ses talents d'attaché de presse, car il fallait attirer au minimum huit cents personnes si on voulait que le Royaume de Dieu s'agrandisse et que l'opération soit profitable.

Il se retrouva bientôt dans un poste de radio local, assis devant un gros homme lippu et apathique, au crâne surmonté d'une dérisoire vapeur de cheveux ternes, les joues flasques et le teint jaunâtre (la veille, le scotch avait mis son foie à très rude épreuve et son humeur s'en ressentait).

Un verre de styromousse à la main, l'animateur écouta Charles pendant une minute en sirotant avec bruit son café, puis l'arrêta d'un geste :

— Je veux rien savoir de toi, mon jeune, tu n'intéresses pas nos auditeurs. C'est le père Raphaël que je veux voir. S'il veut pas se donner la peine de venir, bonne journée !

Charles téléphona au prédicateur qui, dérogeant à ses habitudes, accepta d'accorder une entrevue. Une demi-heure plus tard, il entrait dans le studio et se montra d'une éloquence si éblouissante durant l'entrevue qu'un technicien, derrière sa vitre, se mit à pleurer.

— Ça, c'est un bon *show*, conclut le gros lippu, satisfait. Vous pouvez revenir tant que vous voulez, mon père, y aura toujours un micro pour vous.

Charles se rendit alors au journal *Les Deux Rives*, puis au canal *Vox*, le poste de télé local, où il buta contre un obstacle majeur : la direction n'avait pas prévu de créneau pour la spiritualité dans sa programmation ; finalement, après s'être fait aller la langue comme s'il en possédait sept, il obtint à grand-peine pour son patron (devenu soudain très accessible) une courte entrevue matinale le lendemain.

Après cela, il se mit à faire le tour des commerces de la ville, demandant la permission d'installer dans les vitrines de petites affiches annonçant l'assemblée religieuse. Les choses allèrent comme sur des roulettes, Charles n'essuyant de refus qu'à la quincaillerie Éphrem Valiquette, vieux magasin qui semblait enfoncé dans la torpeur précédant l'abandon des affaires ou la faillite.

Vers quatorze heures, satisfait du travail accompli mais affamé et transi – Sorel grelottait sous un froid piquant qui annonçait la neige –, il se rendit au restaurant Omythos, rue Roy, où la patronne avait gentiment accepté son affiche, et en ressortit l'estomac lesté d'un solide repas composé de souvlaki, pommes de terre rôties, salade verte et riz aux légumes. L'agréable lourdeur qui s'ensuivit l'incita à faire une petite promenade et il décida d'aller au Carré Royal, un des endroits les plus charmants de la ville.

Après avoir arpenté le parc pendant quelques minutes en aspirant de grandes goulées d'air glacé, il s'arrêta devant un curieux monument érigé à la mémoire de Dorimène Desjardins, épouse d'Alphonse Desjardins, l'illustre fondateur des Caisses populaires. Une tête de bronze au chignon imposant, plantée sur un bloc de granit, fixait un coin du ciel avec un sourire altier ; un peu plus bas, greffées sur le bloc, s'ouvraient deux petites mains, de bronze également, qui faisaient penser aux reliefs macabres d'un crime à la hache ; plus bas encore, une inscription annonçait au promeneur que :

Sans elle, les Caisses populaires Desjardins
n'existeraient probablement pas

De combien de réunions de comités, de tractations, de manœuvres et de compromis était issu ce perfide « probablement » qui minait la pertinence du monument ? Charles hocha la tête, sourit et reprit sa marche en sifflotant.

Il aperçut soudain Maxime déambulant à l'autre bout du parc, les mains dans les poches, nullement affecté, semblait-il, par le froid. Charles avait justement pensé à lui pendant le dîner, se demandant ce qu'il avait bien pu ficher toute la journée, puisque la première assemblée n'aurait lieu que deux jours plus tard et que l'installation de la salle était prise en charge par l'hôtel. Il agita la main et l'appela.

— Tiens, je te cherchais justement, cria l'autre.

Il se dirigea vers Charles d'un pas toujours aussi nonchalant, puis, posant sur lui ce curieux regard ironique et douceâtre qu'il lui adressait depuis quelque temps :

— T'as reçu un appel de Montréal.

— De qui ?

— Me souviens plus... Une Lucie quelque chose, je crois.

Charles, laissant là le jeune homme, se précipita vers son auto, stationnée près du parc. Si Lucie avait pris la peine de l'appeler en plein milieu de la journée, c'est qu'un événement grave venait de se produire. Quelques minutes plus tard, il pénétrait dans l'hôtel, hors d'haleine.

— Charles, lui annonça Lucie d'une voix tragique qu'il ne lui avait jamais entendue, ton chien est en train de mourir. Il se meurt de toi, Charles. On a tout essayé : impossible de le consoler. Si tu ne viens pas le voir d'ici demain, ce sera fini.

Au début, Bof avait paru indifférent à l'absence de son maître. Puis, peu à peu, un accablement sans fond s'était emparé de lui. Enfin, la semaine d'avant, la colère avait éclaté : retrouvant ses anciennes habitudes, il l'avait exprimée avec ses dents. Sa première victime avait été la belle desserte de la salle à manger, héritage de la mère de Fernand. Il s'était attaqué aux pieds de devant et l'avait fait basculer à deux heures du matin ! Fernand avait failli en avoir une crise cardiaque. Heureusement, la table avait bloqué la chute du meuble et on n'avait à déplorer la perte que de deux ou trois pièces de vaisselle. Mais la facture de l'ébéniste atteignait les deux cents dollars ! Fernand, blanc de rage, avait mené le chien dans la cave et l'avait attaché à un tuyau. Bof y était demeuré toute la journée du lendemain. C'était à ce moment, sans doute, que le désespoir s'était emparé de lui. Il s'était étendu sur le sol, avait fermé les yeux et cessé de bouger.

— En le voyant dans un pareil état vers la fin de la journée, je l'ai tout de suite fait remonter, tu comprends bien. Je l'ai caressé, je lui ai dit qu'on lui pardonnait – à condition qu'il ne recommence plus ! – et j'ai essayé de le faire manger, mais il refusait d'ouvrir la gueule. Henri a insisté – et il s'est fait mordre ! Voilà trois jours, Charles, que rien ne lui est passé par le gosier, ni solide ni liquide. Il ne pourra pas durer longtemps comme ça.

— Je te rappelle, coupa Charles, et il raccrocha.

Le dos appuyé à une boiserie, il fixait le hall d'entrée. Une vieille dame toute maigre, assise dans un énorme fauteuil de cuir noir qui semblait l'avoir avalée, le regardait d'un air étonné.

Un léger étourdissement le gagnait.

Bof à l'agonie. Bof mort. Le vieux compagnon entré à son service alors qu'il n'était qu'un petit garçon, frappé de désespoir par l'abandon de son maître, allait le quitter à tout jamais, victime de son ingratitude, de son manque de cœur, de sa frivolité.

Il fallait empêcher cela.

Il monta à la chambre du père Raphaël et frappa à la porte. Personne ne répondit. Retournant dans le hall, il s'informa auprès de la réceptionniste. Le père Raphaël était parti une heure plus tôt avec un inconnu, sans laisser de message.

Sa décision fut aussitôt prise.

En sortant de l'hôtel, il faillit heurter Maxime.

— Dis donc, le sauvage, fit celui-ci, t'aurais pu me ramener avec toi ! Tu ne m'entendais pas crier ? Où t'en vas-tu ?

— À Montréal.

— Le père Raphaël le sait ?

— Il n'est pas ici. Je lui ai laissé un mot.

— Et cette fois-ci, c'est quoi, la raison ? Un autre séparatiste qui vient de mourir ?

— Non, cette fois-ci, répondit Charles en s'efforçant au calme, c'est à cause de mon chien, qui est très malade.

— Ton chien ? répéta l'autre, ébahi.

Et il éclata d'un rire moqueur, impitoyable, le rire que provoque une idiotie sans fond.

Charles dut se retenir pour ne pas lui sauter à la gorge, mais le pauvre con ne méritait même pas une raclée. D'ailleurs, cela aurait mangé un temps précieux. Le repoussant d'un coup d'épaule, il se dirigea vers l'auto.

— Hé ! protesta l'autre, on en a besoin ! Elle n'est pas à toi, cette auto !

D'un geste rageur, Charles lui lança les clés et monta dans un taxi qui venait de déposer un client.

22

Bof, couché sur l'ancien lit de son maître, feignait de ne pas s'apercevoir de sa présence. Puisqu'il m'a laissé tomber, devait-il se dire, je ne vois pas pourquoi je ne le laisserais pas tomber à mon tour.

Les yeux fermés, le museau entre les pattes, il ne réagissait pas aux caresses de Charles et le souffle ralenti de sa respiration simulait un profond sommeil.

— Je crois, murmura Lucie, debout dans la porte et encadrée de Céline et d'Henri, qu'il t'en veut beaucoup... Il t'en veut à mort.

L'expression fit monter les larmes aux yeux de Charles.

— Mais qu'est-ce que je dois faire ? s'exclama-t-il en levant les mains dans un geste d'impuissance. Je ne vais quand même pas le battre pour qu'il me regarde !

Alors Céline s'approcha et lui glissa un mot à l'oreille.

— Tu crois ? fit-il, étonné.

— Essaye toujours, on verra bien.

Charles demanda qu'on le laisse seul, puis se déshabilla, ne gardant que son slip, et se glissa sous les couvertures près de son chien. Toute la soirée, il le couvrit de caresses et l'enveloppa de mots doux, lui exprimant son repentir et promettant avec force de ne plus jamais recommencer. C'était fini. Désormais, rien ni personne ne les séparerait.

— Il faut que tu me croies, Bof, m'entends-tu ? Il faut absolument que tu me croies, car je dis la vérité, juré craché !

De temps à autre, Céline entrouvrait la porte pour voir où en était la réconciliation, puis se retirait, déçue, inquiète. Quand cette bouderie finirait-elle ? Est-ce qu'un chien pouvait bouder jusqu'au suicide ?

Vers sept heures, Charles demanda qu'on lui apporte à manger, car il ne voulait pas quitter la chambre. Puis il s'endormit, épuisé par sa journée.

Au petit matin, quand il se réveilla, Bof le fixait, avec ses grands yeux de vieillard revenu de tout. Charles le contempla, rempli d'une joie enfantine.

— Bof, murmura-t-il, tu acceptes de me regarder à présent? As-tu commencé à me pardonner?

Le chien remua faiblement la queue, puis referma les yeux et parut s'endormir. Il ne fallait pas désarmer trop vite une colère si longuement accumulée. Cependant, vers dix heures, il accepta de boire un peu d'eau et avala deux morceaux de poulet, préalablement réchauffés à son intention.

Henri, qui adorait Bof, ne pouvait être que touché par le chagrin de son maître.

— Il serait vraiment mort, tu sais, lui déclara-t-il durant le dîner.

— Je sais.

— Qu'est-ce que tu vas faire?

— Je vais l'emmener partout avec moi. Jusqu'à la fin.

— Ce ne sera pas simple.

— Je ne vois pas ce que je peux faire d'autre.

— Eh bien, moi, à ta place, mon garçon, émit Fernand avec l'assurance de celui qui croyait avoir eu raison depuis le début, je reviendrais travailler à Montréal. Comme ça, tu verrais ton chien chaque jour, il serait toujours de bonne humeur et le problème serait réglé. Non?

— Je vais y penser, répondit poliment Charles.

Céline, le regard fixé sur lui, essayait d'évaluer sa sincérité.

Il repoussa son assiette et, sans même la regarder, retourna à sa chambre. Le vieux réflexe jouait: on ne prenait vraiment conscience de la valeur de quelqu'un ou de quelque chose qu'au moment de le perdre. Pour l'instant, il s'agissait de Bof.

Mais, un jour, il pourrait peut-être s'agir de quelqu'un d'autre.

Vers la fin de l'après-midi, Bof, qui avait accepté une autre collation, plus abondante que la première, sauta soudain hors du lit et demanda la porte. Charles, ravi, s'apprêtait à l'accompagner pour une petite promenade lorsqu'on l'appela au téléphone.

— Et alors, fit Marcel-Édouard d'une voix moqueuse, comment va ton chien ?

— Mieux, répondit Charles. Et toi ?

— Moi ? Couci-couça. Je remplace les absents.

— Le père Raphaël est de bonne humeur ?

— Plus ou moins...

— Est-ce que je peux lui parler ? demanda Charles avec un léger frémissement dans la voix.

— Non. Il m'a chargé de prendre de tes nouvelles.

— Je ne pense pas revenir avant mercredi.

— Toujours le chien ?

— Oui.

Charles entendit un petit ricanement au bout du fil, puis :

— Dans ce cas, le père Raphaël va peut-être t'appeler dans la soirée. Mais je ne te le souhaite pas trop.

Il ricana de nouveau et raccrocha.

Durant ses longues heures au lit avec Bof, Charles avait eu amplement le temps de réfléchir, et une idée lui était venue, qu'il trouvait à la fois belle et ingénieuse. Il s'agissait d'un projet de réconciliation. Trois jours à la campagne avec Bof, à se promener dans la forêt et à travers champs, à se réchauffer tous les deux devant la cheminée, où flamberaient de bonnes grosses bûches. Loin de tout le monde. À consolider des liens qui avaient failli se rompre. Des liens qui ne pouvaient durer encore très longtemps, hélas – car Bof arrivait au bout de son âge –, et qui étaient d'autant plus précieux. Céline, il en était sûr, trouverait l'idée aussi belle qu'ingénieuse. Peut-être même qu'elle accepterait de sécher ses cours et de les accompagner. Ce serait alors le summum du max du nec plus ultra du paradis total ! Il lui en fit part.

— Je ne peux pas, Charles. J'ai un examen à préparer.

— Tu étudieras à la campagne, mon petit écureuil. Je te laisserai tranquille. En tout cas, au moins quelques heures...

— Non, Charles, je me connais : je n'étudierai pas. Et si j'essaye, tu vas m'en empêcher.

Alors, il se jeta à ses genoux (ils étaient seuls au salon) et lui enserra les jambes :

— Je t'en supplie, Céline, viens avec nous ! S'il le faut, je ne te toucherai pas, même pas du bout du petit doigt ! Je ferai le ménage, les repas, le lit, les commissions, tout ! Je n'ouvrirai pas la radio, je sortirai les déchets, j'enlèverai la neige. Viens, Céline, de grâce, je t'en supplie, ça va être merveilleux ! Merveilleux, je te dis ! Et si jamais je manque à *une seule* de mes promesses, je m'engage à passer une nuit dehors tout nu dans la neige !

Et il se mit à lui embrasser les genoux et à lui caresser les cuisses.

Céline souriait, mais demeurait inébranlable. Elle se dégagea doucement de son étreinte et, voyant la déception de Charles, ajouta, dans un effort héroïque pour se montrer gentille (car le départ de son ami la contrariait) :

— Papa pourrait peut-être te prêter son auto.

Fernand, à son retour du travail, donna son accord enthousiaste. Tout ce qui éloignerait Charles de cet infâme rabâcheur de mystiqueries ne pouvait être qu'excellent. Il alla même jusqu'à lui offrir l'auto pour toute une semaine.

— Peut-être que, vers la fin, Céline pourrait aller vous rejoindre, suggéra-t-il avec un clin d'œil coquin.

— Merci, trois jours me suffiront, répondit Charles, qui n'était pas dupe.

Deux heures plus tard, tout était ficelé, et Charles filait en direction de Saint-Zénon, où, grâce aux petites annonces, il venait de louer à prix fort un chalet décrit comme luxueux, avec foyer, vue sur le lac et solitude garantie. Bof, couché près de lui sur le siège et ne comprenant pas ce qui se passait mais devinant qu'il ne pouvait s'agir que de bonnes choses, avait déjà meilleure mine et, de temps à autre, posait son museau sur la cuisse de son maître. On annonçait une tempête de neige pour le surlendemain. Cela terminerait leurs petites vacances en beauté.

À son arrivée, vers dix heures, Charles constata que le caractère luxueux du chalet se réduisait essentiellement au loyer qu'on en demandait. Le réfrigérateur répandait des odeurs archéologiques, la cheminée fumait, les lits semblaient avoir accueilli les ébats d'un troupeau de buffles et on aurait dit que les efforts pour donner aux lieux un air de propreté avaient été fournis par une personne atteinte d'une forme avancée de paralysie. Mais les environs, autant qu'on en pouvait juger à travers l'obscurité tombée depuis longtemps, étaient d'une sauvagerie magnifique, les fauteuils du salon confortables, quelqu'un avait oublié deux bonnes bouteilles de vin dans un placard et Charles, après avoir longuement torturé la clé de la cheminée, fit tomber un amas de suie et de brindilles, ce qui insuffla au feu une ardeur qui ne l'abandonna plus.

Mais surtout – surtout – Bof était heureux ! Fébrile et curieux comme un jeune chien, il se promenait en reniflant partout avec force éternuements et venait retrouver Charles aux deux minutes pour lui exprimer sa joie par toutes sortes de gentillesses. Celui-ci l'observait avec un sourire ému, stupéfait et accablé par cette résurrection spectaculaire qui confirmait la cruelle négligence dont il s'était rendu coupable.

Ils soupèrent d'un poulet rôti que Charles avait acheté en route, passèrent le reste de la soirée devant le feu de la cheminée, puis dormirent pressés l'un contre l'autre dans un affaissement de lit qui réussit à devenir confortable.

L'avant-midi du lendemain se passa à explorer les alentours ; Bof leva sans le vouloir une perdrix et en eut un grand saisissement. Puis Charles s'installa au salon et lut une centaine de pages de *La Chartreuse de Parme*, que Parfait Michaud lui vantait depuis des années, tandis que Bof ronflait à ses pieds, se réveillant de temps à autre pour lever vers lui un regard où l'on devinait qu'il avait tout pardonné et qu'il avait peut-être même tout oublié.

La félicité de Charles, par contre, n'était pas sans mélange : les petites vacances qu'il avait décidé de s'offrir venaient sans doute de lui coûter son emploi et le regard que lui avait lancé Céline lorsqu'il était parti était celui d'une femme délaissée. Est-ce que pour faire du bien à l'un il fallait faire du mal à l'autre ? Bah ! se dit-il, tout finirait par s'arranger. En le congédiant, on lui rendrait service, car il commençait déjà à se lasser de cette vie passée au service d'un charlatan, même si on le payait bien. Et en revenant travailler à Montréal, il retrouverait la Céline qu'il avait connue et qu'il adorait.

Il lui téléphona dans la soirée et leur babillage amoureux entrecoupé de soupirs copulatifs le rassura. Le lien qui les unissait pouvait supporter bien des secousses. Est-ce que toute vie n'en subissait pas ?

Charles avait projeté pour le lendemain une petite expédition en forêt. Le temps allait s'adoucir, annonçait-on, et quelques heures de grand air feraient du bien à Bof, que l'âge et la vie sédentaire commençaient à empâter.

Pour fêter cette sage décision, il ouvrit alors une des bouteilles de vin qu'on lui avait involontairement laissées en cadeau, et la but au complet avant d'aller se coucher.

Cela eut des conséquences.

Il passa une nuit lourde et agitée, traversée de vents torrides et de bouffées de poussière et se réveilla tard dans la matinée, le cerveau comme du carton mouillé, avec l'humeur qui en résulte. Il s'aperçut avec surprise qu'il ressentait de l'irritation à l'égard de Céline. Depuis des semaines, elle se plaignait d'être esseulée et venait cependant de refuser trois jours de retraite amoureuse à la campagne pour une histoire d'examen. Avec leur sens exagéré du devoir, les femmes se privaient souvent de bonheur et certaines en gâchaient parfois même leur vie.

Après un vague déjeuner-dîner avalé sans appétit, il resta longtemps dans le bain à essayer de rassembler ses idées et ne quitta le chalet que vers quatorze heures pour son excursion avec Bof.

Le chalet était construit au bord d'un petit lac complètement encerclé par la forêt. La seule autre habitation visible se trouvait sur la rive opposée et semblait inhabitée. Après avoir inspecté les alentours, Charles découvrit derrière une butte boisée un large sentier à demi envahi par la végétation, probablement un ancien chemin forestier utilisé pour le transport des billots. Il emportait dans un sac à dos un peu de nourriture pour son chien, quelques allumettes, la boussole que lui avait offerte Steve et une grosse bouteille d'eau, car ses libations de la veille lui avaient transformé le gosier en biscuit sec.

Les chutes de neige ayant été peu abondantes cet hiver-là, ils avançaient facilement dans le sentier qui serpentait à travers le bois. L'air glacé avait ce goût profond et légèrement sucré, mélange complexe des effluves de la forêt, qui donne l'impression aux citadins de respirer pour la première fois de leur vie et les remplit d'une exubérance enfantine. Bof menait vaillamment la marche; transporté par les myriades de senteurs et les pistes mystérieuses dessinées partout dans la neige, il courait à gauche et à droite, revenait sur ses pas et lâchait de temps à autre un bref aboiement, comme pour se libérer du trop-plein de son excitation. Mais au bout d'une demi-heure il se fatigua et se mit à suivre sagement les traces de son maître.

Le sentier, après une longue montée, déboucha sur un grand espace dénudé, jonché d'amoncellements de débris d'arbres et traversé en tous sens de profondes ornières creusées, semblait-il, par des pneus géants. C'était une zone de coupe à blanc. Malgré la neige qui ouatait miséricordieusement la surface du sol massacré, une telle impression de désolation se dégageait des lieux que Charles s'arrêta, stupéfait, son entrain tout à coup envolé.

Un vent âpre soufflait sur ce champ de bataille où la nature avait été impitoyablement vaincue, comme pour marquer la mainmise de l'homme. Resserrant le foulard autour de son cou, il essaya de voir où continuait le sentier, mais n'aperçut rien. Alors il décida d'entrer dans la forêt pour se mettre à l'abri du vent et se soustraire au plus vite à la vue attristante du ravage. Quand il voudrait retourner au chalet, il n'aurait qu'à suivre ses traces dans la neige.

Bof, assis à quelques pas, semblait attendre sa décision.

— Viens, mon vieux, fit Charles en obliquant vers la droite, où la lisière de la forêt était plus rapprochée, on va jouer aux coureurs des bois.

Au bout de dix minutes, le choc laissé par le « site d'aménagement forestier global », pour utiliser le jargon pudique des fonctionnaires, s'était dissipé et sa bonne humeur était revenue.

La marche, toutefois, se faisait beaucoup plus lentement. Il fallait zigzaguer entre les arbres et de gros rochers farouchement dressés ici et là, se pencher sous des branches apesanties par la neige, parfois même en casser pour se frayer un chemin. Bof, à présent, avait cessé de japper et de renifler et le suivait sur les talons, le regard au sol, puis s'arrêtait de temps à autre avec l'air de demander : « Mais, bon sang ! où est-ce qu'on s'en va ? »

Charles, que le froid commençait à gagner, décida de s'arrêter et de faire un feu. Il déblaya un petit emplacement circulaire au pied d'une grosse roche, puis partit à la recherche de branches et d'écorces de bouleau. Au bout de dix minutes, après une quête plus ardue qu'il ne l'aurait pensé, il revenait avec une grosse brassée. Assis devant la roche, Bof frissonnait misérablement, levant une patte, puis une autre. Sa vue remplit soudain Charles d'une vague inquiétude.

— Tu gèles, mon Bof ? Courage, on va bientôt se réchauffer ! Regarde-moi faire.

Il s'accroupit, déposa les branches dans la neige, puis se mit à les disposer en une petite pyramide, introduisant dans les interstices des morceaux d'écorce de bouleau et des brindilles de sapin. Bof l'observait avec intérêt, comme s'il avait deviné que ce petit assemblage mettrait fin à ses tremblements.

Le vent souffla les trois premières allumettes. La flamme de la quatrième, protégée par un bout d'écorce, mordit enfin un faisceau d'aiguilles de sapin. Un crépitement colérique se fit entendre. Charles présenta aussitôt le morceau d'écorce, puis poussa un cri de satisfaction : le feu venait de prendre ; quelques minutes plus tard, il s'agitait joyeusement devant la roche, faisant fondre un petit amoncellement de neige accroché à sa paroi, qui devint luisante.

Bof, les yeux à demi fermés de contentement, se réchauffait, si près des flammes que son poil risquait de roussir. Charles, accroupi à ses côtés, se frottait les mains au-dessus du feu en sifflotant. De temps à autre, il ajoutait du bois. Sa provision s'épuisa bientôt. Il se leva et revint avec une seconde brassée. Le feu flamba de plus belle, entouré à présent d'un cercle de terre humide d'où s'élevaient de minces filets de vapeur. Sous l'effet de la chaleur, Bof dut reculer.

Comme pour se joindre à cette petite fête, des flocons de neige commencèrent à voleter dans un fourmillement délicat et capricieux. « Tiens, se dit Charles, la neige qu'on annonçait pour demain est déjà arrivée. »

Il leva la tête. Entre les cimes des arbres, on apercevait une échappée de ciel. Le bleu intense avait tourné au gris. Il approchait seize heures. Le soleil allait bientôt se coucher. Mieux valait repartir tout de suite, même si on ne se trouvait qu'à deux ou trois kilomètres du chalet. Mais Bof semblait prendre un tel plaisir à se rôtir les flancs que Charles se mit de nouveau à la recherche de combustible.

Quand il revint au bout d'un quart d'heure, alerté par les aboiements de son chien, le feu allait s'éteindre et, dans l'air épaissi par le tournoiement grisâtre des flocons, Charles sentit comme une menace. Le temps pressait. Il ferait bientôt noir.

— Et dire, soupira-t-il, qu'il y avait une lampe de poche dans un tiroir de la cuisine ! Quel idiot je suis de ne pas l'avoir emportée !

Cependant, pour ne pas avoir travaillé inutilement, il jeta quand même sa brassée sur le feu, au risque de l'étouffer. Mais les flammes jaillirent dans une explosion de lumière et, pendant une seconde, il eut l'impression que le temps reculait et que le plein jour était revenu. Bof, enchanté, battait de la queue. C'est qu'avec l'obscurité grandissante et le froid de plus en plus vif on n'arrivait pas à se détacher de ce feu. Ah ! s'il avait pu brûler jusqu'à l'aube... Cela aurait fait une histoire bien plaisante à raconter que cette nuit d'hiver en pleine forêt!

— Allons, Bof, en route. Je commence à avoir faim. Pas toi?

Malgré le couvert des sapins et des épinettes, la neige tombait de plus en plus dru. Charles devait à présent appliquer toute son attention à suivre ses traces.

De temps à autre, il se retournait pour jeter un coup d'œil en direction de Bof. La bête, transie, avançait avec peine et le ralentissait. Alors, il lui lançait un mot d'encouragement de sa voix la plus joyeuse, mais la peur, à présent, y mettait comme une fêlure, une peur stupide, irraisonnée, qui lui envoyait des battements aux tempes et lui mettait le corps en sueur, malgré le froid.

Il marcha ainsi pendant une vingtaine de minutes, se courbant, cassant des branches, s'arrêtant à tous moments pour donner à son chien le temps de le rejoindre, puis s'étonna tout à coup de n'être pas encore arrivé dans la zone de coupe à blanc.

Alors, écarquillant les yeux dans la noirceur presque tombée, il promena son regard autour de lui et réalisa avec consternation que ses anciennes traces avaient disparu. La neige n'avait quand même pas eu le temps de les recouvrir. C'était lui qui, trompé sans doute par des jeux d'ombre, prenant de légers affaissements de neige pour ses pas, s'en était éloigné à son insu!

Il était perdu.

En pleine forêt. En plein hiver.

Immobile, figé par l'angoisse, il glissa lentement les mains dans les poches de son manteau et laissa échapper un soupir rauque, les yeux à demi fermés sous les mitrailles de flocons.

Un frôlement contre sa jambe le fit revenir à lui. Il s'accroupit devant son chien, le fit monter sur ses genoux et se mit à le frictionner. C'était pitié que de le voir trembler ainsi.

La confiance aveugle et la patience stoïque dont Bof faisait preuve dans cette fin d'excursion qui tournait mal rendit à Charles un peu de calme. Après tout, il lui suffisait de revenir sur ses pas jusqu'à l'endroit où il avait quitté sans le savoir ses premières traces, et le tour serait joué. Ce ne pouvait être bien loin. Dans quelques instants, ils déboucheraient sur le sentier et, vingt minutes plus tard, ils seraient de retour au chalet – et tout ne serait plus qu'un mauvais souvenir.

Il posa le chien par terre et se remit en marche, le regard vissé à ses pieds. Il se trouvait à présent dans une zone de feuillus. Les arbres dénudés ne le protégeaient guère du vent et de la neige, qui arrivaient maintenant par bourrasques. Toujours, il pensait à cette lampe de poche qu'il avait négligé d'emporter, et la rage lui crispait les mâchoires.

Vingt minutes passèrent. Il dut finalement se rendre à l'évidence : on n'y voyait plus rien. Alors, il se mit à scruter l'obscurité à la recherche d'un rocher à l'abri duquel il pourrait allumer un feu. C'était la seule façon de survivre jusqu'au lever du jour. Et soudain il réalisa que Bof, assis devant lui, poussait des halètements étranges, qu'il ne lui avait jamais entendus.

Il s'accroupit devant le chien, enleva un de ses gants et posa la main sur son flanc. Il était glacé et parcouru de tressaillements.

Bof était en train de mourir de froid.

— Reste ici, lui ordonna-t- il d'une voix dure, presque sauvage, je reviens tout de suite ! Ne bouge pas, tu m'entends ?

Presque aussitôt, il arriva en face d'une sorte d'encoignure rocheuse ; par une chance inouïe, elle était encombrée d'un amoncellement de vieilles branches qu'il suffisait de débarrasser de la neige qui les recouvrait pour en alimenter un feu.

Il courut retrouver son chien, qui l'attendait sans bouger, le prit dans ses bras et revint au rocher. C'est avec frénésie qu'il travaillait à présent, insoucieux des éraflures qu'il se faisait au visage et guidé par la seule luminosité de la neige que la tempête avait considérablement réduite. En quelques instants, l'encoignure fut déblayée, les branches secouées, puis brisées en morceaux et, tant bien que mal, il monta un deuxième faisceau de branchages sous l'œil de Bof, immobile et silencieux.

Le vent souffla sa première allumette. Malgré les précautions de Charles, il souffla aussi la deuxième. Il ne lui en restait plus qu'une.

Elle s'éteignit au bout de ses doigts avant d'avoir pu enflammer l'écorce qu'il lui présentait.

Alors, anéanti, il s'assit le dos au rocher, son chien pressé contre lui. La peur, de sa main glacée, avait recommencé à lui broyer le cœur. S'il tenait Bof contre sa poitrine, c'était autant pour se protéger d'un ennemi invisible et sournois que pour réchauffer son compagnon.

Le souvenir d'un récit de Jack London lui revint à l'esprit – l'histoire d'un trappeur du Yukon mort gelé parce qu'il n'avait pas réussi à allumer un feu. Il y avait loin, bien sûr, des froids implacables du Yukon à ceux de l'hiver québécois, d'autant plus que la tempête venait d'adoucir un peu le temps. Cependant, il savait que, dans les forêts du Québec, on pouvait fort bien mourir de faim ou d'épuisement. Sans feu et sans abri, on risquait l'hypothermie, contre laquelle ses vêtements trop légers ne pouvaient le prémunir.

Pour l'instant, toutefois, malgré ses fesses gelées et les frissons qui lui montaient dans le dos, sa vie n'était pas en danger. Il n'aurait pu en dire autant de son vieux Bof, qui haletait et frissonnait entre ses bras et demeurait silencieux, comme s'il n'avait plus la force de gémir.

S'il ne faisait rien, leurs retrouvailles lui seraient fatales.

Il sortit la boussole de sa poche, souleva le couvercle et, dans la pénombre, observa un moment l'aiguille qui dansait et finit par pointer vers le nord, comme elle le devait. Bon, et après? Il avait là un bien joli instrument, mais encore fallait-il en connaître l'usage. Faute de quoi, il lui était aussi utile qu'un grille-pain.

Un long moment passa ainsi en ruminations accablées. Puis il se rappela tout à coup une remarque entendue il y avait très longtemps au cours du récit de la mort d'un chasseur perdu en forêt, qu'on avait retrouvé à quelques centaines de mètres d'une route. *Ce qui l'avait perdu, c'était d'avoir tourné en rond, comme le font tous ces pauvres affolés. En marchant en ligne droite, il se serait tiré d'affaire.*

Avec sa boussole, il finirait sans doute par apprendre à marcher en ligne droite.

Cependant, un grave problème se posait. Son chien était épuisé. Au bout de trois cents mètres, la pauvre bête s'affaisserait dans la neige pour ne plus se relever.

Alors, Charles eut une idée. Retirant son sac à dos, il réussit à glisser Bof dedans jusqu'à mi-corps puis, ayant accroché le sac à ses épaules, il fit quelques pas.

Le chien était lourd et la marche devenait difficile, mais ça pouvait aller. Il se mit en route, guidé par sa boussole. À tout moment il s'arrêtait afin de vérifier sa direction. La tempête avait commencé à se calmer et il eut l'impression qu'on y voyait un peu mieux, comme si la neige émettait une douce luminescence.

Il s'engagea alors dans une longue montée où les arbres clairsemés rendaient la marche un peu plus facile. Les courroies de son sac lui brûlaient si cruellement les épaules que la sueur lui coulait dans les yeux. De temps à autre, Bof poussait un petit cri, car sa position le faisait souffrir. Mais il demeurait immobile, comme s'il était conscient des efforts héroïques de son maître pour le sauver.

Parvenu au sommet, Charles s'appuya un moment contre un arbre afin de reprendre haleine. Tout le long de la pente abrupte qui dévalait devant lui, ce n'était qu'ombres et confusion, un fouillis de branches, de troncs et d'arbustes parsemé de plaques blanchâtres. Il ne sentait plus les orteils de son pied droit. Et une idée effrayante, insupportable, s'était mise à le torturer : l'idée qu'en se dirigeant vers le nord il allait se perdre à tout jamais dans les solitudes glacées.

La neige avait cessé depuis un moment. Dans le ciel soudain dégagé, la lune venait d'apparaître, croissant pâlot dont la lueur allégeait un peu l'obscurité. Soudain, Charles eut un sursaut. En face de lui, tout en bas, le faible mugissement d'une motoneige venait de se faire entendre. Un moment passa. La tête tournée de côté, il retenait sa respiration pour essayer de bien situer le bruit, qui semblait se rapprocher. C'était une musique ravissante, la plus belle qu'il ait entendue de toute sa vie.

Alors il se mit à crier à pleins poumons et se lança dans la pente aussi vite qu'il put, sans mesure ni précautions, échappa sa boussole, évita de justesse un arbre et finalement tomba de côté en poussant un hurlement de douleur, le pied coincé dans une anfractuosité du sol. Bof avait roulé à quelques pas et demeurait immobile tandis que Charles se tordait en gémissant. Au bout d'un moment, le chien se releva lentement et rampa jusqu'à son maître. Ce dernier, après de longs efforts, réussit à se redresser, puis essaya de libérer son pied, sans succès. Assis par terre, les genoux relevés, il enleva alors un peu de neige avec sa main et une racine apparut, étau sournois qui emprisonnait sa cheville, dont l'enflure croissante augmentait l'étreinte du piège. Il tira de nouveau sur sa jambe. La douleur lui tarauda le cœur. Il fallait couper cette maudite racine ou mourir sur place. Or, il n'avait ni hache ni couteau.

La désolation l'envahit et il se mit à pleurer. Le destin avait décidé que cette excursion leur serait fatale à tous deux et rien ne l'infléchirait... alors que les secours se trouvaient si près !

Un gémissement lui fit tourner la tête. Bof le fixait, flageolant sur ses pattes, la respiration de plus en plus bruyante, et Charles devina une telle détresse dans son regard, une compassion si impuissante qu'il se remit à pleurer de plus belle. De temps à autre, il s'arrêtait et tendait l'oreille. On n'entendait plus la motoneige. Tout était bien fini. Il ne restait plus qu'à s'appuyer contre l'arbre, son chien sur les cuisses, et à attendre la mort le plus calmement possible, comme le héros de London. Du reste, le froid engourdissait peu à peu sa douleur, qui devenait supportable.

Il pensa à Céline, puis à Lucie et à Fernand, les trois êtres qui lui étaient les plus chers, et essaya d'imaginer leurs réactions à la nouvelle de sa mort, puis celles de Steve et de Blonblon. Est-ce que Steve pleurerait à ses funérailles ? Pour Blonblon, si sensible, il n'y avait pas de doute. Et Céline, après l'avoir longtemps regretté, qui aimerait-elle ensuite ? Finirait-elle par l'oublier ? Sans doute. L'oubli s'attaque à tout, malgré les belles paroles, les albums de photos et les monuments majestueux.

Et soudain la peur revint, lame horrible qui tranchait dans ses viscères et le fit se trémousser comme un électrocuté. Il s'arc-bouta du pied gauche pour tenter de libérer sa jambe et ne s'arrêta qu'au bord de l'évanouissement. Rien à faire. Il était fait comme un rat.

Bof poussa alors un jappement. Charles le regarda, l'œil chaviré, dans un état de confusion qui l'avait plongé comme dans un rêve, puis il s'appuya de nouveau contre l'arbre.

Et soudain tout s'éclaira dans son esprit.

— Oui, Bof! lança-t-il en empoignant le chien. Gruge la racine ! Gruge-la ! En mille miettes ! T'occupe pas de mon pied ! Gruge !

Le chien se lança dessus avec rage. Où avait-il trouvé sa force ? Des fragments de bois jaillissaient partout. Charles, pris d'un rire nerveux, lui tapotait le dos, puis se remettait à pleurer.

Quelques minutes plus tard, il pouvait retirer son pied et se remettait péniblement debout. Il dut arrêter l'animal qui poursuivait avec fureur son travail de destruction, envahi tout à coup par l'incroyable ardeur de ses jeunes années. Charles se dit qu'en s'appuyant sur un quelconque bâton il pourrait marcher, mais il n'était plus question de transporter son chien. Il aperçut une branche, assez grosse, à quelques pas, à demi ensevelie sous la neige. Avançant sur les genoux, il s'en empara. Dans le violent effort qu'il fit pour la dégager, sa tête se tourna un peu vers la gauche, et il poussa un cri.

Un rayon de lune s'était posé sur une surface métallique, un peu plus bas, qui luisait entre deux arbres. Et ce métal était celui d'une toiture ! Il y avait une maison en contrebas, et peut-être aussi des gens. Il était sauvé !

— Vite, Bof ! Viens-t'en, on va aller se réchauffer ! Ah ! tabarnouche de tabarnouche que je suis content ! Ah çà !

Une dizaine de minutes plus tard, ils arrivaient devant un petit chalet à toiture d'aluminium et aux murs de larges planches brutes, rendues grises par le temps. À l'intérieur pas plus qu'à l'extérieur, on ne trouvait trace de présence humaine.

— Y a quelqu'un ? lança Charles à tout hasard en clopinant vers le petit perron enneigé qu'on n'avait apparemment pas déblayé depuis le début de la saison.

Puis il se retourna :

— Allons, Bof, amène-toi ! Notre misère achève !

Le chien se déplaçait avec une telle lenteur que Charles, inquiet, alla le retrouver. Son sauvetage semblait l'avoir vidé de ses dernières forces.

— Écoute, Bof, ce n'est pas le temps de crever juste au moment où on touche au but ! Dans dix minutes, on sera à la chaleur. Viens-t'en, mon vieux !

Il gravit péniblement les trois marches du perron, secoua la porte, puis, d'un coup de poing, brisa un carreau et la déverrouilla de l'intérieur. Bof attendait devant les marches. Il dut le tirer par son collier pour l'aider à monter.

En pénétrant dans le chalet, il sentit une délicieuse tiédeur l'envelopper. Mais elle ne venait que de l'absence de vent. Quelques instants plus tard, le contraste avec l'extérieur avait disparu, remplacé par un froid humide et confiné.

— Merde, on a débranché l'électricité, marmonna-t-il après avoir actionné un commutateur.

Ils se trouvaient dans une petite cuisine tout ce qu'il y avait de modeste. La vue du poêle à bois orné de carreaux de faïence à l'ancienne le réconforta. Clopinant à travers les trois pièces qui constituaient le chalet, il finit par découvrir des chandelles dans une commode, puis un carton d'allumettes sur la boîte à pain et enfin une grande quantité de bûches déjà fendues dans une remise attenante. Un quart d'heure plus tard, le feu rageait dans le poêle, deux chandelles brûlaient sur la table de la cuisine, plantées dans des bouteilles de bière, et Charles avait remplacé le carreau brisé par un morceau de carton. Le réfrigérateur était vide comme le cœur d'un usurier, mais Charles découvrit dans le fond d'une armoire un gros sac d'arachides en écales, déjà visitées par les souris; elles firent un repas succulent. Il avait gardé la nourriture de son chien dans le sac à dos et lui en présenta, mais Bof la refusa. Couché dans un coin, il grelottait toujours, inerte et misérable, la respiration sifflante. Alors Charles, de plus en plus inquiet, l'enveloppa dans une couverture de laine, le coucha sur la table et approcha celle-ci du poêle.

Mais Bof continuait de grelotter.

Quand le chalet fut bien réchauffé et que trois mouches, réveillées par cet été inexplicable, eurent recommencé à voler à travers les pièces en proie à une étrange confusion, Charles enleva tous ses vêtements, se glissa dans un sac de couchage avec son chien et, malgré les élancements de sa cheville, s'endormit en le serrant dans ses bras, comme il le faisait petit garçon avec Simon l'ours blanc.

Quand il se réveilla au petit matin dans le chalet refroidi, Bof, appuyé sur sa poitrine, le regardait d'un œil attentif et qu'on aurait dit bienveillant. Mais il ne respirait plus.

23

Charles dut rester deux semaines à Montréal pour soigner son entorse, compliquée par une grave déchirure de ligaments. Son chagrin assombrit le temps des Fêtes chez le quincaillier, où ce dernier avait exigé qu'il loge jusqu'à sa guérison. Le père Raphaël faisait prendre de ses nouvelles aux deux jours et, après une semaine, il lui téléphona lui-même. Ses propos, remplis de bonté et de compréhension, surprirent Charles, qui en fut touché.

Le prédicateur lui recommanda de consacrer tout le temps nécessaire à sa guérison. On lui gardait sa place. Charles venait de subir une dure épreuve. Qui n'en subit pas ? Elles font partie de l'humaine condition. C'est dans ces moments que l'homme a besoin de l'appui de ses semblables. Le père Raphaël le lui offrait de tout son cœur, en toute humilité. Marcel-Édouard et Maxime lui avaient raconté quel coup terrible avait porté à Charles la mort de son vieux chien, rendue plus cruelle encore par les circonstances dans lesquelles elle s'était produite. Le père Raphaël ne faisait pas partie de ceux qui rient de ce genre de chose ; il en comprenait toute la gravité. Lui-même, enfant, avait eu un chien comme compagnon durant de nombreuses années et, encore aujourd'hui, le souvenir de sa mort lui serrait le cœur. Dans l'âme d'un animal, Dieu met une parcelle d'intelligence et de bonté qu'on doit respecter et chérir comme venant de Lui.

Le prédicateur parla ainsi à Charles durant de longues minutes et finit même par le lasser. Il avait adopté un ton doucereux, quelque peu ridicule. Était-ce sa « voix de téléphone » ? Ou parlait-il sous l'effet d'une réelle émotion ? Pourquoi s'émouvoir ainsi ? Charles n'était ni son fils ni un ami, seulement un employé. Un employé qui ne partageait absolument pas les idées de son patron et ne ressentait pour lui aucune sympathie ; ce dernier le savait depuis le début. Alors, que se passait-il ?

— Je crois qu'il vaut mieux que je te laisse te reposer, s'interrompit soudain le père Raphaël, frappé par le manque de loquacité de son interlocuteur. Je te rappellerai dans quelques jours.

— Merci, répondit simplement Charles.

Et il retourna dans sa chambre se plonger de nouveau dans ses tristes rêveries. C'est là que, depuis son retour, on le retrouvait le plus souvent, étendu sur son lit, en train de revivre sa malheureuse excursion avec Bof. Il ne se pardonnait pas d'avoir entraîné son vieux chien dans la forêt en plein hiver ; il ne se pardonnait pas d'avoir négligé d'emporter la lampe de poche et davantage d'allumettes ; il ne se pardonnait pas non plus ses maladresses de campeur inexpérimenté et se demandait encore et encore si, après leur arrivée au chalet, un bain très chaud n'aurait pas pu sauver son compagnon. Il le revoyait, couché sur la table, emmitouflé dans sa couverture, son regard suppliant posé sur lui, en train de grelotter devant le poêle chauffé au rouge qui émettait des bruits sourds. « Et si, tout simplement, je l'avais emmené dès le début de mes tournées avec le vieux schnoque, comme j'avais de toute façon l'intention de le faire en retournant travailler, eh bien, mon vieux Bof me tiendrait encore compagnie. »

Blonblon et Steve venaient le voir de temps à autre pour tenter de le réconforter, stupéfaits qu'on puisse ressentir tant de chagrin pour la mort d'un simple chien (réflexion qu'ils n'auraient jamais osé tenir à voix haute devant lui !) ; seule Céline arrivait parfois, à force de câlineries, à le tirer de sa léthargie et à le faire sourire. Lucie et Fernand, étonnés eux aussi par la profondeur de son chagrin, croyaient qu'il y avait autre chose là-dessous – peut-être une sombre histoire relative à ce prédicateur itinérant qui vendait de l'éternité à gros prix. Un soir, le quincaillier, n'en pouvant plus, entra dans la chambre de son fils adoptif et lui posa la question toute crue.

— Allons donc, répondit Charles avec une grimace dédaigneuse, où est-ce que tu vas chercher ça ?

Parfait Michaud, alerté par Fernand, vint le voir un après-midi et essaya longuement de convaincre Charles que Bof n'aurait pu avoir un meilleur maître que lui et que, de toute façon, il était arrivé au bout de son âge.

— Des phrases de salon funéraire, répondit Charles avec un ricanement.

Le notaire le regarda un moment, secouant la tête avec tristesse, puis :

— Charles, je ne sais pas si on peut mourir heureux, mais dis-toi bien une chose : Bof a connu la plus belle fin qu'un chien puisse connaître. Après t'avoir sauvé la vie, il est mort près de toi – près de la personne qu'il aimait le plus au monde. J'espère que cette idée te consolera un peu. Il y a des humains qui meurent d'une façon tellement plus misérable!

Charles le regarda froidement :

— Ça ne me console pas beaucoup.

Puis il ajouta :

— Le pharmacien Lalancette disait parfois : « Le mal des autres ne guérit pas le tien. »

— Peut-être pas, fit Parfait Michaud, dont les narines se pincèrent légèrement, mais, en tout cas, il permet parfois d'accepter un peu mieux son sort en le comparant à celui de plus malheureux que soi. Mais laissons ça, Charles. Je ne suis pas venu ici pour te sermonner, mais pour t'aider à retrouver ton beau sourire. Je t'ai apporté un cadeau. Eh oui. C'est comme ça. Je n'ai pu m'en empêcher, vois-tu... Avec ta permission, je vais contrevenir aux usages et le déballer moi-même, parce que je veux... comment dire, l'utiliser devant toi.

Il fouilla dans la poche de son manteau, qu'il avait posé près de lui sur le canapé, et en sortit un petit paquet enveloppé dans un papier à motifs de bonshommes de neige à haut-de-forme rouge, restant d'emballage de Noël inutilisé, qu'il défit avec soin, pour en sortir un livre à la couverture lustrée et ornée d'un dessin qui représentait un guerrier antique armé d'une épée et d'un bouclier de bronze.

— C'est *L'Odyssée* d'Homère, Charles, un des textes fondateurs de notre civilisation, et passionnant en plus, une fois qu'on s'est adapté au contexte de l'époque. Tu ne l'avais pas lu, n'est-ce pas ? C'est ce que je pensais. Permets-moi, Charles, de te lire un extrait du chant XVII. Tu permets ?

— Vas-y, vas-y, fit Charles, intrigué, avec un début de sourire.

— Nous sommes vers la fin de l'histoire. Ulysse, après vingt années d'aventures, rentre chez lui incognito à Ithaque.

Il vient de rencontrer le porcher Eumée, qui ne l'a pas reconnu, naturellement.

Et ils se parlaient ainsi, et un chien, qui était couché là, leva la tête et dressa les oreilles. C'était Argos, le chien du malheureux Ulysse qui l'avait nourri lui-même autrefois, et qui n'avait pu en profiter, entraîné vers Troie par le destin. Les jeunes hommes l'avaient autrefois conduit à la chasse des chèvres sauvages, des cerfs et des lièvres; et, maintenant, accablé de vieillesse, en l'absence de son maître, il gisait, délaissé, sur l'amas de fumier de mulets et de bœufs qu'on avait laissé devant la porte de la cour jusqu'à ce que les serviteurs d'Ulysse vinssent l'enlever pour engraisser son grand verger. Et Argos gisait là, rongé de vermine. Et, aussitôt, il reconnut Ulysse qui approchait; il veut se traîner jusqu'au pied de son maître; mais les forces lui manquent; rempli de joie, il agite la queue et dresse les oreilles.

Ulysse l'observe; ses yeux se noient de larmes; il tourne la tête et les essuie promptement pour les cacher au porcher, qui ne voit rien. Puis, s'adressant à lui :

« Eumée, voici une chose prodigieuse. Ce chien gisant sur le fumier a un beau corps. Je ne sais si, avec cette beauté, il a été rapide à la course ou si c'est un de ces chiens que les hommes nourrissent à leur table et que les rois élèvent pour leur plaisir. »

Et le porcher Eumée lui répondit :

« C'est le chien d'un homme mort au loin. S'il était encore, par les formes et les qualités, tel qu'Ulysse le laissa en allant à Troie, tu admirerais sa rapidité et sa force. Aucune bête fauve qu'il avait aperçue ne lui échappait dans les profondeurs des bois, et il était doué d'un flair excellent. Maintenant les maux l'accablent. Son maître est mort loin de sa patrie, et les servantes ne le soignent point et le laissent périr. Ainsi sont les esclaves : dès que le maître relâche sa poigne, ils deviennent négligents et paresseux. Quand Jupiter à la voix retentissante soumet l'homme à la servitude, il lui enlève la moitié de sa valeur. »

> Ayant ainsi parlé, il entra dans la riche demeure qu'il traversa pour se rendre au milieu des amants de Pénélope. Mais la noire mort avait obscurci les yeux d'Argos qui venait de revoir son maître adoré après vingt ans.

À quelques reprises, vaincu par l'émotion, le notaire avait dû interrompre sa lecture. Quand il eut terminé, il déposa le livre sur ses genoux et pendant un moment ni lui ni Charles ne dirent un mot. Immobile au milieu du corridor, Céline, la respiration suspendue, attendait, toute frémissante, la suite de la conversation.

— Vois-tu, Charles, reprit Parfait Michaud après s'être éclairci la voix, Argos, même s'il a connu une belle fin, a été beaucoup moins chanceux que Bof. Il est mort de joie après vingt ans d'une vie inutile sur un tas de fumier, tandis que Bof... enfin... tu sais tout ça mieux que moi... Tiens, poursuivit le notaire en se levant et lui tendant l'exemplaire. Bonne lecture. *L'Odyssée* est un grand livre... Après trois mille ans, il continue de nous apprendre des choses sur la vie.

Charles, sans un mot et les yeux pleins de larmes, se leva et serra Parfait Michaud dans ses bras, un geste qui faillit faire connaître au notaire soufflé de joie le sort du pauvre Argos.

Tous les deux jours, Charles, conduit par Lucie, allait suivre ses traitements de physiothérapie à l'hôpital Maisonneuve-Rosemont. Mais, un après-midi, il lui annonça que son état s'était suffisamment amélioré pour qu'il s'y rende par ses propres moyens.

— Comme ça, tu pourras rester à la quincaillerie et Fernand n'aura pas à se démener comme un fou.

Son traitement débutait à trois heures. Quarante minutes plus tard, les traits un peu tirés, il se glissait de nouveau dans l'auto, sa béquille jetée sur le siège arrière, et quittait le stationnement de l'hôpital. Mais plutôt que de retourner chez Fernand, il se rendit à la Villa Frontenac, le restaurant aux célèbres sandwichs de bœuf fumé, et y passa un long moment à boire du café en parcourant *La Presse*. Puis, vers dix-sept heures trente, après avoir consulté sa montre, il quitta l'établissement et se rendit en auto rue Lalonde, à deux pas de chez Fernand. Il connaissait l'endroit de longue date : c'était son ancienne garderie, occupée maintenant par un fabricant de meubles. Il n'y avait pas mis les pieds depuis bien longtemps et constata avec satisfaction que l'immeuble semblait désert. L'atelier avait sans doute fermé ses portes pour le temps des Fêtes.

Appuyé sur sa béquille, il réussit sans trop de peine à ouvrir la barrière qui donnait accès à la cour arrière et aperçut avec soulagement le merisier, à présent cruellement mutilé, au pied duquel il avait enterré enfant le petit chien jaune. Il s'en approcha, clopin-clopant.

C'était devant ce pauvre merisier que Céline l'avait rejoint trois ans plus tôt pour l'empêcher de commettre une folie. C'était là, au fond, qu'avaient commencé leurs amours. Mais, avant tout, c'était là que dormait le petit chien jaune, son ami de toujours, qu'il avait pourtant si peu connu et qui, tout mort qu'il était, lui avait apporté du réconfort comme bien peu d'êtres humains avaient pu le faire.

Il venait le voir pour lui parler de Bof.

Une caisse de bois, vidée de son contenu, traînait devant une remise de tôle. Il réussit à la transporter d'une main jusqu'au pied de l'arbre et s'assit dessus. L'envie de griller une cigarette le prit. Il se retint. Fumer devant le petit chien jaune aurait été un manque de respect. Dans la lumière du jour déclinant, il se mit à examiner les lieux. Son ancienne cour de garderie avait bien enlaidi. Montréal tout entier enlaidissait. La vie aussi.

Il régnait une sorte de silence fade, le silence d'une grosse ville à demi somnolente sous l'hiver, interrompu de temps à autre par le ronflement d'une auto ou le grondement d'un camion. Des bouffées de vent humide amenaient des odeurs de fumée, puis des arômes de viande grillée. Charles ressentait une légère nausée, venue sans doute de sa tristesse, une tristesse visqueuse dont il n'arrivait pas à se libérer.

Son regard se posa sur l'emplacement où il croyait se rappeler avoir enterré le chien. Un léger renflement couvert de neige, c'était tout. Peut-être se trompait-il ? Cela faisait si longtemps !

Ah ! s'il s'était montré aussi vigilant et têtu avec Bof qu'il l'avait été à trois ans avec le petit chien jaune… Mais pourquoi rabâcher toujours les mêmes pensées ? Comment arrêter ce maudit moulin à regrets qui ne cessait de tourner en lui et l'empoisonnait lentement ? Qui pouvait l'aider ? Personne. Même l'histoire d'Argos, contrairement à ce qu'avait espéré le notaire, n'avait fait qu'aviver son chagrin. Allait-il perdre la boule pour une histoire de chien ? C'était devenir doublement fou !

Il enleva le gant de sa main droite, se pencha et se mit à caresser le petit renflement enneigé à quelques centimètres de ses pieds. « Mon pauvre chien, est-ce que tu te souviens encore de moi ? Te rappelles-tu tous les efforts que j'avais faits pour te sauver du froid ? Eh bien ! je viens encore de manquer mon coup… Mon chien Bof est mort, je l'ai enterré dans la cour de Fernand, de peine et de misère, car la terre était gelée… Il faut maintenant que j'essaie de l'oublier un peu, mais je n'y arrive pas… Qu'est-ce que je vais faire ? »

Il sentit alors comme une tiédeur monter de la terre qu'il avait déblayée de sa main nue et entendit *dans sa tête*, mais avec une clarté et une précision stupéfiantes, un aboiement joyeux, unique, entendu mille fois, l'aboiement de Bof, qui, de l'Autre Monde où il se trouvait, lui annonçait avec allégresse qu'il était bien, que tout était bien et qu'il fallait continuer à vivre.

Charles resta longtemps assis sur sa caisse de bois, brassant toutes sortes de pensées, insensible à l'humidité qui descendait avec la fin du jour, jusqu'à ce que le froid le pousse à partir.

Durant le souper, Lucie lui trouva meilleure mine et se réjouit de le voir manger enfin avec appétit. Il taquina Henri sur son début d'embonpoint. Fernand, avec une histoire de client cinglé, le fit rire aux éclats. Dans la soirée, il annonça qu'il retournerait le lendemain à son appartement, car sa cheville lui permettait à présent de se déplacer d'une façon presque normale.

Une autre raison le poussait à rentrer chez lui, mais il se garda bien de l'invoquer. C'était que, malgré l'ouverture d'esprit (laborieusement acquise) de ses parents adoptifs en matière sexuelle, Céline et lui-même s'y sentiraient infiniment plus à l'aise qu'à la maison pour faire l'amour.

24

Charles était de retour au travail depuis cinq semaines. Il avait rejoint le père Raphaël et ses deux assistants à Granby, où la petite équipe préparait une grande assemblée dans une salle de ventes à l'encan. Le prédicateur et ses deux assistants logeaient depuis quelques jours à l'hôtel Le Grandbyen, rue Principale. Charles était arrivé au milieu de la matinée et avait aussitôt téléphoné à la chambre du prédicateur. L'accueil que lui fit ce dernier l'étonna au plus haut point.

Le père Raphaël était seul et paraissait amaigri, nerveux et fatigué, quoique d'excellente humeur. Il s'informa longuement de la santé de Charles et insista pour que celui-ci lui raconte en détail la malheureuse excursion qui avait entraîné la mort de Bof, ce qu'il ne fit qu'avec beaucoup de réticences, car cela le bouleversait. Le religieux l'écouta avec la plus grande attention en hochant la tête d'un air navré, puis, lorsque le jeune homme eut terminé :

— Dieu nous envoie parfois Ses messages d'une façon bien cruelle, soupira-t-il, si je peux me permettre de qualifier ainsi Ses volontés. Encore faut-il être capable de les comprendre ! Peut-être veut-Il t'aider à te détacher de certaines choses, Charles ?

Celui-ci eut un sourire sarcastique :

— J'aurais préféré qu'il le fasse tout en permettant que mon chien connaisse une mort moins stupide.

Le père Raphaël continuait de hocher la tête, pensif. Puis, changeant tout à coup d'expression, il lui proposa de goûter à une bouteille de vin qu'on venait de lui offrir. Charles, étonné, refusa. Alors le prédicateur sortit la bouteille d'une armoire et se versa un verre, qu'il huma, les yeux plissés de gourmandise, avant d'en prendre une gorgée :

— Il est bon de s'offrir de temps à autre de petites douceurs, dit-il en souriant, cela améliore l'humeur et rend plus charitable.

Il prit une seconde gorgée, claqua la langue d'un air satisfait, puis le cours de ses pensées se modifia de nouveau. Posant sur Charles un regard chargé d'émotion et de gravité :

— J'ai beaucoup pensé à toi ces derniers temps, Charles. J'étais presque sûr que tu ne reviendrais pas. Eh oui... Cela me peinait beaucoup, car je te considère comme un être exceptionnel.

Le jeune homme, gêné, sentit la rougeur envahir son visage. Est-ce que le prédicateur était en train de lui faire la cour ?

— Où sont Maxime et Marcel-Édouard ? demanda-t-il pour changer de sujet.

— Marcel-Édouard vient de partir pour aller discuter des derniers arrangements avec le propriétaire de la salle où nous tiendrons notre assemblée demain soir. Quant à Maxime, je l'ai envoyé faire une course il y a deux heures et, comme d'habitude, il en a profité pour s'épivarder. Mais je vois que je t'ai mis mal à l'aise, poursuivit-il en riant. Je ne voudrais pas que tu te méprennes sur le sens de ma remarque, quand même ! Nous sommes *tous* exceptionnels aux yeux de Dieu, car Il nous a voulus uniques et irremplaçables. Mais certains êtres, de par Sa volonté, ont été plus richement dotés que d'autres. Tu en fais partie. Compte-toi chanceux. Tu vas d'ailleurs me permettre à présent de profiter de ces dons pour t'envoyer en renfort à Marcel-Édouard, que j'aurais sans doute dû accompagner, car le propriétaire de cette fameuse salle est un homme difficile, grand faiseur de complications. Mais ton charme et ton habileté vont tout arranger. Voici l'adresse. Tu prendras un taxi.

Il lui décrivit rapidement le problème qui se posait, lui donna ses instructions avec beaucoup de fermeté et Charles quitta la chambre, de plus en plus étonné par ce bizarre entretien au cours duquel il avait eu l'impression de parler à deux ou trois personnes différentes.

Les jours qui suivirent confirmèrent le profond changement du prédicateur à son égard. À quelques reprises, il invita Charles pour un repas en tête à tête dans sa chambre, ce qu'il n'avait jamais fait jusque-là. Son invité constata que le religieux était un grand amateur de bonne chère – qu'il savait se procurer peu importe où il se trouvait – et un fin connaisseur en vins. Charles n'en consommait en sa présence qu'avec beaucoup de modération, sans que l'autre, d'ailleurs, insiste. De plus en plus, il semblait à Charles que toute l'attention du prédicateur était désormais tournée vers lui, Maxime et Marcel-Édouard ayant été relégués dans l'ombre. Chose étrange, ces derniers n'en ressentaient apparemment aucune jalousie et montraient même à l'occasion une sorte d'amusement narquois, que Charles n'arrivait pas à s'expliquer.

Dans ses rapports avec lui, le père Raphaël adoptait parfois, l'espace d'un instant, des manières tendres, presque caressantes, mais il y mettait une distinction si aristocratique – avec cet air de quant-à-soi ironique qui donne aux autres l'impression qu'on s'amuse à feindre des sentiments – que Charles y voyait comme l'expression d'un savoir-vivre supérieur, appartenant à une autre époque, et que seule l'habitude de la vulgarité moderne faisait paraître un peu étrange.

Mais il était sur ses gardes, sans pouvoir préciser les raisons de sa méfiance. Il avait entendu parler comme tout le monde du fameux prédicateur D*** convaincu de pédophilie quelques années plus tôt et qui, après avoir purgé sa peine d'emprisonnement, avait dû se transformer en courant d'air et travaillait probablement quelque part comme pompiste ou chauffeur de taxi en soupirant après son opulente et voluptueuse vie d'antan. Mais rien dans le comportement du père Raphaël ne ressemblait aux agissements grossiers du coquin, décrits avec tant de minutie dans les journaux. Du reste, Charles n'était plus un enfant et n'avait qu'à garder l'œil ouvert.

Bien que l'idée lui parût ridicule, il décida de dormir désormais avec un couteau sous son oreiller. Puis il pensa démissionner, mais le joli magot que son salaire lui permettait d'accumuler lui faisait reporter sa décision de semaine en semaine.

Les deux assemblées de Granby avaient connu un succès phénoménal.

À la suggestion de Marcel-Édouard, toujours fertile en idées nouvelles, on avait décidé de « travailler » la salle par le témoignage d'un musicien que le père Raphaël avait déjà engagé à plusieurs reprises, car il admirait son talent. Après une petite introduction musicale (piano électrique, batterie, saxophone et guitare), l'homme, le visage en larmes et s'accompagnant au clavier, avait raconté l'histoire bouleversante de son naufrage dans la drogue, puis celle de son sauvetage grâce à Jésus, et avait terminé son numéro en rapportant les confidences, plus bouleversantes encore, que venaient de lui faire deux jeunes suicidaires égarés dans le péché et qui cherchaient encore péniblement le chemin de la rédemption.

On avait joué ensuite avec beaucoup d'émotion *Dieu te trouvera dans les ténèbres*, puis le père Raphaël était apparu et s'était lancé dans son sermon, soulevé par une éloquence encore jamais vue ; sa voix grave et déchirante avait des accents de violoncelle et donna des frissons même à Charles, qui en avait pourtant vu bien d'autres ; le prédicateur avait amené la salle au délire et n'avait pu quitter les lieux que vers minuit, retenu par la foule survoltée qui refusait de le laisser partir. Épuisé, le visage en sueur, il avait serré des mains, donné des bénédictions, s'était laissé toucher et palper, avait écouté patiemment les confidences et les secrets de chacun, et prodigué ses conseils au tout-venant. Il avait pris dans ses bras un enfant arriéré et lui avait glissé quelques mots à l'oreille, auxquels celui-ci avait réagi en souriant – « pour la première fois de sa vie ! », avait lancé sa mère dans un grand état de jubilation. Les résultats de la quête avaient dépassé toutes les espérances et couronné une soirée magnifique.

Cependant, un passage du long sermon clamé par le prédicateur avait laissé à Charles une impression étrange.

— Dieu, mes frères, ne fait pas de dons inutiles, avait déclaré le père Raphaël en levant lentement ses bras au-dessus de la foule silencieuse et recueillie. L'intelligence, la jeunesse et la beauté apportent avec elles des responsabilités, imposent des devoirs : ne l'oubliez pas ! Plus on a reçu, plus on doit donner ; plus on est heureux, plus on doit se consacrer au bonheur des autres. C'est une loi divine, la loi de l'Amour ! Sans amour, l'homme devient une loque, mes frères, il se décourage et finit par tout abandonner. L'amour ne calcule pas, ne compare pas, ne juge pas. L'amour transcende les sexes, méprise les préjugés, se tient au-dessus des coutumes, des traditions et des usages et obéit à sa seule vocation : se donner ! Rappelez-vous, mes frères et mes sœurs, les paroles du Saint Prophète : « Mon amour est si grand que je ne vois plus ni hommes ni femmes, ni jeunes ni vieux, ni riches ni pauvres, je ne vois en tous que les créatures de Dieu », de ce Dieu tout-puissant, mes frères, rempli d'une si grande bonté qu'Il ne pense qu'à notre bonheur. N'oubliez pas, oh ! n'oubliez surtout pas que si Dieu nous a donné une enveloppe charnelle, c'est dans le seul but de nous permettre de manifester notre amour les uns aux autres. Mais il a fait bien davantage : en accordant à l'homme le libre arbitre, Il l'a associé à Ses volontés. C'est par son libre arbitre que l'homme peut voir ce qui est bon pour lui et bon pour son prochain. Animé par la grâce de Dieu, il crée alors ses règles et fait ses choix. Aussi n'y a-t-il pas, mes frères et mes sœurs, *une* façon de faire le bien, mais des *millions*, et chacun doit découvrir celles qui lui conviennent. Cependant, mes très chers amis, tout au long de l'histoire, des hommes à l'esprit fermé et dominateur ont cherché – et souvent réussi, hélas ! – à restreindre ces multiples possibilités de faire le bien par l'imposition de fausses règles, inventions funestes et pleines d'obscurité, soi-disant inspirées par la Bible, mais qui nient son véritable esprit. Gardez-vous d'écouter ces hommes, mes frères, et n'écoutez que votre cœur illuminé par la grâce de Dieu. Soyez libres, mes frères et mes sœurs, de la liberté des enfants de Dieu, et laissez l'amour envahir vos vies en vous moquant de ces règles fausses et néfastes. Ne pensez qu'à votre bonheur et à celui des autres, selon la volonté de Dieu !

Que pouvaient bien signifier ces propos fumeux, qu'il lui entendait dire pour la première fois et dans lesquels on aurait pu voir une incitation à l'immoralité la plus complète ? Il fit part de ses interrogations à Maxime et à Marcel-Édouard, qui n'eurent pour toute réponse qu'un sourire dédaigneux.

Cela déplut à Charles et l'inquiéta ; il décida d'entreprendre des démarches pour trouver un autre emploi.

◆

Le lendemain de la deuxième assemblée de Granby, le père Raphaël et ses assistants partirent pour La Tuque. Un *pionnier* venait d'ouvrir une église dans la petite ville de la Mauricie et les fidèles attendaient avec impatience la visite du prédicateur, qu'on leur avait décrit comme la quasi-réincarnation du Christ.

À leur arrivée, ils se rendirent aussitôt chez ce pasteur, qui habitait une grande maison de bois déglinguée aux limites de la ville. C'était un petit homme dans la trentaine du nom de Robert Brodeur, avec de grands yeux bleus et humides à l'expression naïve, l'air constamment absorbé par quelque pensée, comme s'il n'arrivait pas à se détacher de la mission que Dieu lui avait confiée. Il avait déjà rencontré à plusieurs reprises le père Raphaël et lui vouait une admiration béate.

Le thé fut servi et l'on discuta de la santé spirituelle de la communauté latuquoise, qui laissait, semblait-il, beaucoup à désirer. La ville avait connu pourtant des jours de ferveur trente ans plus tôt lorsqu'un certain abbé Côté, sur les ordres de l'évêché, était venu exorciser deux jeunes filles, les sœurs Labrosse, possédées du démon ; l'une avait été vue deux fois en train de danser dans le vide devant le balcon de la maison paternelle ; on avait dû hospitaliser l'autre, tombée en catalepsie, pour s'apercevoir qu'elle lévitait au-dessus de son lit, ce qui avait nécessité qu'on l'y attache avec de solides courroies. Personne n'osait plus les approcher.

Après neuf jours de jeûne, d'autoflagellation et de prières en public, l'abbé Côté avait réussi à faire fuir le Malin. Mais ce dernier n'était pas parti sans faire souffrir ses victimes, qui avaient été saisies de violentes convulsions, se roulant par terre et grinçant des dents de façon si effroyable qu'il avait été nécessaire par la suite de les pourvoir de dentiers.

Le jour de son départ, on avait organisé en l'honneur du saint prêtre une fête grandiose au *Community Club*, devenu plus tard la Salle des Chevaliers de Colomb, et longtemps on avait parlé dans la ville de ces neuf jours épiques de combat contre l'Esprit du Mal. Un notaire à la retraite avait même rédigé une brochure pour relater ces événements aussi extraordinaires qu'édifiants. Mais le temps avait fait son œuvre, les souvenirs s'étaient affadis et dilués, l'indifférence avait repris le dessus et presque aucun Latuquois à présent ne parlait des sœurs Labrosse qui, du reste, avaient quitté la ville le lendemain de leur délivrance.

L'état moral de La Tuque ressemblait, hélas, à celui de bien des villes du Québec : la bière, la télévision, le vidéo-poker, les films pornos et les tirages de Loto-Québec l'emportaient largement sur les prières et l'attente du Jugement dernier.

— J'en viens parfois à souhaiter, soupira le pasteur Brodeur en déposant délicatement sa tasse de thé, que Satan s'empare de nouveau d'un ou deux fidèles.

— Nous allons essayer de corriger cette situation, répondit le père Raphaël avec un air de grande assurance.

Il envoya Charles rencontrer les journalistes de *L'Écho de La Tuque* et des postes de radio et de télé communautaires, tandis que Maxime et Marcel-Édouard prenaient contact avec les trois musiciens que le pasteur Brodeur avait recrutés pour l'assemblée du surlendemain, qui devait avoir lieu, pour des raisons de commodité, à la Salle des Chevaliers de Colomb, l'église éprouvant des problèmes de chauffage.

Charles, malgré son éloquence et le déploiement de tous ses charmes, ne réussit pas à convaincre la responsable de la radio communautaire de l'intérêt qu'il y avait à inviter le père Raphaël au micro, mais reçut, par contre, un accueil enthousiaste de la part de Maurice Morris, journaliste à *L'Écho de La Tuque* qui, pris de sympathie pour lui, accepta volontiers d'interviewer son patron le lendemain matin, puis invita Charles à prendre un verre dans un bar. L'individu était à peine plus âgé que Charles, d'un naturel joyeux mais de mœurs un peu délabrées, aimant le disco, la bière, les magazines de sexe et les jolies filles, avec lesquelles il connaissait un certain succès malgré une acné un peu voyante; mais un cruel souci le tourmentait: sa faiblesse en orthographe, qui lui valait les engueulades de son patron assorties de menaces de cours de rattrapage.

Pour des raisons difficiles à définir, il trouvait Charles *super*. Charles, par politesse, l'assura qu'il le trouvait *super* aussi et les deux jeunes gens décidèrent de fêter leur rencontre par quelques bonnes bouteilles de bière, qu'ils vidèrent en se racontant des histoires comiques.

— Dis donc, s'informa Charles, Félix Leclerc est bien né à La Tuque, non?

— Oui, mon *chum*.

— J'aimerais bien voir la maison où il est né.

— On l'a démolie depuis longtemps, répondit Maurice – ou elle est passée au feu, je ne sais plus. De toute façon, y avait rien de plus ordinaire.

Mais, devant la déception de Charles, il voulut montrer que la ville possédait quand même une certaine conscience historique et l'amena, rue Saint-Joseph, devant un panneau planté au bord d'un terrain vague pour rappeler l'existence d'un couvent (également démoli) dirigé par les Sœurs de l'Assomption qui, affirmait-on,

AVAIENT ASSURÉ 67 ANNÉES DE
BALBUTIEMENTS SCOLAIRES ET
ARTISTIQUES À LA COMMUNAUTÉ
LATUQUOISE

Charles manifesta un vif intérêt pour l'inscription et décida même de la noter dans un calepin, ce qui flatta son compagnon au plus haut point. Mais cette petite promenade dans l'air glacé avait incroyablement asséché le gosier du journaliste de *L'Écho* et il fallut retourner au bar afin de prendre des mesures correctrices. Cette fois, déposant sa carte de crédit avec autorité sur la table, Maurice annonça qu'il prenait la soirée à sa charge.

Aussi Charles ne se présenta-t-il qu'assez tard au motel de la Rivière, où le père Raphaël, refusant l'hospitalité du pasteur, avait décidé qu'ils se logeraient, lui et ses assistants. Il était fatigué et sa petite fête lui avait un peu barbouillé l'estomac ; après avoir causé une quinzaine de minutes au téléphone avec Céline, il décida de se coucher sans manger et s'endormit aussitôt.

Soudain, des coups à la porte de sa chambre le réveillèrent en sursaut. Il consulta sa montre : elle marquait deux heures du matin.

— Qui est là ? demanda-t-il, un peu effrayé.

— C'est moi, répondit Maxime. Le père Raphaël veut te voir.

— En pleine nuit ? s'étonna Charles.

— En pleine nuit. Lève-toi. Il t'attend.

À demi réveillé et la tête encore pleine d'un rêve confus, Charles s'habilla et sortit. La chambre du père Raphaël se trouvait à une dizaine de portes de la sienne. Maxime, malgré le froid de la nuit, l'attendait dehors, les mains dans les poches, un singulier sourire aux lèvres.

— Veux-tu bien me dire ce qu'il lui prend ? demanda Charles avec humeur.

— Il te le dira lui-même.

Charles saisit son compagnon par le bras :

— Tu le sais, toi. Dis-le-moi. Dis-le-moi, ou je n'y vais pas.

Maxime hésita, puis, le regardant avec un air de profond mépris :

— Pas possible... Tu ne devines rien, niaiseux? Tu ne t'es aperçu de rien ? Je n'en reviens pas... C'est comme si tu te promenais avec une poche sur la tête, ma foi du bon Dieu !

Charles, éberlué, le fixait en silence. Il allait rebrousser chemin lorsque la porte du prédicateur s'ouvrit brusquement, et ce dernier apparut, tout habillé, l'air furieux, et s'avança :

— Qu'est-ce que ce conciliabule ? Charles, viens ici. Je veux te parler. Quant à toi, je me demande bien ce que tu attends.

Le ton était si ferme et impérieux, le regard rempli d'une volonté si ardente que Charles ne sut résister et pénétra dans la chambre, dont la porte se referma derrière lui.

— Assieds-toi, je te prie, fit le prédicateur d'un ton radouci en lui montrant un fauteuil. Il faut que nous ayons un entretien, toi et moi.

Le père Raphaël s'empara d'une chaise devant un petit bureau, l'approcha et prit place devant Charles :

— Excuse-moi de te réveiller en pleine nuit, mais j'avais un besoin si pressant de te parler que je n'arrivais pas à dormir. C'est ainsi parfois. À force de repousser la solution d'un problème, vois-tu, on ne fait que l'empirer et il finit par occcuper toute la place dans notre esprit. J'en étais au point où j'avais du mal à respirer.

— Ça semble aller mieux à présent, remarqua Charles, sarcastique.

— Savais-tu, Charles, répliqua l'autre sans prendre la peine de relever l'impertinence, qu'il y a longtemps que je me fais du souci pour toi? Eh oui... Ne prends pas cet air surpris, je suis sûr que tu t'en doutais; tu es un jeune homme intelligent et très perspicace, j'en ai eu la certitude la première minute où je t'ai vu. Je t'ai lancé quelques messages discrets, mais tu ne sembles pas vouloir les entendre.

— Et quels sont-ils? demanda Charles avec un tremblement dans la voix.

Du coin de l'œil, il vérifia si la porte était déverrouillée, sans pouvoir s'en assurer.

— Pourquoi ce ton moqueur? Il s'agit d'une chose infiniment sérieuse, Charles, beaucoup plus sérieuse que tu ne peux l'imaginer, à cause de ta jeunesse. Il s'agit d'Amour. De l'Amour que Dieu a voulu répandre parmi les hommes, mais qui éprouve tant de difficulté à se faire un chemin jusqu'au fond de leur cœur. Me comprends-tu?

Le jeune homme, avec une moue désinvolte, fit signe que non.

— Charles, poursuivit gravement le religieux, tu es en train de passer à côté de l'Amour... alors que tu as à portée de la main une occasion extraordinaire de le connaître dans toute sa splendeur.

— Eh ben! toute une nouvelle! ricana l'autre.

Il voulut avaler sa salive, mais sa gorge contractée refusa.

— Mon travail, Charles, est âpre, épuisant, reprit le père Raphaël. Voilà quinze ans que je m'y donne tout entier, sans ménager mes forces, au détriment de ma santé, et il y a des moments où je me sens si seul, si faible, que l'idée me vient parfois de tout laisser tomber... Je ne suis qu'un pauvre humain, dépassé par sa mission.

Il s'arrêta, poussa un soupir puis, levant la tête, plongea son regard dans celui du jeune homme :

— Mais une chose, Charles, m'aide à surmonter ces moments de lassitude et de faiblesse : le sentiment que mes modestes efforts aident un peu au progrès du règne de l'Amour ici-bas... Non, non, reste encore un moment, je t'en prie. Je n'en ai que pour une minute ou deux. Après, tu partiras, si tu le veux... Tu te rappelles mon sermon d'il y a deux jours ?

— Hum ! Et comment ! Il m'a même un peu dégoûté.

— Dommage. Tu as dû mal me comprendre, ou je n'ai pas réussi à bien exprimer ma pensée. Je l'avais prononcé en pensant à toi, Charles. Je crois profondément à ce que j'ai dit ce soir-là, je crois que ce sont les hommes, et non Dieu, qui imposent des barrières stupides à l'expression de l'Amour. L'Amour est une chose si belle et si noble qu'il se trouve bien au-dessus de ces petites règles obtuses et bourgeoises, sache-le, car il est Vie et Liberté, de par son essence même. Tu ne me crois pas ? J'espère pouvoir t'en persuader, si ce n'est tout de suite, du moins bientôt... À présent, Charles, je dois te divulguer un secret – ou, peut-être n'en est-ce plus un pour toi... Peut-être certains indices t'ont-ils permis d'apprendre ou de deviner que...

Il s'arrêta, sourit, puis :

— Non ?... Bon. Eh bien, allons-y. Parmi les responsabilités que j'ai confiées à Maxime et à Marcel-Édouard, il en est une dont je n'ai jamais fait explicitement mention. Je crois que le moment est venu pour toi de la connaître. Ton développement spirituel en dépend. Qui cesse de se développer finit par dépérir, ne l'oublions jamais.

Il s'arrêta de nouveau, l'œil fixé sur Charles.

— Et alors ? fit ce dernier. De quoi s'agit-il ?

— J'ai longuement hésité avant de te révéler ce qui va suivre, car, connaissant ton caractère et tes inclinations, je me disais... Mais tu es parvenu à un stade qui rend absolument nécessaire pour toi...

— Dites donc, allez-vous tourner autour du pot toute la nuit ?

Le père Raphaël éclata d'un rire nerveux, puis, posant les mains sur ses genoux :

— Donc, je disais que, parmi les responsabilités que j'ai confiées à Maxime et à Marcel-Édouard, il en est une qui consiste à organiser de temps à autre des fêtes de l'Amour, que nous tenons dans la plus grande discrétion, il va sans dire.

— Je ne comprends toujours pas, lança Charles d'un ton sec.

Mais son expression disait le contraire.

— À ma demande, poursuivit le religieux, comme plongé dans une fiévreuse rêverie, Maxime et Marcel-Édouard, après les avoir soigneusement jaugés, recrutent parmi nos fidèles des jeunes gens – garçons et filles – qu'ils m'amènent afin que nous célébrions tous ensemble les mystères de l'Amour dans le Plaisir de Dieu. Et je dois dire qu'avec les années ils sont devenus de fins chasseurs et des célébrants remplis d'imagination...

Sa main s'avança vers le jeune homme, mais s'arrêta, restant suspendue dans l'air :

— C'est à ces agapes fraternelles que je voudrais t'inviter, Charles, et même... Et même je rêve du jour où, pourquoi pas, après l'avoir soigneusement préparée, tu pourrais initier toi-même ta petite amie à nos célébrations et ainsi lui permettre à elle aussi... Mais c'est sans doute aller un peu trop vite en affaire et...

Il ne put terminer sa phrase.

Charles avait bondi sur ses pieds en poussant un cri étrange, comme une sorte de soupir étranglé. Une colère profonde et très ancienne venait de surgir en lui, aveugle, incontrôlable. Le père Raphaël, surpris, s'était dressé en même temps que lui. Le coup de pied partit, foudroyant, et plongea dans l'aine du prédicateur, qui laissa échapper un gémissement étouffé et se recroquevilla, les mains sur le ventre. Charles continuait de le frapper, à coups de pied, à coups de poing, en bafouillant des injures. Sa victime tomba sur le plancher; une de ses pommettes se fendit et le sang jaillit en une giclée large comme deux doigts, puis une tache rouge apparut dans sa chevelure et se mit à grossir.

Soudain la porte s'ouvrit, Maxime et Marcel-Édouard firent irruption et se jetèrent sur Charles qu'au bout de quelques efforts ils réussirent à immobiliser sur le plancher, tandis que le prédicateur, toujours recroquevillé, continuait de gémir. Marcel-Édouard, qui faisait preuve d'une vigueur surprenante, maintenait Charles à plat ventre, les bras repliés dans le dos, tandis que Maxime s'était assis sur ses jambes et contemplait son patron avec une expression étrangement impassible.

— Qu'est-ce que tu fais? s'exclama son compagnon. Va t'en occuper, voyons, je n'ai pas besoin de toi.

Maxime alla mouiller une serviette d'eau froide et se mit à nettoyer délicatement le visage du père Raphaël qui, silencieux à présent, respirait avec bruit, la tête tournée vers le mur; de temps à autre, les soins de son assistant lui arrachaient une plainte. Le jeune homme quitta bientôt la chambre et revint quelques minutes plus tard avec des pansements.

Charles, toujours à plat ventre, suffoquait sous le poids de son assaillant; son épaule droite l'élançait à le faire pleurer.

— Relâche-moi, j'ai mal, dit-il à Marcel-Édouard.

Ce dernier ne réagit pas.

« Le vieux schnoque va appeler la police, se dit-il, et on va me foutre en taule. Mais je saurai quoi répondre!... J'y suis peut-être allé un peu fort... Après tout, je n'avais qu'à sacrer le camp... Je ne sais pas ce qui m'a pris... Bah! il méritait sa leçon. Vieux cochon! »

Les pansements mis, le père Raphaël, avec l'aide de Maxime, se releva péniblement et s'assit sur le bord de son lit. Pendant un moment, le silence régna dans la chambre. Les deux jeunes gens observaient le prédicateur en train de réfléchir et attendaient ses ordres.

— Il y a un bout de corde dans le coffre de l'auto, dit-il enfin à Maxime d'une voix éteinte. Va le chercher.

— Hé! protesta Charles, alarmé, vous n'avez pas le droit de vous faire justice à vous-même!

— Ta gueule, le con! lança Marcel-Édouard.

Et il lui remonta le bras dans le dos. Charles poussa un cri.

— Attention, Marcel-Édouard, intervint le religieux. Gardons notre calme.

On ligota Charles, en commençant par les pieds. Après quelques vains efforts pour se libérer, il se laissa faire. Puis le père Raphaël eut une conversation à voix basse avec Maxime, qui sortit de nouveau et revint au bout d'une dizaine de minutes.

— Il nous attend, annonça-t-il.

Après l'avoir bâillonné, on transportera Charles jusqu'à l'auto, où on l'étendit sur le siège arrière. Marcel-Édouard s'installa au volant, Maxime à ses côtés, et la voiture démarra. Le père Raphaël n'avait pas quitté sa chambre.

Chose étrange, une pointe d'amusement se mêlait à la frayeur qui remplissait Charles tandis que la Ford filait dans la nuit. Il avait l'impression de jouer dans un film américain de série B, au déroulement si prévisible qu'on peut s'absenter un quart d'heure sans perdre le fil de l'action. Mais il ne jouait pas dans un film. Et il n'avait pas la moindre idée du sort que lui réservait cet hypocrite faiseur de sermons.

Au bout de quelques minutes, l'auto s'arrêta, un claquement de porte retentit tout près et il reconnut la voix du pasteur Brodeur. Cela le soulagea un peu : il était impossible qu'un être aussi inoffensif se fasse complice d'un acte crapuleux.

Les deux assistants tirèrent Charles de la voiture (il se débattit un peu, pour la forme, ce qui lui valut un coup de genou dans les côtes) et le transportèrent vers la maison. Mais plutôt que d'y pénétrer, ils se rendirent à l'arrière jusqu'à une trappe à quarante-cinq degrés, qui couvrait un renfoncement et donnait accès à une cave. Le pasteur souleva la trappe, s'enfonça dans un petit escalier, ouvrit une porte, fit de la lumière et, l'instant d'après, Charles, ballotté comme un vieux tapis, pénétrait la tête la première dans un sous-sol humide en terre battue. On le déposa rudement sur le sol et, après lui avoir lancé un regard indigné, le pasteur éteignit.

— Fais un beau dodo, mon chou, lança Maxime en s'éloignant. T'auras ta leçon demain.

Marcel-Édouard poussa un ricanement, on verrouilla la porte et Charles se retrouva seul, grelottant, ficelé comme un salami, avec une épaule en feu et fort inquiet de cette « leçon » qui l'attendait. Un ronflement de moteur lui indiqua que ses deux compagnons venaient de repartir.

25

Son premier réflexe fut d'essayer de se débarrasser de ses liens. Marcel-Édouard, avant de le quitter, les avait vérifiés et resserrés de son mieux. Un froid glacial régnait dans cette cave qui sentait le mazout et le papier moisi. Charles s'échinait depuis une heure quand il réussit enfin à libérer une de ses mains. Le reste alla tout seul. Marcel-Édouard avait beau avoir de la poigne, ce n'était qu'un amateur.

Charles s'avança dans l'obscurité, l'oreille tendue. La maison était silencieuse. La chambre du pasteur devait se trouver au premier étage et il était sans doute allé se recoucher. Mais peut-être se trouvait-il au rez-de-chaussée, à quelques centimètres au-dessus de sa tête, à l'affût de tout bruit suspect?

Avec mille précautions, Charles s'approcha de la porte et se mit à la tâter. Aucun espoir n'existait de ce côté-là. Il aurait fallu une scie mécanique ou un bélier pour venir à bout de cet assemblage de madriers boulonnés. Alors il scruta l'obscurité à la recherche de soupiraux, mais n'en trouva point. En actionnant le commutateur, qui se trouvait à l'entrée, il en aurait aussitôt eu le cœur net; mais, s'il y en avait, il craignait que la lumière le trahisse. Les mains tendues devant lui, il avançait à petits pas comme un aveugle et fit ainsi le tour de la cave, passant près mille fois de buter contre toutes sortes d'objets. Les murs semblaient couverts de tablettes sur lesquelles s'alignaient des rangées de bocaux, des piles de journaux et différents objets. Alors, de plus en plus perplexe et inquiet, il alla s'asseoir sur un banc qu'il avait repéré dans ses déplacements et essaya de réfléchir. Mais ce n'était pas facile. La peur l'empêchait de se concentrer; ses idées tournoyaient comme de la poussière au vent, puis disparaissaient, comme si les battements de son cœur venaient de les pulvériser.

C'était la deuxième fois en moins de trois mois qu'il se trouvait dans une situation critique. Et soudain il pensa à son vieux Bof. Il le revit en train de s'acharner fiévreusement après la racine, dans un acte ultime de dévouement. C'en était trop. Les larmes lui vinrent aux yeux et son courage l'abandonna. Courbé sur son banc, les épaules affaissées, les jambes comme de la guenille, il songeait avec amertume que, si le vieux chien avait été avec lui, la porte ne lui aurait pas résisté longtemps. Et que, si quelqu'un avait eu le culot d'essayer de l'arrêter, il aurait vite décampé, un morceau de chair en moins. Mais Bof n'était plus là. Il dormait sous la terre gelée dans la cour des Fafard et personne ne pourrait jamais le tirer de son sommeil.

Les heures passaient, Charles claquait des dents et ses idées s'embrouillaient de plus en plus. La seule décision qu'il était parvenu à prendre était de se battre comme un lynx quand on viendrait le chercher. Si un peu de la clarté du jour finissait par pénétrer dans cette maudite cave, peut-être découvrirait-il un objet qui puisse lui servir d'arme. Il regrettait de ne pas être plus robuste et batailleur (et pourtant le père Raphaël avait reçu toute une volée !). À la petite école, c'était toujours Henri qui prenait sa défense, le privant sans le savoir d'un entraînement qui, ce jour-là, lui aurait été bien utile.

Le jour arriva enfin, maigrelet et tout gris, par un soupirail à demi dissimulé derrière une pile de vieux bottins téléphoniques. Il en découvrit un second dans le mur d'en face. Aucun n'était praticable. Les gros barreaux de fer qui les obstruaient étaient solidement enfoncés dans le béton et il aurait fallu un bon outil et beaucoup de temps pour en venir à bout.

Au-dessus de sa tête, le silence régnait toujours, à croire que la maison était vide. Le pasteur avait-il filé durant la nuit pour ne pas être mêlé à un acte compromettant ? Charles, qui n'avait pas dormi une seconde, n'avait pourtant rien entendu.

Qu'était-ce donc que cette « leçon » qu'on voulait lui infliger ? se demanda-t-il pour la centième fois. Dans la plupart de ces fameuses sectes, on ne trouvait d'habitude que des gens inoffensifs. Mais il arrivait que des êtres dangereux surgissent tout à coup, entourés de leurs troupeaux de fidèles aveugles, et donnent libre cours à leurs instincts sadiques, sûrs de pouvoir agir en toute impunité. Le père Raphaël faisait-il partie de ceux-ci ?

Grâce à la pénombre qui régnait à présent dans la cave, Charles pouvait se déplacer facilement. Il s'approcha de nouveau de la porte et l'examina longuement. La serrure de laiton, très robuste, résisterait à tous les assauts. Mais on avait installé un gros verrou à l'intérieur. En le poussant, Charles obligerait ses ennemis à défoncer la porte. Cela leur coûterait pas mal d'efforts. Mais après ?

Il examina de nouveau les soupiraux, secoua rageusement les barres de fer, fouina en vain dans la cave à la recherche d'une arme quelconque, mais ne trouva que du matériel électrique usagé, trois poches de ciment, des morceaux de laine minérale ; il revint s'asseoir sur son banc, plus abattu et angoissé que jamais. Ah ! son accès de colère l'avait mis dans tout un pétrin !

Son regard se promenait machinalement sur les tablettes chargées de bocaux, de vieux bottins et de journaux jaunis, lorsqu'une idée jaillit dans sa tête, une idée folle, saugrenue, une idée à faire japper les crapauds et voler les oiseaux à reculons. Mais c'était peut-être l'idée qui le sauverait.

Il se mit à compter les bottins. Il y en avait une bonne cinquantaine, tous de taille imposante. Quelle manie bizarre avait poussé un pauvre idiot à s'en encombrer ? La même sûrement qui l'avait poussé à conserver ces tas de journaux secs qui tombaient en lambeaux.

Après avoir tiré le verrou, qui perdait toute utilité stratégique, il s'empara d'un bottin, le déposa sur le sol et, à l'aide d'un tesson trouvé dans un coin, se mit à détacher les pages en s'efforçant de faire le moins de bruit possible.

Bientôt, un amoncellement de papier chiffonné commença à s'élever devant lui.

◆

Vers sept heures, le père Raphaël, avec une horrible grimace, se souleva dans son lit, méchant comme un taureau dont on aurait badigeonné le derrière avec de la sauce piquante. Il secoua rudement Marcel-Édouard, couché près de lui et qui, durant la nuit, avait prodigué des soins à ses attributs virils avec toute l'adresse que donne une longue expérience, et l'envoya chercher du café, bien décidé à ne pas quitter sa chambre, car jamais il n'aurait eu le courage de se montrer en public dans l'état où on l'avait mis.

— Et ne m'apporte pas de la lavasse, m'entends-tu? Sinon, tu vas la recevoir par la tête.

Marcel-Édouard se leva en grommelant, le visage fripé, le bout des doigts endolori à force d'avoir manipulé des glaçons, enfila son manteau et sortit. « Vieux sacrament! rouspéta-t-il à voix basse. Où est-ce qu'il pense que je vais trouver du bon café à cette heure-ci? La Tuque, c'est pas l'Italie, tabarnac! »

Aussi n'en trouva-t-il point. Mais, quand il déposa devant son patron un gobelet de styromousse qui contenait le liquide coloré qu'une chaîne américaine vendait sous le nom de café, il lui trouva le visage un peu plus aimable. C'est que le prédicateur, qui s'était vu dans l'obligation d'annuler son assemblée à La Tuque, perdant ainsi une bonne somme d'argent et l'occasion de se faire des adeptes, venait d'avoir une illumination :

à bien y penser, quel thème splendide que ces blessures au visage infligées par un jeune égaré dont Satan avait pris possession ! Cela lui permettrait de se poser en victime, presque en martyr ! Si on présentait l'affaire avec le pathos voulu, les gens pleureraient à chaudes larmes et plongeraient un peu plus profondément la main dans leur poche au moment de la quête.

Il enleva le couvercle de son gobelet, ajouta le sucre et la crème, goûta au liquide et n'exprima sa déception que par une légère grimace. À la troisième gorgée, sa bonne humeur grimpa d'un autre cran : il venait de trouver un raffinement supplémentaire dans le traitement qu'il se promettait de faire subir à Charles.

— Va réveiller Maxime, veux-tu? demanda-t-il d'une voix presque chaleureuse. J'aimerais que vous alliez rendre visite à notre petit ami. Tu lui enlèveras son bâillon et tu lui donneras un peu à boire et à manger. Évitez toute violence. Compris? Même s'il vous agonit d'injures : Brodeur n'est peut-être pas une lumière, mais il a des oreilles comme tout le monde. J'aimerais ensuite que tu viennes me dire dans quel état tu l'as trouvé.

Marcel-Édouard se rendit à la chambre de son compagnon et, le trouvant plongé dans le sommeil, utilisa un moyen aussi infaillible que suprêmement agréable pour le réveiller. Tout alangui, Maxime ne se décidait pas à sortir du lit. Un coup de poing dans le mur, asséné par le père Raphaël, lui insuffla soudain l'énergie nécessaire. Les deux assistants allèrent déjeuner dans un restaurant et, vers huit heures trente, se rendirent à la maison du pasteur Brodeur.

La veille, ce dernier leur avait laissé la clé de la cave. Marcel-Édouard venait à peine d'immobiliser l'auto lorsque le pasteur sortit de la maison et vint à leur rencontre.

— Et alors? demanda Maxime. Comment s'est passée la nuit?

— Je n'ai rien entendu. Évidemment, il ne pouvait pas faire grand bruit.

— Lâcher des pets, peut-être? ricana le jeune homme.

— Tu n'en rates jamais une, toi, remarqua son compagnon avec un haussement d'épaules découragé. Donne-moi la clé.

Le pasteur Brodeur les observait gravement, encore tout émotionné par le récit qu'on lui avait fait de l'agression de Charles contre le père Raphaël.

— À le voir, pourtant, on n'aurait jamais cru ça de lui, s'étonna-t-il encore une fois en soulevant la trappe qui donnait sur l'escalier.

— Il ne faut jamais se fier aux apparences, répondit Marcel-Édouard. C'est ce qu'on m'a toujours dit.

— Et on a raison! Seul Dieu connaît le fond des âmes.

La serrure, après s'être fait un peu prier, émit un déclic sonore et Marcel-Édouard poussa la porte. Pendant une seconde, il demeura immobile, bouche bée. Ses deux compagnons, saisis du même ahurissement, restaient derrière lui sans parler.

Une masse compacte de feuilles froissées emplissait la cave jusqu'au plafond. Pas un bruit n'en sortait.

Marcel-Édouard se mit à réfléchir. Son prisonnier, plus futé qu'il n'aurait cru, se cachait quelque part, sans doute près de la sortie; peut-être était-il armé d'une hache, d'un marteau ou de quelque autre objet. Il fallait l'intimider, sinon l'histoire risquait de tourner au gâchis.

— Hé! le con! lança-t-il, menaçant. Qu'est-ce que tu penses que ça va te donner, ta petite cachette en papier? Amène-toi, et plus vite que ça! Sinon, je vais aller te chercher, moi!

Charles frémit au son de sa voix, mais ne bougea pas. Il fallait les pousser à bout. Ils entreraient alors dans la cave pour tenter de lui mettre la main au collet et c'est alors que tout se jouerait.

— C'est qu'il a détruit tous mes bottins ! se plaignit le pasteur.

— On vous en donnera d'autres, lui répondit durement Marcel-Édouard.

— Il ne manque pas d'idées, notre p'tit Charles, souffla Maxime, admiratif.

— Ta gueule, toi, ordonna Marcel-Édouard, l'œil fixé sur la masse de papier, essayant de déceler le moindre frémissement.

Un long moment passa. La colère gagnait Marcel-Édouard. On le ridiculisait. Il n'allait quand même pas rester là tout l'avant-midi avec ces deux cons derrière lui qui réfléchissaient à voix haute.

Plus il y pensait, plus le sentiment s'affermissait en lui que Charles s'était caché près de la sortie. Il fit signe à Maxime de se préparer à plonger vers la gauche, tandis qu'il se lancerait dans la direction opposée.

À son signal, ils bondirent, mais ne trouvèrent personne. Charles entendit des jurons. Il avait encombré d'obstacles chaque côté de la porte : bancs, chevalets, pots de confitures et même une enclume. Alors, caché près de la fournaise, il tira sur un bout de fil électrique, modeste stratagème à l'aide duquel il espérait obtenir sa liberté, et un bruit sourd retentit au fond de la cave.

— Par ici ! cria Maxime.

Et, dans un grand bruit de froissement, les deux assistants se précipitèrent vers l'endroit d'où provenait le bruit pour découvrir un sac de ciment à demi éventré. Pendant ce temps, Charles rampait à toute vitesse vers la sortie et, tandis que ses adversaires, s'apercevant de leur méprise, hurlaient des jurons, il débouchait à l'air libre, ne trouvant comme tout obstacle que ce petit pasteur ahuri qui essaya timidement de l'intercepter, debout sur une plaque de glace. Charles se rua sur lui, l'étendit dans la neige et se mit à courir de toutes ses forces, espérant pouvoir se rendre jusque chez le premier voisin, où l'on n'oserait pas venir le chercher. Mais il aperçut l'auto, dont le tuyau d'échappement laissait monter une bienheureuse volute de fumée. Il obliqua vers elle, sauta derrière le volant et partit en trombe, la portière encore ouverte. Quelques secondes plus tard, il se trouvait hors d'atteinte.

Il éclata de rire et se mit à chanter :

J'viens de gagner mes épaulettes !
Maluron malurette !

Sa première impulsion fut de filer jusqu'à Montréal. Puis il réalisa qu'en agissant ainsi il commettait un vol, que le père Raphaël lui ferait chèrement payer. Alors, il décida plutôt de se rendre au terminus, d'y abandonner le véhicule et de faire le trajet en autocar. Quelques minutes plus tard, il achetait son billet, puis téléphonait au motel pour laisser au prédicateur un message l'informant de l'endroit où il pourrait récupérer son auto.

Le prochain départ n'avait lieu que dans une heure et demie. Il entra au casse-croûte afin de prendre une bouchée, car il mourait de faim, n'ayant pas mangé depuis midi la veille. Sa peur envolée, une fatigue écrasante venait de l'envahir et, s'il en avait eu le choix, il aurait hésité entre la table et le lit. Tout en dévorant une omelette au fromage, il soulevait de temps à autre sa main gauche et l'examinait avec un petit rictus douloureux : en détachant quelques heures plus tôt les feuilles des bottins avec le tesson, il s'était entaillé profondément la paume ; le sang avait fini par coaguler, mais de cruelles pulsations lui rappelaient qu'il fallait nettoyer et panser la plaie.

Comme il lui restait beaucoup de temps, il décida de se rendre à une pharmacie. On lui en indiqua une, tout près. Planté devant une étagère, il hésitait entre deux désinfectants lorsqu'une voix familière le fit sursauter, le remplissant de joie. Il tourna la tête. Aglaé Mayrand, derrière un comptoir, s'occupait à servir une vieille dame, apparemment dure d'oreille. Il s'approcha, agita la main. Elle l'aperçut, poussa un cri, puis, rougissant de plaisir et de confusion, lui fit signe de l'attendre dans un coin. Deux minutes plus tard, elle venait le trouver, toute frémissante.

— Que fais-tu ici? Ah! je suis tellement contente de te voir!

Il lui raconta sa mésaventure du mieux qu'il put, puis lui montra sa main. Délaissant sa clientèle, elle mit de longues minutes à lui confectionner un pansement, lui fit prendre un antidouleur et des antibiotiques, puis, fouillant dans son sac à main, sortit une clé:

— Va dormir chez moi, mon pauvre Charles, t'as un visage à faire peur. Je finis de travailler en début de soirée.

Puis, avec un sourire suppliant et séducteur qui, pendant une seconde, lui donna l'air d'une starlette sur le retour:

— Est-ce que tu seras là quand j'arriverai?

— Bien sûr, fit-il en souriant et, de sa main valide, il lui caressa discrètement la cuisse.

Charles prolongea son séjour à La Tuque d'une semaine. Aglaé, qui s'était résignée à ne plus jamais le revoir, le bichonnait, le dorlotait, le comblait et l'épuisait; une succession de mets succulents – langoustines, pétoncles, filet mignon, poulet général Tao, bœuf Wellington, gâteau forêt-noire et granité au Grand Marnier – lui fit oublier sa longue nuit de jeûne dans une cave froide. Charles téléphonait tous les soirs à Céline pour prendre de ses nouvelles et lui inventer le récit de sa journée; il lui réservait pour la fin l'annonce de son retour définitif à

Montréal, la reportant de jour en jour, car Aglaé, incapable de lui faire oublier sa petite amie, n'en possédait pas moins des charmes puissants.

Charles portait son infidélité d'une âme légère, la considérant comme un apanage masculin. Il allait bientôt faire l'expérience que, dans les relations amoureuses comme dans d'autres domaines, l'égalité entre les sexes avait fait beaucoup de progrès.

26

Assis dans l'autocar qui le ramenait à Montréal, Charles regardait avec satisfaction sa main presque guérie. En quittant Aglaé Mayrand, malgré tous les efforts qu'elle avait déployés pour le retenir encore un peu, il avait juré de lui donner de ses nouvelles. Sur le coup, ses paroles reflétaient le fond de son cœur. Mais une heure à peine venait de s'écouler que déjà l'image de la pharmacienne pâlissait dans son esprit, toutes ses pensées désormais tournées vers Céline, qu'il n'avait toujours pas mise au courant de ses péripéties à La Tuque.

Cette semaine en compagnie de la gentille Aglaé avait été délicieuse. Sa bedaine en avait récolté un début de rondeur et, comme la pratique assidue de l'amour en augmente le besoin, c'est avec beaucoup d'impatience qu'il pensait à Céline. Sûrement, elle accepterait de passer cette première nuit à son appartement, surtout après qu'il lui aurait annoncé son retour définitif à Montréal.

Il pouvait se permettre de choisir son prochain emploi avec soin : il avait en banque la jolie somme de trois mille sept cent quatre-vingt-deux dollars, de quoi vivre en rentier pendant plusieurs mois.

Deux jours après sa fuite, il avait rencontré Maxime dans une rue de La Tuque. Ce dernier, stupéfait, avait feint de ne pas le reconnaître, mais Charles s'était dirigé droit sur lui et lui avait demandé avec un sourire impertinent s'il aurait la bonté de faire livrer au terminus les effets qu'il avait dû abandonner au motel. L'autre avait marmonné de vagues jurons et s'était éloigné en toute hâte. Alors le lendemain Charles s'était présenté au motel en compagnie d'Aglaé. On leur répondit que le père Raphaël et ses deux compagnons étaient absents ; personne ne savait ce qu'il était advenu de ses bagages. Charles se promit de pousser l'affaire plus loin à son retour à Montréal.

En mettant le pied dans la ville vers six heures du soir, il eut le sentiment d'entreprendre une nouvelle étape de sa vie. Des choses palpitantes l'attendaient. Il avait hâte de s'y lancer, car il se sentait débordant de force, d'audace et d'idées neuves. Chaque fois qu'il y repensait, son stratagème de la cave l'enchantait un peu plus. Ce n'était là que de la poussière de paille à côté de ce qu'il pouvait faire. Avec un peu de chance, il saurait montrer à tout le monde ce qu'il avait dans le corps.

On était jeudi, les magasins ne fermaient qu'à vingt et une heures. Il se rendit chez Archambault et en ressortit avec trois disques : Mingus, Bill Evans (que lui avait fait connaître Blonblon) et le concerto pour violon de Beethoven avec Isaac Stern (l'idole de Parfait Michaud). Puis la faim le prit ; il s'attabla chez Da Giovanni devant un pâté chinois généreusement arrosé de ketchup et but deux cafés.

De sorte qu'il approchait vingt heures lorsqu'il arriva en vue de son appartement. De la lumière brillait aux fenêtres. Il s'arrêta sur le trottoir, stupéfait. Quelqu'un chez lui ? Qui ça pouvait bien être ? Céline venue faire ses devoirs ? Un voleur ? Il bondit dans l'escalier, clé en main, déverrouilla la porte et s'avança dans la cuisine. Des chuchotements lui parvinrent de la chambre à coucher ; il sut tout de suite qu'un grand malheur était survenu.

Céline et Steve étaient couchés dans son lit, rigides comme des morts, terrifiés comme des criminels surpris en plein méfait. Il les observa un moment sans parler, abasourdi, luttant contre la rage et les larmes, et parvint à dire d'une voix suffisamment ferme pour qu'on ne devine pas son émotion :

— Rhabillez-vous et allez continuer ailleurs. J'ai besoin de mon lit. Et toi, n'oublie pas de changer les draps, ajouta-t-il en s'adressant à Céline.

Il quitta l'appartement au pas de course et ne revint que deux heures plus tard, à moitié soûl. Il avait essayé à dix reprises de joindre Blonblon au téléphone, pour apprendre enfin que son ami assistait avec Isabel à une conférence sur les religions orientales et qu'on ne l'attendait pas avant minuit.

Il s'étendit sur le canapé du salon (il n'était pas question de retourner dans cette chambre maudite) et essaya de dormir. À quatre heures, il essayait toujours. Un ulcère monstrueux lui grugeait la poitrine ; sa tête bourdonnait de projets de meurtres, de suicide, d'humiliations publiques, de reparties féroces, de vengeances aux suites interminables, et quand il ne rageait pas, il pleurait. Pourquoi Céline l'avait-elle trahi ? se demandait-il sans cesse. Mais il n'osait pas répondre à sa question. Quant à cet ignoble pitre, cet abruti sans principes qu'il avait eu la charité de prendre comme ami, qu'il avait tant de fois aidé, déniaisé, régalé, encouragé et ragaillardi, il venait de disparaître à tout jamais dans le néant : Charles ne le connaissait plus, avait oublié son nom, ne savait plus qui il était.

À cinq heures, n'en pouvant plus et en dépit de toutes les convenances, il téléphona à Blonblon.

— Hein? fit ce dernier d'une voix rauque et tout ensommeillée. Tu veux me rencontrer? Tout de suite? Qu'est-ce qui t'arrive?

Charles n'eut pas à s'expliquer longuement. Le ton de sa voix valait des discours. La compassion de Blonblon, si facile à exciter, fit le reste. Il essaya de rassembler ses idées, cherchant un lieu de rencontre à une heure aussi matinale, et pensa tout à coup au restaurant KliK de la rue Ontario, plutôt graisseux et mal fréquenté mais ouvert jour et nuit.

Ils s'y retrouvèrent une demi-heure plus tard devant deux Coke, dont ils ne prirent pas une gorgée. Charles parla sans arrêt pendant près d'une heure, ses mains tremblantes cachées sous la table. Blonblon l'écoutait avec patience, habitué depuis son tout jeune âge au spectacle de la folie et de la souffrance humaines, qu'il combattait de son mieux, sans trop s'interroger, comme une chose qu'il lui incombait tout naturellement de faire. La déloyauté de Céline et de Steve le scandalisait, le désespoir de Charles le remplissait de tristesse, mais des questions lui venaient en tête, qu'il n'osait formuler. Pourquoi son ami, malgré les mises en garde de tout le monde, avait-il choisi cette vie d'errance, qui le tenait presque toujours absent? Comment aurait-il réagi s'il s'était trouvé à la place de Céline et Céline à la sienne? Lui-même avait-il d'ailleurs toujours pratiqué cette fidélité qu'il reprochait à sa petite amie d'avoir trahie?

Charles, submergé par sa peine, ne fit aucune allusion à son évasion de La Tuque, dont il avait entretenu Blonblon au téléphone deux jours plus tôt. Ce dernier voulut tenter une réconciliation entre les deux amoureux.

— Pas question! lança Charles, furieux. C'est fini, nous deux. Fini comme si ça n'avait jamais commencé. Moi, on ne me trompe qu'une fois!

— Est-ce que tu me permets au moins d'aller la voir ?

— Fais ce que tu veux, je m'en fiche. Pour ce que ça va changer !

Et les larmes lui montèrent aux yeux.

— Aurais-tu des calmants, des somnifères, n'importe quoi ? demanda-t-il tout à coup sur un ton d'humble supplication. Je veux dormir, Blonblon, je veux dormir au moins trois jours : je n'en peux plus de brasser toutes ces pensées de merde !

Ils se rendirent aux Tours Frontenac ; Charles attendit dans le hall que son ami lui apporte des médicaments.

— Seulement trois pilules ? s'étonna-t-il.

— Dans l'état où tu es, je ne t'en donne pas plus. Demain, tu en auras trois autres.

◈

Malgré son épuisement, Charles retourna chez lui à pied. La marche le calma un peu. Il approchait neuf heures. Le temps était presque doux. La rue grouillait de piétons et d'automobilistes pressés d'aller au travail, de ménagères faisant leurs emplettes, de chômeurs qui prenaient l'air ; ici et là, quelques vieilles femmes revenaient lentement de la messe, souvent à deux, la mine recueillie sous leur chapeau du dimanche. Un marchand lavait sa vitrine à grande eau en chantonnant *Le p'tit bonheur*. « Comment fait-il ? » se demanda Charles, et ses yeux à nouveau se remplirent de larmes. Pendant qu'il était arrêté devant un feu rouge, un chien, qui ressemblait vaguement à Bof, lui renifla longuement les pieds. Charles s'accroupit pour le flatter, puis changea d'idée et s'éloigna à grands pas. Le chien, déçu, jappa.

En arrivant à son appartement, il eut comme un haut-le-cœur.

— Je casse mon bail et je déménage, décida-t-il soudain. Ça coûtera ce que ça coûtera. Et je vends mes meubles.

Et il monta l'escalier d'un pas rageur. Malgré la fatigue qui lui brouillait la vue, il remarqua du courrier dans sa boîte à lettres. Deux circulaires, une facture d'Hydro-Québec et une lettre. Il reconnut aussitôt la grosse écriture de Wilfrid Thibodeau.

— Ah ! non ! Pas lui en plus !

Il chiffonna l'enveloppe et la jeta dans la rue.

Le lendemain matin, Blonblon lui apporta, comme il l'avait promis, ses trois autres pilules et trouva Charles un peu moins décomposé.

— J'ai essayé de t'appeler plusieurs fois hier soir, se plaignit-il. J'étais inquiet. J'ai failli venir. Pourquoi ne répondais-tu pas ?

Charles ne voulait parler à personne. Surtout pas à la garce dont il croyait que provenaient les appels. Il avait finalement débranché l'appareil. C'était fini entre elle et lui, répéta-t-il. Jamais plus il ne la verrait, ni elle ni ses parents, qui avaient produit une pareille traînée. Blonblon, les yeux baissés, le laissait se vider le cœur. Il fallait que sa douleur s'étale, s'exhale, se répande partout, sinon elle risquait de l'empoisonner. Il fallait l'écouter avec beaucoup de patience répéter mille fois les mêmes choses.

— Tiens, fit-il tout à coup, j'ai trouvé ça sur le trottoir. Je me demande bien ce qui est arrivé.

Et il lui tendit l'enveloppe que Charles avait jetée la veille dans la rue.

Cette fois, Charles l'ouvrit. Elle contenait un mot, maladroitement griffonné, accompagné d'un billet de vingt dollars.

Montréal, le 17 de février

Salut, mon garçon,

Ça fait bien longtemps qu'on s'est pas donés de nouvelle. Je suis à l'hôpital Sacré-Cœur où on m'a fait une grosse opération. Le docteur hier m'a dis que le pire était passé et que je pourrais sortir dans une dizaines de jours à peu près. J'espère que tu va bien et que tes affaires marchent à ton goût. Je t'envoi un peu d'argent au cas où.

Wilfrid

Sans un mot, Charles tendit la lettre à Blonblon. Elle produisit un grand effet sur son cœur sensible.

— Je me demande bien ce qu'il a, murmura-t-il après avoir toussé pour raffermir sa voix.

— S'il y a une chose dont je me fiche, répondit Charles, c'est bien celle-là.

Il lui tendit le billet de vingt dollars en paiement des somnifères et insista tellement que Blonblon fut obligé d'accepter.

Dans la semaine qui suivit, Charles déménagea dans un petit appartement de la rue Saint-Denis au sud de la rue Sainte-Catherine, près de l'hôpital Saint-Luc. Il s'éloignait de son quartier et rompait ainsi avec sa vie passée. Il emporta quelques meubles et vendit le reste pour un prix dérisoire à son propriétaire. En même temps, il se cherchait vaguement un nouvel emploi, sans trop y mettre d'efforts. Pour ne pas être importuné, il n'avait pas encore fait installer le téléphone.

Blonblon, toujours inquiet, allait le voir le plus souvent possible, se heurtant parfois à une porte fermée. Mais le temps lui manquait pour s'occuper comme il l'aurait souhaité de son ami si malheureux : il travaillait depuis un mois chez un antiquaire, rue Amherst, suivait trois soirs par semaine des cours en histoire de l'art à l'Université de Montréal et devait vaquer à bien des travaux domestiques dont ne pouvaient s'occuper ni son père infirme ni sa mère, souvent retenue à l'extérieur de la maison par son travail d'agente immobilière. Aussi demanda-t-il un jour à Isabel de prendre la relève de temps à autre. Elle accepta avec joie. Ce rôle convenait tout à fait à son tempérament maternel.

◆

Un soir d'avril, elle arriva à l'appartement de Charles avec de la soupe aux légumes et un pâté à la viande, car il se nourrissait mal, fumait de plus en plus et avait, disait-elle, « un teint de citron oublié dans le frigidaire ». Elle le trouva fort agité : on venait d'annoncer à la télévision que le gouvernement Bourassa payait les avocats d'Alliance Québec dans leur contestation de la Charte de la langue française devant la Cour suprême du Canada.

Cette indignation, issue pour une fois d'une autre source que ses déboires sentimentaux, lui parut de bon augure. Il commençait à prendre du mieux et s'apprêtait sans doute à replonger dans la vie, dont il s'était presque retiré depuis deux mois, la regardant couler devant lui avec force bâillements et soupirs, comme ces vieilles personnes assises du matin au soir sur leur balcon, contemplant les autos qui filent et les passants qui passent, percluses d'ennui, vidées de tout désir et n'ayant plus d'intérêt que pour l'observation malicieuse des minuscules événements de la rue.

Charles, étonné, la remercia avec effusion, voulut la payer (ce qu'elle refusa), puis, comme c'était justement l'heure du souper, la pria de l'accompagner et mangea avec appétit. Elle ne prit qu'une bouchée, ayant déjà mangé à la maison, se leva de table presque aussitôt et se mit à ranger et nettoyer la cuisine, qui en avait grand besoin. Tout en travaillant, elle parlait à Charles des études en soins infirmiers qu'elle venait d'entreprendre, du rêve de Blonblon d'ouvrir une boutique d'antiquités, puis d'un incident qui l'avait bien fait rire la veille à une succursale de la Société des alcools, où un « connaisseur » en vins, avec l'assurance des imbéciles, avait demandé un *bordeaux italien*, s'était fait rire au nez et avait failli se battre avec un commis.

Elle quitta Charles vers neuf heures, l'ayant égayé de son mieux tout en mettant de l'ordre un peu partout dans l'appartement.

— Je ne sais pas comment te remercier, Isabel, lui dit-il, ému, en la reconduisant à la porte.

— C'est facile : fais-toi installer le téléphone, qu'on puisse te joindre.

Deux jours plus tard, c'était chose faite.

Elle revint ainsi à plusieurs reprises, parfois avec Blonblon, mais seule le plus souvent, apportant des pâtisseries, un ragoût, des jus de fruits, un livre que Blonblon lui suggérait de lire ; elle le bousculait joyeusement pour qu'il se reprenne en main et se mette à la recherche d'un emploi, tout en lui témoignant une compassion inépuisable pour le malheur qui l'avait frappé.

De cela, il l'entretenait, bien sûr, à chacune de ses visites. Elle l'écoutait, la main sous le menton, hochant la tête avec tristesse, les yeux humides. Mais après l'avoir laissé se perdre un moment dans son sujet favori, avec délicatesse et fermeté elle ramenait la conversation vers des avenues plus riantes et, en fin de soirée, ils allaient parfois rejoindre Blonblon dans un cinéma, un bar ou un café, où se trouvaient d'autres amis.

Charles aimait son teint de miel, ses joues pleines, ses grands yeux si expressifs, sa façon de chanter les phrases avec cette belle voix grave qu'on aurait imaginée dans la bouche d'une femme mûre. « Elle doit être magnifique au lit », se disait-il parfois.

Un soir, par reconnaissance, il l'embrassa sur la joue d'une façon si tendre et si appuyée qu'elle se raidit et le repoussa doucement :

— Pas touche ! Ne recommence plus, je t'en prie. Ce n'est pas bien, Charles. Tu devrais le savoir, toi plus que n'importe qui.

— Mais quoi ? s'exclama l'autre, froissé. Qu'est-ce que tu t'imagines ?

— Je n'imagine rien, mon beau. Il y a quelqu'un qui peut m'embrasser comme ça, et faire encore bien plus, mais ce n'est pas toi.

Elle éclata de rire, puis ébouriffa les cheveux de son compagnon, qui s'était mis à rougir en réalisant que son élan de gratitude venait peut-être d'une source un peu trouble.

— Ah ! les hommes !

— Parlons des femmes !

— On en a parlé toute la soirée, Charles. Bon. Ça va, ne fais pas cet air-là, je te comprends tout à fait. Qui n'a pas besoin de caresses et de baisers ?

Elle s'arrêta, hésita une seconde et se mit à rougir à son tour :

— Charles, mon beau Charles... si tu voulais me faire plaisir, bien plaisir, plaisir comme tu ne m'as jamais fait plaisir, tu... accepterais-tu de rencontrer Céline – cinq minutes, pas plus ?

— Bonne nuit, Isabel, répondit froidement le jeune homme en lui tournant le dos. Il est tard. Je m'en vais me coucher.

27

Montréal se réveillait sous la pluie; ce n'était pas une pluie de printemps, mais d'hiver déconfit. Froide, grise, aigrelette, alourdie de quelques flocons de neige informes, elle n'annonçait pas les beaux jours mais rappelait les fins d'automne démoralisantes. À son contact, tout devenait visqueux : l'air, la peau, les vêtements, la surface des trottoirs, les correspondances que les voyageurs tenaient à la main en attendant l'autobus. Malgré cette pluie maussade et malveillante, Montréal se réveillait vaillamment, comme une grande fille aux yeux un peu fripés, qui s'étire un moment sous les couvertures tièdes, avec bâillements et soupirs, portant un poing à sa bouche et grimaçant sous l'amertume de sa salive, et qui, d'un coup de reins courageux, bondit hors du lit et court à la cuisine se préparer un solide café.

Montréal bougeait de toutes parts et de toutes les façons. Les rues presque désertes cachaient une activité intense. Des parents servaient le déjeuner à des enfants mal réveillés ou leur faisaient repasser une leçon; des avocats se rasaient d'une main soigneuse, occupés à se remettre en tête les dossiers de la veille; des conducteurs de métro, debout depuis longtemps, dirigeaient en sirotant un café leurs longues rames bleues qui avalaient et déversaient des flots de voyageurs encore perdus dans leurs rêves nocturnes; un infirme au corps tordu se retournait dans son lit après une autre nuit interminable; l'œil à demi fermé, la bouche de travers, un filet de bave au menton, il contemplait par la fenêtre la lumière grise et mouillée qui noyait la ville, se rappelant qu'à pareille heure un mois plus tôt il faisait encore presque noir; dans la salle à manger de son presbytère devenu trop grand, un vieux curé, sa messe dite devant six paroissiennes, crevait tranquillement un jaune d'œuf avec la pointe de sa fourchette, un sourire pensif aux lèvres; non loin de là, dans une chambre jaunâtre où flottait une odeur d'urine, une petite fille dormait profondément sous une couverture de laine au blanc douteux, tandis que sa mère de seize ans dégringolait l'escalier pour aller chercher au dépanneur le lait du biberon.

Quant à Charles ce matin-là, levé plus tôt que d'habitude, il achevait de se raser, cigarette au bec, son déjeuner déjà pris, un avant-midi chargé en tête : il devait porter un pantalon chez le nettoyeur, laver son linge à la buanderie, acheter les journaux, parcourir les petites annonces et, vêtu le plus proprement possible, se présenter pour des emplois, n'importe lesquels, car son compte en banque allait rendre l'âme et la vie d'inaction qu'il menait depuis trop longtemps commençait à lui soulever le cœur.

Il retourna à la cuisine, se versa un troisième café, qu'il but en lisant *Les pépins, c'est mes oignons*, de Chandler, dont l'humour implacable et gouailleur l'enchantait, puis enfila son manteau, attrapa son pantalon et le sac de linge sale, et ouvrit la porte.

Céline se tenait devant lui, très droite, un peu pâle mais l'air déterminé. De sa chevelure mouillée, deux gouttes s'allongeaient sur son front. Elle les essuya du revers de la main.

— Est-ce que je peux te parler?

Charles hésita une seconde, tira une bouffée de cigarette, puis, reculant de quelques pas, lui fit signe d'entrer.

— Je ne vois pas ce que ça va donner, répondit-il en se dirigeant vers la cuisine, mais je peux t'écouter quelques minutes. Pas plus, cependant. J'ai des courses à faire.

Il tira une chaise et s'assit, sans prendre la peine de lui en offrir une ni même de l'inviter à ôter son manteau.

Céline s'était sans doute préparée à toutes les humiliations ; elle s'assit devant lui, comme si de rien n'était, posa les mains sur la table et se mit à le contempler, comme pour se rassasier après une longue privation, tandis qu'il fumait, imperturbable, se donnant les airs du détective Marlowe. Quelques instants passèrent ainsi.

Alors, d'une voix brisée, elle lui dit :

— Charles, est-ce que tu sais que je t'aime ?

Puis elle fondit en larmes.

Charles la regarda s'éponger les yeux et se moucher.

— Oui, répondit-il. Et tu as choisi une façon très originale de me le montrer.

Il croyait déclencher une nouvelle crise de larmes ; il n'en fut rien.

Elle dressa la tête, les yeux brillants de colère, et lui lança :

— Savais-tu que j'étais au courant de tout ?

Il eut un léger sursaut :

— De quoi parles-tu ?

— J'étais au courant de tout, répéta Céline. Je savais que tu avais quitté ton prédicateur. Trois jours après que tu as fiché le camp, il a téléphoné à la maison pour demander s'il pouvait envoyer tes bagages chez nous. Tu t'étais présenté au motel le jour même pour les réclamer, en compagnie d'une femme. Eh oui ! Tu ne vas quand même pas nier ! C'est maman qui m'a appris toutes ces choses au début de la soirée quand je suis revenue du collège. Et c'est maman, poursuivit-elle avec des sanglots dans la voix, qui m'a conseillé de faire comme si de rien n'était lorsque tu me téléphonais chaque soir pour me débiter tes mensonges. Qu'est-ce que tu dis de ça, à présent ?

La pose impertinente du détective Marlowe venait de voler en éclats et Charles essayait désespérément de ne pas perdre la face.

— Je n'ai rien à dire, répondit-il avec humeur. Ce vieux pédé ment comme un chien qui pète. Si t'as envie de le croire, c'est ton affaire. Il a voulu se venger en me salissant. Et je vois qu'il a réussi.

— Alors, pourquoi n'es-tu pas revenu à Montréal tout de suite après ? Hein ? Qu'est-ce que tu as fait à La Tuque pendant tout ce temps ? Oseras-tu me le dire ?

Il vit que seule la mauvaise foi pouvait le tirer d'affaire :

— Après le coup que tu m'as fait, ma belle, je n'ai plus de comptes à te rendre.

— Eh bien ! moi, je vais t'en rendre, des comptes ! lança-t-elle, furieuse. Quand j'ai su que tu me trompais, j'ai pleuré toute la nuit. Et la nuit d'après. Et l'autre aussi. Je ne sais pas où je trouvais la force de me retenir quand tu me téléphonais. J'avais décidé qu'on allait se parler entre quat'z'yeux, comme on le fait ce matin. Mais tu ne revenais pas. Alors, j'ai décidé d'aller récupérer mes affaires à ton appartement. Ce soir-là, Steve a appelé pour avoir de tes nouvelles. Ç'a été plus fort que moi : je lui ai tout raconté, juste pour qu'il sache de quelle façon dégueulasse tu me traitais. Il s'est offert à m'accompagner chez toi. Et j'ai couché avec lui, dans ton lit, pour te donner une leçon !... Parce que tu la méritais ! Voilà. Comment me juges-tu maintenant ?

Et elle se remit à pleurer, mais sans bruit, comme épuisée par sa colère et soulagée par ses aveux.

Charles, abasourdi, essayait de rassembler ses idées. Sur le coup, la perfidie du père Raphaël l'avait soufflé, mais, au fond, il n'y avait pas de quoi s'étonner : tromper, manipuler, abuser, c'était bien là son affaire, ah oui ! Mais, pour savoir que Charles s'était présenté au motel accompagné de la pharmacienne, il fallait que le prédicateur y fût encore... Ou peut-être le propriétaire l'en avait-il informé... Dans une aussi petite ville, tout le monde s'observe. Ce dernier devait connaître Aglaé, au moins de vue. On les avait probablement surveillés, suivis, espionnés.

Mais toutes ces considérations ne changeaient rien à rien. Céline était devant lui, la situation clarifiée – la sienne, en tout cas. Qu'allait-il lui répondre ?

Elle vit le trouble de Charles, ses résolutions ébranlées, sur le point de tomber. Alors, comme il arrive souvent, plutôt que de laisser à ses paroles le temps de produire tout leur effet, elle décida d'en rajouter pour obtenir une victoire immédiate, et c'est ce qui la perdit.

— Charles, murmura-t-elle d'une voix tendre et suppliante, c'est avec toi que j'ai appris à faire l'amour... c'est toi qui m'en as donné le goût... mais tu n'étais plus jamais là... Comprends-moi, je t'en prie... je suis comme toi, tout simplement. Il faut me pardonner... Je suis bien prête à te pardonner, moi, si tu me le demandes...

Charles la fixait, livide, son amour-propre à vif. Ce n'était donc pas *seulement* une question de vengeance... Elle avait pris du plaisir à coucher avec ce corniaud boiteux ! Et dans son propre lit !

Il acceptait *en principe* qu'elle éprouve des désirs pour un autre que lui ; après tout, cela ne dépendait pas de sa volonté et il n'était pas le seul représentant masculin de l'espèce humaine. Mais qu'elle ait *satisfait* ces désirs avec quelqu'un d'autre que lui-même – et, qui plus est, avec un ami, si on pouvait donner ce nom à un pareil bonhomme –, cela dépassait toutes les bornes. Le fait que lui-même, de son côté, l'ait trompée, et joyeusement encore ! n'effleura même pas son esprit.

Il se leva et, avec une froideur pleine de fatuité :

— Bon. Je vais penser à tout ça... Mais tu sais comme moi que l'amour, ça ne se commande pas.

Il savait aussi qu'il n'aurait eu qu'à ouvrir les bras pour qu'elle vienne s'y blottir. Mais ses bras étaient de plomb, impossibles à bouger.

Elle se leva à son tour, retenant ses larmes, atterrée par la conscience d'un échec irrémédiable, et se dirigea vers la sortie. Il l'observait, étrangement indifférent tout à coup, comme si le feu de son orgueil avait brusquement consumé son amour ; mais il n'était pas dupe de cette impression momentanée.

Avant de passer le seuil, dans un effort pathétique pour prolonger ces derniers moments qu'elle passait avec lui, Céline demanda :

— Est-ce que... tu vas t'acheter un autre chien ?

— Non, pas avant un bon bout de temps. Je pense encore trop à mon Bof.

— Moi aussi, je pense souvent à lui... Papa n'arrête pas d'en parler... Je dois te dire en passant... il ne va pas très bien ces temps-ci, papa.

Elle voulut ajouter quelque chose, puis secoua la tête et s'éloigna dans le corridor.

— Hé, dis donc... lança-t-il au moment où elle s'engageait dans l'escalier.

Elle se retourna brusquement.

— Est-ce qu'il vous les a envoyés, finalement, mes bagages ?

Elle fit signe que non, puis disparut.

Il rentra chez lui, envahi soudain par un entrain fébrile, issu d'une zone d'ombre en lui qu'il préférait ne pas trop fouiller. Sa vie se nettoyait, se simplifiait, comme un doigt qu'on délivre d'un abcès à coups de bistouri.

◆

Montréal bourdonnait autour de lui. Montréal attendait qu'il se choisisse un rôle et le défende en y mettant toute son âme. Il attrapa de nouveau son pantalon et le sac de linge sale, et sortit.

Une heure plus tard, il était de retour, le visage ruisselant, avec son pantalon pressé, son linge lavé et les journaux du jour mouillés de pluie. Attablé dans la cuisine, il se mit à parcourir les offres d'emploi; on demandait des professeurs de judo, des mécaniciens, des techniciens en électronique, des aides-cuisiniers, des plongeurs, des vendeurs itinérants à commission, des danseurs nus à belle musculature, des représentants de produits pharmaceutiques (avec expérience), des cuisiniers (avec expérience), des soldats (sans expérience), des vendeurs de chaussures, d'appareils électroménagers, de produits naturels, des gardiens de nuit. Mais on ne demandait pas ce matin-là de Charles Thibodeau, c'est-à-dire de jeunes hommes sociables, généralement gais, plutôt cultivés, s'exprimant avec aisance, écrivant avec plus d'aisance encore et ne manquant ni d'audace ni d'imagination. Ce matin-là, le genre d'emploi où il aurait pu briller (et que d'ailleurs il aurait été bien en mal de nommer) n'était proposé nulle part, à croire que les Charles Thibodeau de ce monde étaient pour l'instant inutiles ou superflus. Oh, il y avait bien une offre d'emploi pour un apprenti électricien, mais on exigeait un diplôme. Comme c'était curieux! Une heure plus tôt, il se serait contenté de n'importe quoi. À présent, tout le dégoûtait.

Il s'adossa à sa chaise, dépité. Sa journée floppait. Cela lui déplut et l'inquiéta. Ce n'était précisément pas une journée propice aux ruminations chez soi. Il lui fallait de l'air, du bruit, du mouvement.

Alors l'idée lui vint, toute simple, de se présenter à un bureau d'assurance-emploi. Le plus près de chez lui se trouvait au 1001, boulevard de Maisonneuve Est. Inutile d'enfiler son pantalon fraîchement pressé, la pluie aurait tôt fait de le transformer en pantalon de clochard. Le jean qu'il portait ferait très bien l'affaire.

Il marchait dans la rue Saint-Denis en direction du métro, son Chandler en poche pour parer à une file d'attente, lorsque, aux abords de la rue Sainte-Catherine, une voix vaguement familière cria son nom.

Sur le trottoir opposé, un petit homme grassouillet en paletot vert pomme, abrité sous un immense parapluie orange, lui envoyait frénétiquement la main. On aurait dit une réclame pour de la peinture. C'était Bernard Délicieux, le journaliste rencontré un soir à L'Express et qui l'avait si malencontreusement présenté à Pigeon-Lecuchaux, ce crosseur insigne qui avait causé le naufrage de son roman. L'homme fit signe à Charles de le rejoindre et lui serra la main avec une allégresse frénétique :

— Comment vas-tu, mon cher ?

— Très très bien, fit Charles, flatté par la familiarité du journaliste, et il essaya de donner à son visage l'expression idoine.

— Et l'écriture ?

Après une seconde d'hésitation, le jeune homme répondit qu'il préparait quelque chose, mais qu'il n'en était pour l'instant qu'à la conception ; cela lui avait demandé beaucoup de temps et d'efforts, car il s'agissait d'une œuvre assez ambitieuse.

Délicieux, impressionné, hochait la tête avec componction tandis que son menton dodu, mouillé par quelques gouttes de pluie, lançait de joyeuses lueurs qui semblaient autant de bravos à l'intention de Charles.

— Il ne faut pas lâcher, mon Charles ! La vie est une question de patience – surtout pour les artistes !

Puis, lui prenant amicalement le bras :

— Je voudrais te dire combien je me sens navré de t'avoir envoyé chez ce fameux Pigeon – un écœurant ! – qui a bousillé la sortie de ton roman, un livre que je continue de trouver – je tiens à te le répéter – *énormément remarquable.*

Il en avait par malheur oublié le titre et demanda à Charles de lui rafraîchir la mémoire.

— *Arnaque dans l'ombre*, répondit celui-ci, un peu froissé.

Délicieux – sans doute pour faire pardonner son oubli – l'invita alors à prendre un café à La Brioche Lyonnaise, qui se trouvait à deux pas. Le jeune homme, heureux de cette diversion inattendue qui éloignait des pensées moroses et peut-être torturantes, accepta avec empressement et, quelques instants plus tard, attablé devant un cappuccino saupoudré de cannelle, il écoutait le journaliste lui rapporter, avec la verve et le souci du détail piquant des potineurs professionnels, les histoires croustillantes ou étranges qui circulaient dans le milieu.

Après sa performance plus ou moins appréciée dans *L'Auberge du Poulain sans queue*, Donald Laumont, criblé de dettes à cause de sa passion du jeu, avait été forcé de vendre son superbe chalet de Morin-Heights et sa femme ne décolérait pas, lui refusant toutes ses faveurs, ce qu'elle risquait, disait-on, de payer un jour fort cher. Lola Malo, malgré le triomphe de son dernier disque, continuait d'avoir la mine longue, obsédée par le désir d'avoir un enfant – qu'elle n'arrivait pas à concevoir en dépit de tous ses efforts et de ceux non moins énergiques de son mari et peut-être de quelques amants. De plus, elle venait de se brouiller avec sa belle-mère à cause d'une histoire de piscine creusée au mauvais endroit. Le producteur Martin Majot venait de manger tous les profits que lui avait rapportés *L'Idole*, car son dernier film, *L'Amour en ski*, faisait salle vide depuis un mois et avait récolté à peu près toutes les railleries de la langue française, ce qui avait eu comme conséquence que ses deux maîtresses, sans se concerter, l'avaient lâché en même temps.

Malheureusement, seule une infime partie de cette succulente matière était publiable ; malgré tous les beaux discours, la liberté d'expression, en effet, restait une chose bien limitée ; on pouvait écrire n'importe quoi, à condition de ne rien dire. Ah ! les soucis et les embêtements ne manquaient pas dans la vie d'un journaliste. Lui-même, Délicieux, avait eu des sueurs froides pendant trois semaines, car *Vie d'artiste*, le journal où il travaillait depuis dix-sept ans, venait d'être acheté par Quebecor et on avait décidé d'y faire le ménage, Pierre Péladeau, le grand patron, ayant déclaré que « le bois mort faisait du mauvais papier journal ». La moitié de la salle de rédaction avait pris la porte, mais on avait fini par reconnaître officiellement que Délicieux constituait, avec deux ou trois confrères, l'un des piliers de la boîte. N'empêche ! il en avait frissonné un coup, car, quoi qu'on dise, le talent ne met pas à l'abri de la bêtise, surtout lorsqu'elle est bureaucratique.

Le journaliste commanda alors d'autres cappuccinos et pensa enfin à prendre des nouvelles de son compagnon. Ce dernier, sûr d'avoir un bon public, lui raconta en long et en large ses aventures religieuses ; elles amusèrent le journaliste à tel point qu'il lui demanda la permission d'en faire un article.

— Après tout, remarqua-t-il avec finesse, les sermons entrent dans la catégorie des spectacles.

Il sortit son calepin et questionna minutieusement Charles, lui promettant, au moment de la rédaction de son texte, de prendre toutes les précautions nécessaires.

Ce dernier venait d'avoir une inspiration. Après avoir bien fait rire son compagnon en exploitant toutes les ressources de son esprit et de sa débrouillardise, il lui demanda en rougissant si d'aventure il pourrait postuler un emploi au journal. Il était prêt, s'il le fallait, à récurer les pots de chambre, à interviewer des sourds-muets, à taper ses textes dehors par grand froid. Voilà si longtemps qu'il rêvait de gagner sa vie par l'écriture!

Délicieux, perplexe, le regard assombri, se grattait le bout du nez:

— Hum... je ne doute pas de ton talent, Charles... mais ce n'est pas le meilleur moment pour essayer de faire entrer un ami dans la boîte, crois-moi. Le nouveau patron a encore besoin de se prouver qu'il est patron; il se fourre le nez jusque dans l'achat des stylos et des gobelets de carton! Il faut quasiment remplir une formule quand on veut aller pisser. Enfin... laisse-moi quelques semaines, je vais voir ce que je peux faire... Ouille! onze heures! Il faut que je file, mon garçon.

Il se leva et, par les interstices de sa chemise rose, s'échappèrent de prenantes bouffées d'eau de Cologne.

« C'est ça, file, mon gros parfumé, se dit Charles en retenant un sourire amer. Quand on veut faire le vide autour de soi, on n'a qu'à demander un service, et alors pfuitt! plus personne!... »

Mais Délicieux lui tendait la main avec un sourire à faire fondre les glaces du pôle Sud:

— Tu sais, Charles, je serais heureux en s'il vous plaît de t'avoir comme collègue. Je suis sûr qu'on se bidonnerait du matin au soir.

Charles se rendit ensuite au bureau d'assurance-emploi où on lui fit remplir un questionnaire interminable qui remontait presque à l'apparition de ses dents de lait. Puis une fonctionnaire le reçut et lui posa toutes les questions auxquelles il venait de répondre par écrit, et plusieurs autres en sus. Après quoi, la femme remplit plusieurs formules de différentes couleurs, qu'elle glissa dans une chemise sur laquelle elle avait inscrit le nom de Charles, puis, après l'avoir enveloppé d'un regard maternel, termina l'entrevue en lui conseillant gentiment de retourner aux études – car, sans diplôme, on se condamnait à une vie de chat de gouttière.

Il était près de treize heures lorsque Charles quitta le bureau. Grand amateur de restaurants mais devenu économe par nécessité, il décida, malgré sa faim dévorante, d'aller manger chez lui, se refusant même le réconfort d'une tablette de chocolat. « Quand je serai journaliste, se promit-il, je mangerai au restaurant chaque midi – et souvent le soir aussi ! Enfin... tout dépendra de ma vie à ce moment-là... »

Il peaufinait encore ses plans d'avenir en arrivant chez lui. La tête pleine d'images dorées, il poussa la porte du hall d'entrée en sifflotant, puis s'arrêta brusquement et un long jet d'air lui sortit par le nez, sa réaction habituelle à une mauvaise surprise.

Steve, assis dans les marches de l'escalier qui menait à l'appartement, attendait, les mains croisées sur les genoux.

— Décidément, murmura Charles après quelques secondes, c'est la journée des explications... Vous vous êtes donné le mot ou quoi ?

Steve se leva gauchement, le nez agité par un tic qui dilatait comiquement ses narines, voulut tendre la main à son ancien ami, mais se ravisa :

— Salut, Charles. Comment vas-tu ?

— Alors, si je comprends bien, fit ce dernier sans daigner répondre, comme Céline s'est cassé le nez tout à l'heure, elle t'envoie en espérant que tu vas faire mieux ?

— Qu'est-ce que tu veux dire ? Je ne comprends pas.

— Tu comprends fort bien.

— Je n'ai pas vu Céline depuis des semaines.

La gravité du ton éteignit la colère de Charles, qui regretta presque la dureté de son accueil.

— De toute façon, ajouta l'autre, elle ne veut plus me voir. Y a pas grand dommage là : c'est facile de finir ce qui n'a jamais commencé.

— Écoute, fit Charles, que l'impatience reprenait, je me meurs de faim et, en plus, je n'ai pas envie de discuter dans une cage d'escalier.

— Alors je t'invite au restaurant, répondit précipitamment Steve. Où tu veux.

— Tu ne m'invites pas. Tu ne m'inviteras plus jamais nulle part.

Ils échangèrent encore quelques paroles, puis Charles décida de se rendre à la cafétéria de l'hôpital Saint-Luc, où l'on pouvait manger pour trois fois rien. Si cela lui chantait, Steve pouvait l'accompagner.

Ils se retrouvèrent bientôt assis dans un coin de la salle bourdonnante, où l'on aurait pu piquer une crise de nerfs sans trop attirer l'attention. Tandis que son compagnon le regardait en silence, l'air tendu et un peu piteux, Charles dévora sans un mot sa blanquette de veau garnie de pomme purée (en poudre) et de carottes trop cuites, sauça son assiette avec une tranche de pain, trempa ses lèvres dans le mauvais café, puis, se renversant sur sa chaise :

— Et alors, qu'est-ce que tu me veux ? Choisis tes mots, j'ai les nerfs fragiles.

— Je... Ah ! merde, je ne sais plus par où commencer... Pendant que je t'attendais dans l'escalier, j'avais toutes les idées bien claires dans ma tête, mais maintenant que je t'ai devant moi, c'est le mêlaillage complet.

— Ne compte pas sur moi pour t'aider, ricana Charles.

— Écoute, il faut d'abord que je te dise comment ça s'est passé... Je...

— Céline s'est chargée de ça.

— Est-ce que je peux parler? Si tu ne veux pas m'entendre, aussi bien crisser le camp chacun de son côté, et que le diable emporte le reste!

— Bonne idée, fit Charles en se levant.

L'autre lui saisit le bras:

— Non, je t'en prie, écoute-moi. Ça fait des semaines que je pense à cette rencontre. Y a des nuits où j'ai de la misère à dormir. Tu le sais, Charles, je ne suis pas un mauvais gars, non? On se connaît depuis le secondaire, t'es mon meilleur ami...

— *J'étais*, rectifia Charles d'une voix sifflante. Quand on veut garder ses amis, on ne couche pas avec leur blonde.

— Justement, j'y arrive, Charles, j'y arrive. Ce soir-là, quand j'ai téléphoné chez Fernand pour avoir de tes nouvelles, c'est Céline qui m'a répondu. Elle avait l'air tellement déconcrissée, tellement, si tu savais! que je n'ai pas pu m'empêcher de lui demander ce qui n'allait pas. Alors, elle m'a tout raconté en braillant comme une Madeleine et, sans vouloir t'insulter, Charles, je dois te dire que je suis tombé sur le cul.

— C'est vraiment une histoire de cul d'un bout à l'autre, ton affaire! ricana Charles.

— Elle faisait tellement pitié, la pauvre, poursuivit Steve sans relever la plaisanterie, que je lui ai offert de l'accompagner à ton appartement où elle s'en allait reprendre ses choses.

— Je sais, je sais, elle m'a tout raconté, je te dis.

— Elle n'a quand même pas pu te raconter ce que *moi* je ressentais, bout de baptême!... Excuse-moi, j'ai les nerfs en boule, c'est à peine si je sais ce que je dis...

Il poussa un profond soupir, promena son regard dans la salle pour s'assurer que personne ne les écoutait, soupira de nouveau et poursuivit :

— Donc, je l'aidais à rapailler ses cossins dans la chambre à coucher et, à tout moment, il fallait que je la prenne dans mes bras : elle tenait à peine sur ses jambes et les yeux lui coulaient comme des robinets. Tout à coup, elle s'est arrêtée et s'est mise à me regarder d'une drôle de façon, comme si elle était en train de réfléchir à quelque chose. Puis elle m'a dit : « Steve, ce n'est pas juste. Ça fait trois jours – et peut-être bien plus – qu'il couche avec une guidoune à La Tuque pendant que je me morfonds ici à l'attendre. Je veux me venger. » Niaiseux, je lui ai demandé : « Comment ? » « Je veux coucher avec toi, Steve, dans son lit. Je te demande de me rendre ce service. Ça ne doit pas être trop difficile, non ? » Et elle défait la ceinture de mon pantalon.

Il s'arrêta, reprit son souffle, car l'émotion l'étreignait, puis :

— Charles, ça faisait des mois que je n'avais pas touché à une femme... On a beau se passer un poignet, tu sais comme moi que ça ne suffit pas... Alors, j'ai craqué... Oui, j'ai craqué... Ne fais pas cet air-là, je t'en prie... Moi et ma queue, c'est deux, Charles... C'est ma queue qui a décidé, sans me demander mon avis, je te jure... On venait à peine de finir quand t'es arrivé et je dois te dire... que j'ai connu des meilleures baises – et elle aussi. Voilà. Tu sais tout... À part une dernière chose : s'il y avait un moyen pour que cette histoire ne soit jamais arrivée, je le prendrais en crisse, peu importe le prix... Mais il n'y en a pas.

Et il pencha la tête, consterné.

Charles le regarda un moment et le même mouvement qui, quelques heures plus tôt, avait failli le pousser au pardon ressurgit en lui. Mais ses bras, encore une fois, demeurèrent inertes. Une voix perfide lui souffla qu'il n'y avait que les cocus contents pour pardonner ce genre d'offense, que son honneur exigeait la destruction totale des liens qui l'avaient uni à Céline comme à Steve et que, de toute façon, la confiance, une fois poignardée, ne ressuscite jamais. Il fallait cautériser sans pitié l'abcès qu'on avait au doigt, sinon, on risquait d'y perdre la main.

Il repoussa lentement son assiette, puis soupira :

— Je voudrais bien oublier, Steve, mais je ne peux pas. Si t'étais à ma place, tu réagirais comme moi, j'en suis sûr. Quand un ami se transforme en faux frère, il a beau venir pleurnicher sur ton épaule... Non... dommage... rien à faire.

Steve avait sursauté.

— Faux frère, t'as dit ?

Cette expression, dont il ne saisissait pas très bien le sens, lui parut d'autant plus insultante. Il se leva, blanc de colère et, se penchant vers son compagnon, les mains crispées sur le bord de la table :

— Je ne me laisserai pas insulter par un baveux comme toi, bonhomme. T'as beau faire des sermons à tout le monde, tu ne vaux pas mieux que n'importe quel bozo qui se promène dans la rue en pantalon. O. K., tête enflée ? Salut, le cul, je t'ai assez vu !

Quelques jours plus tard, Charles recevait une lettre de Céline :

Rassure-toi, je n'essaie pas de te faire revenir sur ta décision. Au contraire, je veux te remercier. Ton attitude lors de notre dernière rencontre m'a ouvert les yeux; elle a même tué l'amour que j'avais pour toi. Après toutes ces années passées ensemble, je n'avais pas réalisé que tu n'étais qu'un petit macho qui considère l'infidélité comme un privilège masculin et les femmes comme des victimes condamnées à incliner la tête et à se fermer le clapet, quoi qu'il arrive. Maintenant, je sais qui tu es, merci, merci. Tu devrais te mettre au Coran et t'installer en Arabie, ton vrai pays, où tu pourrais régner dans la paix et le plaisir. Sinon, il te restera toujours les petites connes et les putes. Bonne chance.

Céline

Charles chiffonna rageusement la lettre et la jeta à ses pieds. Puis il la défroissa et la lut de nouveau, s'arrêtant à tout moment, le regard dans le vague, se mordillant les lèvres. Il la lut ainsi deux autres fois, puis quitta son appartement et erra par les rues de la ville jusqu'à la nuit tombée.

28

Une dizaine de mois passèrent. L'année 1989 commençait. Charles avait fini par trouver du travail dans un magasin d'articles de sport, rue Sainte-Catherine, en face de la station de métro Papineau. Il menait une vie fade et ennuyeuse, qui l'avait comme gelé. De temps à autre, il s'assoyait devant sa machine à écrire (en attendant d'avoir assez d'argent pour acheter un Macintosh SE/30, la merveille du siècle) et essayait de démarrer un nouveau roman, inspiré de son expérience avec l'Église des Saints Apôtres de la Prochaine Venue de Jésus-Christ ; mais ses efforts ne produisaient rien qui vaille et il se demandait parfois si le romancier en lui n'était pas mort. Il avait eu une courte aventure avec la caissière du magasin, grande fille aux grands pieds, aux narines poilues et aux aisselles bien garnies, passionnée de *soaps* américains, qu'elle se farcissait à ne pouvoir parler d'autre chose – à part le sexe, bien sûr, qui lui inspirait une attirance mêlée de peur, car elle avait connu à l'âge de treize ans un *mononcle* aux mains lestes qui lui avait laissé de durables souvenirs.

Puis, un jour, le patron l'avait mise à la porte pour donner la place à l'une de ses filles ; la caissière était retournée dans sa famille à Chicoutimi et Charles n'en avait plus jamais entendu parler.

Il continuait de penser à Céline. Et, dans ces moments, quelque chose de très doux et de très douloureux se mettait à bouger en lui. Il avait le sentiment qu'il ne revivrait jamais plus un amour aussi pur et naïf, rempli d'une paix aussi profonde ; il l'avait stupidement bazardé pour quelques parties de fesses avec une femme gentille et experte au lit, mais aussi passionnante que la lecture du bottin. Parfois, une envie s'éveillait en lui d'appeler Céline pour lui annoncer qu'il voulait tout reprendre comme avant. Mais, d'une fois à l'autre, cette envie s'affaiblissait un peu plus, à force de buter contre quelque chose d'incroyablement dur et qui semblait indestructible. Et Charles observait cela comme un témoin impuissant et désolé.

Il voyait Blonblon une ou deux fois par semaine, avait recommencé à jouer au billard avec des connaissances rencontrées dans son nouveau quartier et lisait les journaux avec beaucoup d'assiduité, à cause de son intérêt marqué pour la politique, hérité de Fernand et de Parfait Michaud, mais aussi parce qu'il avait acquis la conviction que leur lecture quotidienne le préparait à sa future carrière de journaliste, espoir qu'il n'avait jamais abandonné malgré les vains efforts de Bernard Délicieux pour lui trouver ne serait-ce qu'une pige à *Vie d'artiste* ou ailleurs.

— Et pourtant, lui assurait le potineur, je me crève à la tâche, mon vieux ! C'est tout juste si je ne me suis pas traîné à genoux devant le patron !... Mais ne t'en fais pas, ton jour va venir. Il suffit d'être au bon endroit au bon moment.

Parfait Michaud et Amélie s'étaient séparés il y avait presque un an et demi. On avait dû hospitaliser l'ex-femme du notaire quelques semaines dans une clinique ; puis elle s'était installée dans un petit appartement à Outremont, où elle menait une vie très retirée. Mais elle avait un compagnon : c'était le perroquet de monsieur Victoire, dont celui-ci avait décidé de se départir parce que l'oiseau, d'une loquacité toujours aussi redoutable, s'aigrissait avec l'âge et demandait de plus en plus de soins, que sa nouvelle propriétaire lui prodiguait avec joie. Quand ces soins n'étaient pas au goût du perroquet, il la traitait alternativement de « grosse bêta ! » et de « grosse Bertha ! ». Elle en était ravie.

Le notaire, qui s'ennuyait un peu, invitait Charles de temps à autre au théâtre, au concert ou au restaurant. Mais, le plus souvent, c'est ce dernier qui lui rendait visite, faisant un détour pour éviter les abords de la rue Dufresne, où il risquait d'arriver face à face avec un des membres de la famille Fafard. Un jour, il aperçut le quincaillier de loin, un peu maigri, la chevelure grisonnante mais marchant toujours de son pas énergique et décidé. Il le regarda un moment avec un sourire ému et passa près d'aller le trouver, mais la crainte d'une remontrance un peu trop riche en décibels, comme le quincaillier savait les adresser où qu'il se trouvât, lui fit reporter la rencontre jusqu'au moment où tout le monde aurait retrouvé son calme.

Les remontrances de Parfait Michaud étaient, de loin, beaucoup plus supportables que celles de Fernand Fafard.

— Quel gâchis que ta vie sentimentale, mon pauvre Charles, lui dit-il un soir alors qu'ils causaient au salon. Bien sûr, je suis le dernier à pouvoir t'adresser de pareils reproches, moi qui vis présentement sur un tas de ruines, mais il me semble qu'à ta place je n'aurais pas réagi comme tu l'as fait. D'abord, sans vouloir te blesser, je trouve odieux de reprocher aux autres ce qu'on pratique soi-même. Tu couchais avec ta pharmacienne. Bon. Céline l'a appris et s'est vengée en couchant avec un de tes amis. Vous auriez dû vous payer une bonne engueulade bien épicée et reprendre les choses où elles en étaient. Après tout, vous vous aimiez, non ? N'était-ce pas l'essentiel ? Toi qui appartiens à la nouvelle génération, tu m'étonnes d'être si... comment dire... *macho*. Les temps ont changé, mon Charles. Les femmes ne se voient plus comme d'éternelles victimes amoureuses. Amélie en est bien la preuve ! Elles exigent désormais l'égalité, au lit comme ailleurs. C'est à l'homme de s'adapter. Comment la voulais-tu, ta Céline ? Comme *l'épouse canadienne* de la vieille chanson, soumise et fidèle à tout prix ? Pauvre Charles ! tu dates ! La fidélité – tu le sais maintenant par ta propre expérience – est tout au plus un *idéal* qu'on cherche à atteindre – et il y a une sacrée quantité de gens, dont nous faisons tous deux partie, je crois, qui ne peuvent tout au plus qu'y aspirer... ou alors qui s'en fichent comme de leur premier pipi !

— Et toi, Parfait, qui vois-tu ces temps-ci ? avait répliqué Charles avec un sourire perfide.

— Moi ? Personne, soupira le notaire. Je suis dans un entre-deux qui s'allonge et s'allonge, hélas... Que veux-tu ? Je grisonne et bedonne, et le genre de femmes qui me plaisent ne se plaisent guère avec le genre d'homme que je suis devenu.

— Tu les aimes jeunes, quoi.

— Très jeunes. Les poulettes m'excitent... Attention, je ne suis pas pédophile, tout de même ! Mais je demeure esclave des charmes de la jeunesse.

— J'aimerais que tu me présentes ta prochaine conquête. Juste pour connaître tes goûts.

— Et pour me la chiper, peut-être ?

— Je ne joue pas à ce jeu-là, moi, répondit Charles, incisif. Non. Par simple curiosité. Je n'ai jamais vu aucune de tes maîtresses, Parfait... sauf une fois.

Et il lui raconta la découverte stupéfiante qu'il avait faite un soir en cherchant Bof dans le parc Médéric-Martin, lorsqu'il l'avait vu apparaître sur le trottoir en compagnie d'une femme qui semblait n'avoir rien d'une cliente. La double vie du notaire l'avait alors indigné. Pendant un temps, il avait ressenti du mépris à son égard.

Parfait Michaud demeura pensif.

— Quel âge avais-tu ?

— Oh, à peu près quatorze ans.

— Est-ce que je t'ai scandalisé ? demanda-t-il, inquiet.

Charles éclata de rire :

— Tu parles ! Où j'habitais, on avait la radio et la télévision, quand même !

Le notaire soupira de nouveau. La tournure de leur conversation commençait à lui déplaire. Il y avait là un excès de familiarité qui risquait de porter atteinte à sa dignité et à la santé de leurs rapports. Il s'était toujours un peu considéré comme le père de Charles et tenait beaucoup à ce statut. Or, au Québec, un père n'emmenait pas son fils au bordel et ne lui présentait jamais ses maîtresses. Cela ne se faisait pas. Cela dégradait. Les turpitudes devaient être compartimentées, sinon il y avait désordre et destruction.

Il se leva, quitta le salon et revint avec une bouteille de porto en affichant un visage soucieux et presque hautain. Il remplit les verres, en tendit un à Charles. Celui-ci, intrigué par son changement d'humeur, l'observait en silence.

— Charles, fit le notaire au bout d'un moment, pardonne-moi de me répéter, mais je me sens obligé de revenir encore une fois là-dessus : je me fais du souci pour toi.

— S'il te plaît, Parfait, épargne-moi ce soir.

— Non, non et non ! La véritable amitié n'épargne jamais. Elle a le courage de la franchise.

Le jeune homme poussa un soupir et se mit à faire tourner son verre entre ses doigts.

— Quand donc finiras-tu par trouver ta voie, mon pauvre garçon ? Tu as vingt-deux ans. À cet âge, on est encore jeune, bien sûr, mais la jeunesse tire déjà à sa fin. Or te voilà, toi, un jeune homme bourré de talents, à perdre tes journées dans un magasin de sport. Tu pourrais faire tellement mieux ! N'as-tu jamais pensé à reprendre tes études ?

— Non. Je veux devenir journaliste.

— Et alors ? Penses-tu atteindre ton objectif en vendant des raquettes de tennis et des souliers de course, dis-moi ?

Charles, un peu piqué, lui répondit qu'un journaliste de sa connaissance essayait de le faire entrer dans une boîte, mais que ce n'était pas facile : pour un poste ouvert, il y avait cinquante candidats.

— Et tu attends depuis combien de mois ?

— À peu près dix.

— Cela fait beaucoup.

Le notaire déposa son verre sur un guéridon, observa ses jointures pendant un moment, puis :

— À ta place, je tenterais une approche plus... active.

— Et comment ?

— Mais je ne sais pas, moi, mon pauvre ami, fit l'autre en levant les bras dans un mouvement de désespoir. J'essayerais... n'importe quoi ! Je t'ai connu plus débrouillard, voyons ! J'enverrais des curriculum vitae à la douzaine, j'offrirais mes services partout, même à ces petits hebdos de quartier minables qui pullulent depuis quelques années... Oui, même à eux! Il faut débuter quelque part, après tout... Les grands succès ont souvent des débuts modestes; on ne grimpe pas dans une échelle en commençant par le dernier barreau! Enfin, que veux-tu que je te dise, mon garçon? Bouge, agis, cesse de moisir comme une vieille tranche de pain. Excuse-moi, s'interrompit-il brusquement en voyant son compagnon figé dans son fauteuil, les mâchoires serrées, le regard mauvais. Je me mêle de ce qui ne me regarde pas. Tu as vingt-deux ans. Ta vie t'appartient. De toute façon, pour ce que j'ai fait de la mienne...

Ils sirotèrent en silence leur porto, embarrassés l'un et l'autre, ne sachant plus comment reprendre la conversation. « Je viens de me brouiller avec lui, pensait le notaire, consterné. Décidément, moi et les rapports humains... Je ne suis bon qu'à gribouiller des contrats dans la solitude de mon bureau. »

— Finalement, tu as raison, Parfait, déclara Charles tout à coup. Je suis bien obligé de le reconnaître. Demain, je me mets au travail. Merde à la déprime. J'ai perdu assez de temps comme ça. T'aurais dû me parler comme tu viens de le faire bien avant. Je pense que j'ai besoin d'être secoué de temps à autre.

Et il lui adressa ce sourire que Parfait Michaud avait classé un jour parmi les sept merveilles du monde.

◈

La bataille linguistique n'avait jamais connu de répit au Canada depuis l'adoption en 1977 de la loi 101, une des réformes les plus ambitieuses du gouvernement Lévesque, qui avait fait du français la seule langue officielle au Québec; cette loi visait à contrer les effets d'une assimilation lente et sournoise qui menaçait d'imposer aux Québécois le sort des autres minorités françaises en Amérique du Nord, presque toutes en voie d'extinction ou disparues.

Rapidement, la loi 101 avait acquis une sorte de caractère sacré, car, pour la première fois dans l'histoire du peuple québécois, elle exprimait la détermination de la majorité de vivre en français sur son territoire. Il n'en fallait pas plus pour soulever l'opposition féroce des Canadiens anglais et particulièrement celle de la minorité anglo-québécoise, scandalisée de se voir brusquement dépouillée d'un des attributs de sa domination : la préséance traditionnelle de l'anglais dans la vie publique.

Le 15 décembre 1988, la Cour suprême du Canada, après plusieurs jugements défavorables à des articles de la loi maudite, avait déclaré illégal l'unilinguisme français dans l'affichage commercial et les raisons sociales, déclenchant au Québec une énorme commotion.

Quatre jours plus tard, nouveau coup de théâtre : poussé par la pression populaire, le premier ministre Robert Bourassa invoquait une disposition de dérogation (connue sous le nom de « clause nonobstant ») pour se soustraire au jugement fédéral et présentait le projet de loi 178, qui confirmait le français comme seule langue d'affichage *à l'extérieur* des commerces... tout en permettant le bilinguisme *à l'intérieur*. Homme des demi-mesures en tout, Robert Bourassa avait opté pour ce compromis qui affaiblissait la Charte de la langue française, mais n'allait pas jusqu'à l'abdication complète exigée par le Canada dans la croisade qu'il menait contre le « racisme » au Québec. Du même coup, il s'aliénait le Canada anglais et la majorité francophone du Québec. Le lendemain, trois de ses quatre ministres anglophones démissionnaient; pendant ce temps, une campagne populaire se mettait en branle chez les partisans de l'unilinguisme français pour forcer le gouvernement à rétablir la loi 101 dans son intégralité.

Le 12 mars 1989, à l'appel du Mouvement Québec français, soixante mille personnes manifestaient dans les rues de Montréal. On avait fixé le point de rassemblement au parc La Fontaine et le défilé devait s'ébranler à une heure de l'après-midi.

Charles, Isabel et Blonblon arrivèrent sur les lieux vers midi et demi. Déjà, une foule énorme bourdonnait joyeusement dans un déploiement de pancartes, de banderoles et de drapeaux fleurdelisés qui palpitaient sous les souffles d'un vent tiède. Il faisait un soleil éclatant, comme si la lumière avait voulu se porter au secours de la liberté. Le défilé se mit en branle en empruntant la rue Sherbrooke vers l'ouest. Charles se sentit bientôt envahi par une sorte d'ivresse, née de cette immense bonne humeur qui se déployait à perte de vue. Sans trop savoir pourquoi, il saisit Blonblon et Isabel par la taille et les pressa contre lui. On criait et on chantait des slogans, les gens se souriaient, des inconnus se tutoyaient, des enfants, à califourchon sur les épaules d'un parent, promenaient autour d'eux de longs regards pleins de gravité, certains s'esclaffaient en lisant le texte d'une pancarte, des amis se rencontraient tout à coup avec des cris de joyeuse surprise, le frottement des pieds sur l'asphalte produisait un bruit sourd et puissant, comme si une force irrésistible venait de se mettre en marche. À le voir, on n'aurait pas cru que ce rassemblement, né d'une très ancienne souffrance, était un cri de révolte pour écarter le malheur.

La foule venait d'obliquer dans la rue Saint-Denis pour se diriger vers la place Jacques-Cartier dans le Vieux-Montréal, où l'on devait prononcer des discours, lorsqu'un vieux cycliste en gros manteau noir, la tête surmontée d'une tuque rouge, apparut tout à coup sur le trottoir, dardant un œil meurtrier sur les manifestants, et se mit à leur lancer des injures en anglais en les accompagnant de gestes obscènes. Les gens riaient et plaisantaient, comme si c'était le Canada lui-même qui était venu hurler l'amertume de sa défaite.

— Va prendre une bonne soupe chaude ! blagua Charles. Tu vas attraper le rhume !

La foule s'esclaffa. Une main toucha l'épaule de Charles. Il se retourna. Un grand jeune homme à longs cheveux bruns et fine moustache pencha la tête vers lui (le tapage rendait les conversations difficiles) :

— Serais-tu Charles Thibodeau ?

Charles fit signe que oui.

— Je t'ai reconnu à ton sourire. Y a seulement un gars sur toute la terre qui sourit de même, et c'est toi. Tu ne me reconnais pas ?

— Non.

— Je me rappellerai toujours la fois où tu avais récité des extraits du *Cid* devant toute l'école. Ça m'avait jeté sur le cul, ça, je peux te le dire !

— Marcel Lamouche ! s'écria Charles.

Et il lui tendit la main.

Le petit Lamouche, que Charles n'avait pas revu depuis sa première année de secondaire à l'école Jean-Baptiste-Meilleur, avait subi une transformation biologique si considérable qu'on aurait pu croire que son âme avait changé de corps. En 1980, sa famille s'était établie à Sherbrooke, où il avait poursuivi ses études. Il était revenu dans la métropole à la fin de l'été et avait entrepris sa première année de droit à l'Université de Montréal. Il lui présenta sa sœur, qui marchait à ses côtés, les écoutant avec un léger sourire, et Charles, à son tour, leur présenta ses deux amis.

— Michel Leblond ? s'exclama Lamouche. Le sauveur de l'univers ? Pas vrai ! Est-ce qu'on t'appelle encore Blonblon ?

— Oui, des fois, répondit l'autre avec un sourire résigné.

La sœur de Marcel Lamouche était une jeune fille de vingt ans aux traits agréables, d'une finesse asiatique ; elle avait une attitude un peu effacée, parlait peu, écoutait beaucoup et portait sur toute chose un regard attentif et secret, comme si elle voulait garder pour elle-même le fruit de ses réflexions.

En lui serrant la main, Charles sentit qu'il lui plaisait. En fait, sans le savoir, il lui plaisait depuis plusieurs minutes déjà, et c'était avec une surprise réjouie qu'elle avait assisté aux retrouvailles des deux anciens camarades. Isabel, de nature assez volubile, se mit aussitôt à lui faire la conversation et on apprit que Stéphanie partageait un appartement avec son frère et avait entrepris des études de psychologie ; Montréal, après l'avoir un peu effrayée, l'avait bientôt conquise ; à présent, elle ne pouvait imaginer vivre ailleurs. Tout en causant avec sa compagne, elle s'arrangea pour se trouver aux côtés de Charles pendant le trajet et, surmontant sa timidité, s'entretint avec lui le plus souvent possible, ce qui était chose facile, car ce dernier avait décidé de déployer pour elle tous ses charmes.

Ils arrivèrent à la place Jacques-Cartier. Deux techniciens s'affairaient sur une estrade à vérifier fils et amplis ; l'un deux frappait du bout des doigts un micro, déclenchant des coups de timbales dans les haut-parleurs.

Les discours commencèrent. Comme à l'habitude, les orateurs se succédaient par ordre d'importance. Vint enfin le tour de Jacques Parizeau, porté l'année précédente à la tête du Parti québécois. Souriant, le teint vermeil, il avait cette contenance de grand bourgeois gagné aux idées républicaines qui en faisait un personnage à part.

Il attendit patiemment que la foule se calme, puis, avec ce don étonnant qu'il avait de transformer les rassemblements les plus tumultueux en cours universitaires, il se mit à exposer avec brio et une limpidité de grand professeur ses idées sur la situation. On l'applaudissait, mais brièvement, afin de ne pas perdre le fil de sa démonstration.

Charles l'écoutait, subjugué. Ça, c'était un cerveau ! On n'avait rien à envier aux adversaires, surtout ceux d'Ottawa, où certains des nôtres, à cheval sur leur carrière, galopaient dans la boue, sourire aux lèvres.

De temps à autre, Charles échangeait une courte remarque avec ses compagnons. Quand la fin approcha, il se pencha à l'oreille de Stéphanie et lui demanda son numéro de téléphone. Elle eut une expression d'étonnement joyeux tandis que ses joues se coloraient et se mit à fouiller nerveusement dans les poches de son manteau. L'instant d'après, elle glissait un morceau de papier plié en quatre dans la main du jeune homme.

Après une dernière salve de cris et d'applaudissements, les manifestants avaient commencé à se disperser en discutant avec animation, dans l'illusion enivrante que le problème qui les avait rassemblés était déjà en voie de règlement. C'était le peuple, le bon vieux peuple québécois, encore pénétré de la naïve conviction que patience, bonne volonté et beaux discours arrivent à bout de presque tout.

Marcel Lamouche proposa d'aller prendre un café quelque part. Ils durent marcher jusqu'à la rue Sainte-Catherine, car les établissements du Vieux-Montréal avaient tous été pris d'assaut. Finalement, ils se retrouvèrent au Picasso, le vieux café-bar de la rue Saint-Denis où des générations d'étudiants avaient siroté leur bière et connu les plaisirs et les affres de la drague.

— Je suis content de te revoir, Charles ! fit Lamouche en lui donnant une tape sur l'épaule. Dommage qu'on se soit perdus de vue si longtemps. Je ne t'ai pas encore demandé ce que tu faisais : t'es aux études, je suppose ?

— Non, répondit Charles en le regardant droit dans les yeux. Je travaille dans un magasin de sport.

— Un magasin de sport? s'étonna l'autre. Eh ben! c'est tripant, ajouta-t-il aussitôt par politesse, et il n'en dit pas davantage, manifestement déçu de voir un type bolé comme son ancien camarade se contenter d'un aussi modeste métier.

— Oh, mais ce n'est qu'en attendant, tint à préciser Charles, envahi par une honte d'autant plus profonde qu'il s'adressait à un futur avocat et se trouvait aux côtés d'une future psychologue. J'attends un poste de chroniqueur dans un journal.

— Ah! ça, c'est bien! Ça, ça te convient tout à fait. À l'école, tu nous battais tous en français. À quel endroit?

Stéphanie hochait la tête, énigmatique, tandis que Blonblon et Isabel, au courant de la véritable situation de leur ami, retenaient un sourire.

— Oh, je n'ai pas le droit d'en parler pour l'instant, mentit Charles, le regard oblique.

Pour la première fois de sa vie, il se sentait comme un déclassé; l'impression était insupportable. Il se mit à parler et à faire de l'esprit avec une telle verve que Blonblon, qui le connaissait comme le fond de sa poche, sentit la détresse qui l'habitait et se mit à espérer de tout son cœur que ses rêves de journalisme se réalisent bientôt.

Ce soir-là, Charles attendait un copain de billard à l'intérieur de la station Sherbrooke; ce dernier devait l'amener chez un de ses amis qui se départait d'un ordinateur à des conditions incroyables, disait-on.

Il approchait six heures. Appuyé contre un mur, en haut d'un escalier qui menait au quai, Charles regardait d'un œil distrait la foule des voyageurs en train de gravir les marches en direction de la sortie, lorsqu'une commotion se produisit en lui. Il avait le sentiment qu'un être invisible essayait de lui transmettre un message d'une importance capitale.

Les voyageurs qui montaient pouvaient se diviser en trois catégories. Il y avait les jeunes, qui bondissaient de degré en degré, comme portés par un souffle, et disparaissaient aussitôt, happés par la rue ; puis les gens dans la force de l'âge qui grimpaient les marches de granit deux par deux, le visage déterminé, engagés dans la lutte contre le vieillissement ; et enfin quelques vieillards, condamnés à une ascension pénible, la main accrochée à la rampe, et se hissant pas à pas avec des grimaces et des soupirs, tournant parfois la tête vers un voisin pour s'excuser de leur lenteur.

Charles avait devant lui toutes les phases de la vie étalées dans un escalier. Pour l'instant, il appartenait au premier groupe, mais bientôt, très bientôt, lui annonçait-on avec une tranquille cruauté, il irait rejoindre ceux du deuxième, puis du troisième. Il n'y avait rien de nouveau dans ce constat, et pourtant des frissons lui parcoururent le corps ! Était-il malade ? Pas du tout. Ou, plutôt, oui : il était en pleine crise d'hyperlucidité, ce phénomène redoutable que l'homme ordinaire ne peut supporter que quelques secondes à la fois. Il fallait faire vite, répétait la voix, car la partie, lancée depuis des années déjà, allait bientôt s'achever – et il avait perdu beaucoup de temps !

Sur ces entrefaites, le copain apparut. Charles s'élança vers lui comme vers un sauveur. L'autre, étonné, lui demanda si tout allait bien, puis l'amena voir l'ordinateur, que Charles n'acheta pas car il le trouva trop cher.

Il ne parla à personne de cette expérience bizarre, craignant d'attirer les moqueries. La crise avait été courte, mais laissa des traces durables : Charles, pourtant bien jeune encore, venait d'accéder à la conscience aiguë du temps qui file, et le sentiment impérieux qu'il fallait extraire de chaque minute tout le bonheur qu'elle pouvait contenir ne l'abandonna plus. Gaspiller son temps était devenu pour lui monstrueux.

Aussi, lorsque Stéphanie, quelques jours plus tard, lui apprit au détour d'une conversation que le père d'une de ses amies dirigeait un hebdo dans le quartier Villeray, Charles, marchant sur son orgueil, lui avoua que le poste de chroniqueur qu'il convoitait risquait de se faire attendre longtemps et lui demanda de le mettre en contact avec cette amie.

Le jour même, ils allèrent trouver Charlotte qui téléphona tout de suite au bureau de son père.

Victor Vanier adorait sa fille unique; elle aurait pu lui faire avaler des cuillères ou le faire ramper sous un tapis. Ce qu'il adorait également, et avec presque autant de passion, c'était d'avoir des employés compétents au plus bas salaire possible. Il échangea quelques mots avec Charles et lui donna rendez-vous à *La Sirène de Villeray* le lendemain à huit heures. La semaine d'avant, un de ses journalistes lui avait arraché une augmentation de salaire, la deuxième en quatorze ans – et Vanier en avait ressenti comme un malaise cardiaque. Pour des raisons thérapeutiques, un congédiement s'imposait et il avait peut-être en la personne de Charles un moyen de préserver sa santé.

Le lendemain, Charles se présentait donc à *La Sirène de Villeray* avec un exemplaire d'*Arnaque dans l'ombre*, qu'il offrit à l'homme d'affaires. Ce dernier parcourut quelques pages, trouva le style plus que passable et l'absence de fautes de français le réjouit au plus haut point, car la plupart des plumitifs qu'il avait engagés jusque-là donnaient l'impression de ne pas avoir terminé leur cours primaire. Il sentit l'aubaine. Une longue conversation avec Charles lui montra que ce dernier était futé, débrouillard et ambitieux; avec un peu de soin, il pourrait en tirer beaucoup de profit. Il suffisait de le former, ce qui semblait facile, car le jeune homme manifestait un grand désir d'apprendre. Il ne pouvait cependant offrir à Charles qu'un travail de deux jours par semaine à quarante dollars par jour; l'empressement avec lequel le jeune homme accepta le lui rendit encore plus sympathique.

Charles commencerait le surlendemain. Fou de joie, il se rendit à la quincaillerie pour annoncer sa démission, qui fut mal reçue, comme on pouvait s'y attendre. L'impression d'écrasement qu'il ressentait en compagnie de Stéphanie et de son frère commença à s'atténuer. Et comme parfois le destin passe brusquement de l'avarice à la prodigalité, le même jour Bernard Délicieux téléphonait à Charles pour lui annoncer triomphalement qu'il venait enfin de lui dégoter une pige à *Vie d'artiste*. La charmante septuagénaire qui tenait vaillamment le courrier du cœur depuis vingt-deux ans était tombée dans un escalier et s'était fait au bras droit une vilaine fracture qui l'empêcherait de travailler pour quelques mois. En apprenant l'accident, Délicieux était allé trouver le patron pour lui faire remarquer, mine de rien, qu'il y avait peut-être là – malgré tous les égards dus à l'excellente dame – une occasion de rafraîchir la chronique devenue un peu somnolente avec les années et il lui avait parlé d'un jeune homme de ses connaissances, très brillant et... âgé de vingt-deux ans!

Le patron avait éclaté de rire, puis, la seconde d'après (mystère du cerveau humain!), avait trouvé l'idée géniale. Après une longue période de méfiance, il s'était pris pour Délicieux d'une sympathie grandissante et lui demandait parfois conseil. Charles pouvait donc venir soumettre ses textes.

— Et comment je procède? demanda le jeune homme, perplexe.

— Tu rédiges les questions et les réponses, voilà tout. Autrement dit, tu présentes les problèmes et tu fournis ensuite les solutions. C'est très facile. Je pourrais le faire en dormant. Bon. Je vois que t'as l'air embêté. Amène-toi au journal, je te montrerai des exemples et, en une demi-heure, j'aurai fait de toi un psychologue émérite. J'en profiterai pour te présenter au patron. Sois naturel et sûr de toi. Il faut que tu donnes l'impression que tu pourrais faire des choses mille fois plus difficiles.

Assis dans le bureau du journaliste, Charles, fort nerveux, écouta Délicieux de toutes ses oreilles.

Les gens, et particulièrement les femmes, lui apprit ce dernier, adoraient les courriers du cœur, mais – paresse ou peur de se faire reconnaître – hésitaient beaucoup à se confier par écrit. Aussi, de temps à autre, quand le nombre de lettres chutait un peu trop, fallait-il pousser à la roue et inventer des histoires. Cela pouvait être très divertissant. Délicieux avait tenu lui-même un courrier du cœur dans une feuille de chou plusieurs années auparavant et s'était amusé comme un petit fou. Mais le genre avait ses lois, qu'on ne pouvait outrepasser sous peine de catastrophe. Elles étaient au nombre de cinq.

1. Il fallait respecter le bon sens.

2. Il fallait user d'un mélange de cruauté et de compassion afin de satisfaire le masochiste et le sentimental présent en chacun de nous.

3. Il fallait se tenir à la frontière de la vulgarité, sans jamais y tomber; un petit détail croustillant, pourvu qu'il ne soit pas trop osé, stimulait beaucoup la lecture (de cela, l'ancienne chroniqueuse s'était montrée plutôt avare depuis quelque temps). Par contre, la franche obscénité faisait fuir le lectorat féminin.

4. Il fallait se montrer pratique, concret et très terre à terre, et fuir comme la sainte mort tout ce qui pouvait ressembler à de la philosophie et autres fumées inutiles.

5. Il fallait pratiquer la concision, car les longueurs rebutaient la clientèle et, de toute façon, l'espace alloué était restreint.

Charles écrirait sous le pseudonyme de Maryse ; la chronique portait depuis toujours le titre de « Courrier de Maryse » et il n'était pas question de le changer.

— Est-ce que ça te va ? fit Délicieux en se levant, car il devait aller faire une entrevue. Tu m'apportes demain deux questions et deux réponses, et on regardera ça ensemble.

— Demain ? fit Charles, effrayé.

— Allons, allons, aie confiance en toi, Charlot. Avec le talent que je te connais, tu vas faire ça les doigts dans le nez. Et puis, penses-y : dans une semaine, tu seras devenu le consolateur de tous les cœurs du Québec... à cinquante dollars la chronique !

Charles se précipita chez un marchand de journaux, attrapa tout ce qu'il put de courriers du cœur et se mit à l'étude. Tard dans la nuit, son voisin du dessous l'entendait encore taper à la machine à écrire ; le pauvre homme se leva, se prépara une tisane calmante, puis, soudain, un mouvement de colère s'empara de lui et il asséna un grand coup de manche à balai dans le plafond. Charles sursauta, poussa un soupir de résignation et continua son travail au stylo.

Le lendemain avant-midi, vers onze heures, il apportait à Bernard Délicieux les textes suivants :

Chère Maryse,

J'ai cinquante et un ans, je suis fonctionnaire à la Ville de Montréal et je vis avec ma vieille mère malade. Je gagne un bon salaire et je ne bois pas, tout en fumant un peu. J'ai toujours cru jusqu'ici que j'étais fait pour vivre seul, c'est-à-dire sans femme ni enfants, et je me sentais heureux ainsi. Mais il y a environ deux mois, j'ai rencontré une voisine chez le nettoyeur et j'ai vu que je lui plaisais et je dois dire que j'éprouve la même chose pour elle. Dorothée a quarante-quatre ans, elle est divorcée (d'un alcoolique), sans enfants, de belle apparence et en bonne santé. Nous avons parlé dernièrement de la possibilité de notre union. Elle m'a dit tout de suite avec beaucoup de franchise qu'elle aimerait bien vivre avec moi mais qu'elle ne pourrait jamais accepter la présence de ma mère, vu que cela briserait notre intimité et finirait par briser notre couple. Qu'en pensez-vous ?

Alonzo

Cher Alonzo,

Je crois que votre amie a raison. Parlez de la chose à votre mère et expliquez-lui les conséquences possibles de sa présence dans votre ménage. Vous lui avez déjà consacré une grande partie de votre vie et je vous en félicite. Rares sont les mères qui reçoivent des preuves d'amour aussi éloquentes de la part de leur fils ! Elle vous en est sûrement reconnaissante et acceptera sans doute avec joie d'aller vivre dans une maison d'hébergement pour personnes âgées, d'autant plus que plusieurs d'entre elles offrent une ambiance des plus agréables.

Maryse

Chère Maryse,

Nous sommes mariés, mon mari et moi, depuis quinze ans. J'ai trente-neuf ans et il en a quarante et un. Au début, c'était le grand amour et nous en ressentions beaucoup de bonheur. Malheureusement, depuis cinq ans, mon mari se désintéresse de moi au niveau sexuel. Les premiers temps, je croyais qu'il avait des problèmes de santé et c'est d'ailleurs ce qu'il m'a dit. Mais, dernièrement, je l'ai surpris deux fois durant la nuit en train de se masturber dans le lit. En fait, il me rejette. Est-ce qu'il voit une autre femme ? Peut-être. Je n'en ai aucune preuve et je n'ai pas encore osé le lui demander. Qu'est-ce que je devrais faire ?

Une épouse solitaire

Chère épouse solitaire,

Vous avez vous-même répondu en grande partie à votre question. Votre mari est en parfaite santé puisque sa fonction sexuelle est intacte. Vous vous étonnez de son absence de passion. Ne serait-ce pas à cause de votre froideur ? de votre manque d'égards à son endroit ? de cette routine que vous avez laissée s'infiltrer peu à peu dans vos rapports ? Ayez une discussion franche avec lui sur le sujet et avouez-lui vos torts. Il vous avouera les siens, s'il en a. Vos relations pourront ensuite repartir du bon pied, si je peux employer cette expression.

Maryse

Le journaliste releva la tête, radieux :

— Bravo, Charles ! Je savais que tu pigerais ! Tout est parfait, à part une petite chose : je veux parler de la fin de ta réponse à *l'épouse solitaire*, ce « si je peux employer cette expression ». Écoute-moi, Charles, et retiens bien ce que je vais te dire : il ne faut *jamais* faire de l'esprit dans un courrier du cœur. Les courriers du cœur doivent être sérieux comme des encycliques. Autrement, les gens vont penser que tu te payes leur gueule – ce qu'ils doivent ignorer à tout prix, Charles ! – et... ce sera la fin de ta collaboration ! Maintenant, allons prendre un verre, il faut fêter ça, une grande carrière t'attend !

29

Monsieur Victor Vanier, fondateur de *La Sirène de Villeray*, était un homme de grandes ressources qui jouissait d'une belle réputation dans son quartier et même dans certaines parties des quartiers avoisinants. Il passait à juste titre pour un bon vivant, très porté sur les plaisirs de la table, et rien ne le faisait saliver comme une grosse pointe de tourtière bien grasse recouverte d'une généreuse giclée de ketchup Heinz. Le nom de son journal lui avait toujours inspiré une profonde fierté et il le considérait comme la plus belle trouvaille de sa vie.

Avec une finesse remarquable, en effet, il avait joué sur les deux sens du mot « sirène », créant un vocable d'une grande richesse sémantique, et l'on pouvait admirer dans le coin supérieur droit de la une du journal le dessin d'un joli poisson-femme à la poitrine bien galbée tenant dans sa main droite le bruyant appareil qui indispose tant les voleurs avec, en dessous, la devise du journal :

Charme et vigilance

Cela dit, le contenu de *La Sirène* était constitué pour l'essentiel d'articles anodins sur des sujets locaux, de textes utilitaires achetés de l'agence de presse Keystone et d'annonces de soutiens-gorges, de véhicules d'occasion et de soldes d'épicerie.

Charles travaillait à *La Sirène* les mardis et mercredis, le journal était imprimé la nuit suivante et distribué ensuite dans la journée. Il apprit rapidement à faire la mise en pages sur de grandes feuilles quadrillées, plaçant d'abord les annonces aux endroits appropriés, puis comblant les vides avec des articles qu'on coupait ou allongeait selon l'espace disponible ; au besoin, on bouchait les trous avec des « pensées du jour » et des capsules d'« humour à la bonne franquette » ou l'on puisait dans une réserve de poèmes qu'alimentaient deux poètes du quartier qui courtisaient la Muse avec une infatigable persévérance.

Il apprit avec le temps à torcher de courts textes inspirés des événements de la semaine, à faire la chasse aux ragots pour en tirer des nouvelles rédigées en termes prudents, à faire des entrevues au téléphone avec des sommités locales (parfois redoutablement loquaces), feignant le plus grand intérêt pour des choses banales ou insipides, ce qui les mettait à l'aise et leur inspirait parfois des commentaires piquants.

Pendant ce temps, Victor Vanier faisait la tournée des commerces du quartier pour vendre son « espace publicitaire », tâche essentielle s'il en était, car, *La Sirène* étant un hebdo gratuit, c'était la seule source de revenus du journal ; ou alors, installé au téléphone, il déployait tout son charme auprès des clients réguliers. Il était assisté dans son travail par Francine, une femme sans âge, sèche, menue et de caractère délicat, aussi bavarde qu'une poignée de porte, et qui travaillait comme réceptionniste et secrétaire.

Le plein d'annonces fait, Victor Vanier s'assoyait devant son ordinateur pour rédiger un éditorial hebdomadaire dans lequel il déversait la sagesse qu'il avait durement acquise en vingt-sept ans de carrière.

Victor Vanier encourageait vigoureusement les activités sportives, combattait les arcades, lieux de perdition pour la jeunesse, tolérait l'usage de la cigarette pourvu qu'on fumât avec modération, et haïssait tout ce qui pouvait ressembler à une idée avancée. Il avait deux idoles politiques : le chef de l'opposition à Ottawa, un fort en gueule surnommé Flabotte pour des raisons obscures, et Anatole Flingon, son conseiller favori, politicologue de l'Université McGill, conférencier fort en demande dans certains milieux et réputé pour son style corrosif et ses prises de position à l'emporte-pièce ; tous deux vouaient une haine féroce aux séparatistes québécois qui depuis plus de vingt ans troublaient l'harmonie canadienne par leurs complots et leurs récriminations continuelles.

Charles adorait son travail, qui se rapprochait du métier d'écrivain. Malgré la faible portée de son action, il avait parfois l'impression d'influer à sa modeste façon sur le milieu où il vivait. Quand il avait pondu un petit texte pas trop mal ficelé, qu'animait ici et là une lueur d'esprit, et qu'il le retrouvait reproduit à dix-sept mille exemplaires (le tirage habituel de *La Sirène de Villeray*), un mouvement de fierté lui amenait un sourire de satisfaction et il se disait : « Ce n'est qu'un début, mon vieux... Ils n'ont encore rien vu ! »

Les veilles d'impression, il travaillait souvent jusqu'aux petites heures du matin et devait alors coucher au journal, car il n'y avait plus de métro et un taxi lui aurait coûté trop cher. Victor Vanier avait installé un lit de camp dans un réduit où s'entassaient des fournitures de bureau et lui permettait de l'utiliser.

— Quand Pierre Péladeau a fondé son *Journal de Rosemont*, disait-il à Charles pour stimuler son zèle et flatter son amour-propre, il couchait souvent au bureau, tu sais. Ceux qui veulent réussir ne comptent pas leurs heures, mon garçon ; c'est la seule façon d'en arriver un jour à se faire saluer avec respect par les gens !

Lui-même s'était étendu sur ce lit de camp à quelques reprises, certains soirs où les pépins avaient succédé aux pépins. Mais, le plus souvent, il l'utilisait pour faire une courte sieste au retour d'un dîner un peu trop arrosé avec un client.

Un mois après son arrivée, Charles s'était gagné la totale confiance de son patron et une certaine aménité de la part de

Francine, qui avait vu passer tellement d'employés au journal (car, payant mal, Victor Vanier devait embaucher souvent) qu'elle avait développé une indifférence de roche pour ses fugaces compagnons de travail.

Les jeudis et vendredis, Charles, libéré de *La Sirène*, s'adonnait à son courrier du cœur. Cette occupation lui procurait encore plus de plaisir que l'autre, car il pouvait y exercer son imagination dans tous les sens et faire apprécier le fruit de ses élucubrations par une clientèle beaucoup plus vaste que celle de l'hebdo de monsieur Vanier; *Vie d'artiste*, un des fleurons de Quebecor, touchait, en effet, un marché de plus de cent mille lecteurs.

Ces derniers ne mirent pas longtemps à goûter son talent. Trois semaines après qu'il eut pris en charge la chronique, le courrier avait doublé et le patron fit savoir à Charles qu'il envisageait la possibilité d'augmenter son salaire. Le jeune homme, pénétré de sa nouvelle responsabilité, se mit à lire des ouvrages de vulgarisation en psychologie, malgré les moqueries de Délicieux.

— Je ne veux faire le malheur de personne, moi, expliquait Charles au potineur. Comment te sentirais-tu si on t'apprenait que tu as provoqué un suicide, un meurtre ou un divorce en donnant un mauvais conseil?

— Je me sentirais parfaitement à l'aise, car, dans ma longue carrière, j'ai dû, sans le vouloir, en provoquer plusieurs. Il y a tellement de cons sur la planète qui ne sont pas capables de lire deux lignes d'une manière sensée que mes articles ont bien dû causer quelques dégâts!

Charles haussait les épaules et ne démordait pas de ses principes humanitaires.

Un mois plus tard, devant le succès grandissant du « Courrier de Maryse », on augmentait légèrement l'espace qui lui était alloué. L'ancienne chroniqueuse, alertée par ce changement, sentit qu'on lui tirait le tapis sous les pieds et téléphona au patron. Ce dernier lui répondit qu'en effet le temps était peut-être venu pour elle d'orienter ses talents vers autre chose mais que le journal, si elle le souhaitait, continuerait, bien sûr, de recourir à ses services. Que pensait-elle, par exemple, des mots croisés ?

La dame refusa tout net et, sans même connaître Charles, se mit à lui vouer une haine féroce. Dans les semaines qui suivirent, le patron reçut plusieurs lettres de provenances diverses où on critiquait le mauvais jugement de Charles et sa vulgarité. Il se contenta de sourire et, lorsqu'il croisait son jeune collaborateur, se mit à le tutoyer et à l'appeler par son prénom, un honneur qu'il n'accordait qu'à bien peu d'employés.

Mais on sait que les marques d'estime ne mettent pas beaucoup de lard autour de la ceinture. Au bout de quelques mois, Charles commença à se lasser de voir le loyer et les factures d'épicerie dévorer les trois quarts de ses revenus. À trop vouloir maintenir son train de vie d'antan, il voyait fondre les économies faites en travaillant pour le père Raphaël. Il se lança dans la recherche d'une troisième pige, et suffisamment bien payée pour qu'elle lui permette de quitter *La Sirène*, qui lui apparaissait à présent sous son vrai jour, c'est-à-dire minable. Il était pressé d'avancer dans la carrière, car la vie filait à l'épouvante. Et tous ces romans qui n'étaient même pas ébauchés !

— Est-ce que tu penses qu'on pourrait m'engager à temps plein ? demanda-t-il un jour à Bernard Délicieux.

— N'y pense pas avant au moins cinq ans, mon garçon. C'est presque aussi difficile d'entrer ici que de devenir archevêque. Et puis, de quoi te plains-tu ? Tu t'amuses et tu apprends le métier, même si ce n'est pas très payant. La jeunesse est faite pour manger de la vache enragée. C'est ce qui la rend forte.

Amassant tout son courage, Charles entra un jour dans le bureau du directeur et lui demanda si le journal pouvait lui confier un autre travail en plus de sa chronique.

— Tiens, pourquoi pas? répondit le directeur. La page éditoriale, peut-être?

Et il éclata de rire.

◆

Charles confiait parfois à Blonblon ses préoccupations financières et professionnelles, mais évitait soigneusement d'en parler à Stéphanie, car il aurait craint de déchoir à ses yeux. Il s'efforçait par tous les moyens de lui donner l'impression qu'il était *au-dessus de ses affaires*, content de lui-même et de sa carrière, qui allait bientôt lui apporter la notoriété. Il ne voyait d'ailleurs pas d'autres façons pour un modeste diplômé du cours secondaire, même cultivé, de se comporter avec une étudiante qui allait un jour faire partie de l'Association des psychologues et recevoir dans son élégant bureau des flopées de patients dont elle examinerait les torsions et contorsions de l'âme en échange d'honoraires dix fois supérieurs à ce qu'il pouvait gagner.

Du reste, leurs rapports ne le satisfaisaient guère, elle non plus sans doute. C'était une de ces relations qui, n'ayant jamais réellement commencé, n'arrivait pas à finir, s'allongeant et s'étirant dans l'indécision et un vague désappointement. Elle faisait l'amour avec lui non pas tant par plaisir que par soumission aux usages du temps; il n'y avait en effet que les dindes et les bécasses, à présent, pour se présenter vierges au mariage. Toutes ses amies et connaissances couchaient à gauche et à droite, certaines à en perdre haleine. Elle avait choisi de les imiter, mais dans la stabilité et la modération.

Toutefois, un problème plus profond séparait les deux jeunes gens : Stéphanie avait décidé de « reconstruire » son ami. Elle l'aimait, oui, et de tout son cœur croyait-elle, mais elle aimait surtout l'homme qu'il aurait pu être – l'homme qu'elle s'efforçait de modeler. Charles, selon elle, devait modifier certains éléments de sa personnalité, développer ses potentialités, afin de *devenir véritablement lui-même*, ce qui arrivait, semblait-il, à bien peu de gens. Elle l'incitait sans relâche à reprendre ses études afin d'occuper la place qui lui revenait dans la société, à mener une vie plus calme afin de pouvoir réfléchir, à *intérioriser ses expériences*, à régler le différend qui l'opposait depuis si longtemps à son père (il avait eu le malheur un jour de lui en faire part), à parler moins et à écouter davantage afin de mieux connaître les gens, quoiqu'elle lui accordât que sa faconde et son humour constituaient des qualités indéniables.

En somme, elle l'aimait autant qu'elle le pouvait, mais l'aurait aimé beaucoup plus s'il avait été tout autre.

Charles admettait le bien-fondé de ses conseils et de ses remarques, mais ils provoquaient souvent son agacement, et leurs discussions tournaient parfois en querelles suivies de longues bouderies, suivies d'une réconciliation, et il retira peu à peu de sa liaison avec Stéphanie une impression de fatigue et de complications permanentes.

30

Plusieurs mois s'écoulèrent. Le gouvernement Bourassa s'enferrait dans les négociations constitutionnelles en vue de la ratification de l'Accord du lac Meech ; des provinces se livraient à une sournoise obstruction et cette fameuse réintégration du Québec « dans l'honneur et l'enthousiasme » commençait à ressembler à une tentative pour faire voler un cheval au-dessus d'un clocher.

Le 8 mars 1990, la télévision de Radio-Canada diffusait des images qui choquèrent la population québécoise ; il s'agissait d'un reportage où l'on voyait des militants d'Alliance Ontario de Brockville en train de piétiner le fleurdelisé en guise de protestation contre les politiques linguistiques du Québec. Furieux, Charles rédigeait dans la soirée un article ravageur contre les orangistes ontariens et, sans en parler à Victor Vanier, le faisait paraître dans *La Sirène de Villeray*.

Le lendemain matin, vers sept heures, alors qu'il venait de s'endormir après une nuit de mise en pages à *La Sirène*, le téléphone sonna.

— Amène-toi au bureau, et tout de suite, ordonna Victor Vanier d'une voix peu aimable.

Charles, devinant de quoi il retournait et jugeant qu'il valait mieux se faire engueuler après quelques heures de bon sommeil que tout recru de fatigue, demanda à reporter la rencontre au début de l'après-midi, d'autant plus qu'il se trouvait en congé ce jour-là. Monsieur Vanier fut intraitable et parla de congédiement. Alors Charles, grommelant et soupirant, se tira du lit et sauta dans son pantalon.

En le voyant apparaître à *La Sirène*, Francine eut un sourire de réprobation amusée et lui annonça que le patron l'attendait dans son bureau, bouillant comme une soupe qu'on aurait oubliée sur le feu.

— Si tu n'es pas un *vrai Canadien*, commença Victor Vanier après deux ou trois grimaces d'indignation, il n'y a pas de place pour toi dans mon journal. Compris ?

— Ça ne vous a pas insulté, vous, riposta Charles, rouge comme la crête d'un coq, de voir notre drapeau piétiné par cette bande de cinglés ?

— Mon ami, tu sauras qu'on ne répond pas à l'impolitesse par l'impolitesse. Un bon citoyen sait rester digne en toutes circonstances. Et un bon journaliste ne passe pas de sapin à son patron. Tu le savais, que je refuserais ton article. Tu as profité de ma confiance pour le fourrer en cachette dans mon journal. On appelle ça de l'hypocrisie, monsieur, et de la lâcheté. Tu me forces à présenter des excuses dans mon prochain éditorial. J'ai bien envie que ce soit toi qui les présentes à ma place.

Charles eut un sourire sarcastique :

— Alors je démissionne.

Il y eut un moment de silence, Victor Vanier ne s'étant pas attendu à cette réplique.

— Avez-vous beaucoup de lecteurs en Ontario ? demanda Charles, moqueur.

— *La Sirène* circule partout, mon jeune ! L'an dernier, ma tante Édouardine a vu un cardinal à Rome en train de la lire dans un parc ! Ha ! ça t'en bouche un coin, hein ?

La discussion continua ainsi pendant quelques minutes jusqu'à ce que l'appel téléphonique d'une cliente importante force Victor Vanier à roucouler des gentillesses avec des sourires au sirop d'érable ; d'un geste impérial, il fit signe à son employé de déguerpir.

Après une pareille scène, il ne fallait plus songer à dormir. Charles décida d'aller voir Blonblon chez son antiquaire de la rue Amherst ; il allait quitter son emploi dans un mois pour ouvrir sa propre boutique avenue du Mont-Royal, où il venait de louer un local à des conditions inespérées ; Charles lui en demanderait la clé et irait y faire un peu de ménage ou de peinture. Dans les circonstances, mieux valait de l'insomnie constructive ! Mais, auparavant, il décida d'aller prendre une douche chez lui.

◆

En mettant le pied dans le vestibule, il aperçut une paire d'énormes caoutchoucs, qui ne s'y trouvaient pas à son départ.

— Y a quelqu'un ? lança-t-il d'une voix inquiète.

Un toussotement familier lui répondit dans la cuisine.

— Fernand ? lança-t-il, stupéfait, tandis qu'une joie mêlée de crainte se répandait en lui.

Le quincaillier l'attendait, assis à la table, son manteau jeté sur le dossier d'une chaise. Il avait vieilli. La chair de sa gorge commençait à s'affaisser, des cernes jaunâtres marquaient d'épaisses demi-lunes le dessous de ses yeux et les cheveux blancs venaient de gagner la bataille contre les cheveux noirs et gris. Mais la carrure demeurait imposante, le corps ferme et droit, et le visage exprimait toujours la même volonté énergique et tenace. Charles se trouva cruel et mesquin de l'avoir si longtemps négligé.

— Qu'est-ce que tu fais ici ?

— Je suis venu te voir.

Il y avait du sarcasme dans la voix, mais un sarcasme qui cherchait à masquer de la timidité.

Charles le contemplait avec un sourire incrédule :

— Comment es-tu entré ?

— Je me suis fait ouvrir par le concierge. Ça n'a pas été facile, mais tu connais ma tête de cochon... J'ai fini par le faire céder en gueulant.

— Eh ben... Si je n'avais pas décidé de venir prendre une douche, tu aurais attendu longtemps !

— Oh, j'imagine qu'au bout d'une heure ou deux je serais parti. Je t'aurais laissé un mot pour expliquer la raison de ma visite, même si je n'écris pas aussi bien que toi...

Charles ôta son manteau, retourna au vestibule enlever ses bottes, puis s'assit devant le quincaillier et, dans un geste rare, posa sa main sur la sienne :

— Veux-tu un café ?

— Merci, je viens d'en prendre trois pour me pomper. Fais-toi-z-en un si tu veux. Après tout, ajouta-t-il avec un sourire, t'es chez toi.

L'autre se leva :

— Oui, j'en ai besoin. J'ai travaillé toute la nuit, figure-toi donc... pour me faire dire ensuite par le patron que je méritais la porte.

— Eh ben ! un trou de cul, celui-là !

Il s'arrêta, ne sachant plus quoi dire, attendant que Charles poursuive. Celui-ci, le dos tourné, rinçait une cafetière dans l'évier :

— Je... Fernand... je voudrais vous demander pardon, à toi et à Lucie, de n'être jamais allé vous voir depuis qu'on a rompu, Céline et moi. Tu ne peux pas savoir combien cette histoire m'a mis à l'envers. Mais je continue de vous aimer tous les deux, tu sais.

Le quincaillier, étouffé par l'émotion, fut quelques instants avant de pouvoir répondre.

— Voilà le genre de chose qui fait plaisir à entendre, articula-t-il enfin d'une voix qui avait de curieux accents de tuba.

Il se racla la gorge, puis :

— Dommage que tu ne puisses pas en dire autant au sujet de Céline... Elle en a pâti un sacré coup, tu sais... Il y a eu un hiver dont on aurait pu se passer, ça, tu peux me croire ! J'ai eu envie bien des fois de venir te botter le derrière une petite demi-heure ou deux, mon garçon. Mais, avec le temps, je me suis calmé.

Charles, toujours retourné, continuait de rincer la cafetière, même si le rinçage était terminé depuis un moment déjà.

— J'ai agi comme un con, répondit-il enfin. De toute ma vie, je n'ai jamais été aussi con.

— Eh bien, tant pis pour toi. Elle a refait sa vie, à présent.

Le jeune homme eut un sursaut, lui lança un bref regard, puis se dirigea vers le réfrigérateur, les joues toutes rouges.

— Façon de parler, bien sûr, crut bon d'ajouter le quincaillier. Je ne suis quand même pas venu t'annoncer son mariage.

— Elle peut bien marier qui elle veut, répliqua Charles.

Il y eut un nouveau silence et Fernand Fafard jugea que le moment était venu de changer de sujet s'il voulait prolonger encore un peu sa visite.

— Pour te dire le fond de ma pensée, reprit-il en s'efforçant de prendre un ton enjoué, je n'étais pas sûr de la tête que tu ferais en me voyant ici. Ton ami Michel Leblond m'a appris que tu ne travailles jamais le jeudi. Alors, comme on ne t'avait pas vu depuis des mois, des mois et des mois, que je t'ai toujours considéré malgré tout comme mon garçon, je me suis dit : « Vas-y, mon gros, va lui rendre une petite visite. Le pire qu'il peut t'arriver, c'est qu'on te dise d'aller te faire voir ailleurs. »

— Allons, tu sais bien que je ne t'aurais jamais parlé comme ça, répondit Charles en souriant.

— Hum ! on ne sait jamais, avec nos enfants. Je me rappelle, moi, quand j'étais jeune...

— Alors comme ça, l'interrompit Charles, tu vois parfois Blonblon ? Il ne m'en a jamais dit un mot.

Le quincaillier détourna le regard :

— Je le rencontre de temps à autre, par hasard, dans la rue, et on jase un peu.

— Dis-moi... c'est lui qui t'a conseillé de venir me trouver ?

Fernand Fafard hésita un instant, puis fit signe que oui.

— Sacré Blonblon ! il ne changera jamais... Le raccommodeur professionnel !

— La bonne entente vaut mieux que la chicane, avança le quincaillier, tout fier de son lieu commun.

— Ah ! si jamais il devient chef d'État, les canons vont rouiller, ça, c'est sûr ! Comment va Lucie ?

— Lucie va bien, mais elle s'ennuie de toi. Elle s'occupe présentement d'une famille de Péruviens qui vient d'atterrir dans le quartier avec sept enfants. Ça lui change les idées. On s'est abonnés à *La Sirène de Villeray* et à *Vie d'artiste*, figure-toi donc. Elle collectionne tes articles... Tu lui ferais bien plaisir en venant manger un morceau de gâteau à la maison, un de ces jours. On s'arrangerait, bien sûr, pour que Céline se trouve ailleurs... à moins que...

— Je préférerais qu'elle se trouve ailleurs, coupa Charles d'un ton sec.

Puis il sourit :

— Merci pour ton invitation. Ça me ferait vraiment plaisir d'aller vous voir. Il y a longtemps que j'en avais envie. Je vous téléphonerai... dans deux ou trois jours, disons... le temps que Lucie me prépare un bon gâteau... Ça te va ?

— Tiguedou, mon gars. Elle va t'en préparer tout un !

Le quincaillier promena alors un regard songeur dans la cuisine et toussota. Charles s'attendait à ce que, sa mission accomplie et par crainte d'importuner, il attrape son manteau et file. Mais il continuait de bavarder de tout et de rien d'un air vaguement embarrassé, cherchant de toute évidence à dire quelque chose mais n'osant pas. Finalement, il demanda un café et le but en deux gorgées, comme un soldat qui s'envoie une rasade d'eau-de-vie avant une attaque à la baïonnette. Puis, s'essuyant les lèvres du revers de la main :

— Dis-moi... Il paraît que tu en arraches un peu ces temps-ci au point de vue finances ?

— C'est encore Blonblon qui t'a appris ça ?

— Oui, c'est lui, avoua le quincaillier, et ses joues s'ornèrent de deux petites plaques rouges.

— Il parle beaucoup, ce Blonblon, lança Charles avec humeur en se levant pour arpenter la cuisine. Il parle même un peu trop. Je vais lui en dire un mot. Et alors ?

— Alors, rien du tout… C'est-à-dire que… Tu sais, Charles, les affaires vont mieux à la quincaillerie depuis quelque temps… Il faut dire qu'Henri me donne un sacré coup de main et qu'il ne manque pas de bonnes idées. Alors, j'avais pensé…

— Non merci, coupa Charles en croisant les bras sur sa poitrine.

— Laisse-moi finir, voyons ! Je ne te propose pas l'aumône, tornade de clous ! Je sais fort bien que tu peux vivre par tes propres moyens, en homme honorable, comme on dit. Je te propose tout simplement un prêt, mille ou deux mille, ou *plusse* même, que tu me rembourserais quand ça ferait ton affaire.

— Non merci, répéta Charles encore plus durement. Tu m'as déjà assez aidé comme ça, Fernand. Pense à tes vieux jours.

Alors le quincaillier leva vers lui un visage si impuissant et si désolé que l'orgueil de Charles craqua ; une vague de tendresse l'envahit qui faillit lui faire perdre ses moyens et c'est en plissant les yeux pour tenter de les garder secs qu'il saisit le quincaillier par les épaules et, d'une voix un peu rauque :

— Fernand, Fernand… tu m'as déjà acheté pour cinq mille piastres à mon père, tu m'as élevé, nourri, habillé pendant huit ans… Est-ce que ce n'est pas assez ? Je vis serré, c'est vrai, mais je m'en tire très bien quand même, je t'assure… Bon. Puisque tu y tiens… je te promets que, si un jour je suis vraiment mal pris, je te ferai signe… Content, là ?

— Je n'en demande pas plus, répondit l'autre en s'efforçant de cacher sa déception. Comme ça, Lucie et moi, on aura l'esprit un peu plus en paix.

Ce n'est qu'une fois remonté dans son auto et filant vers la quincaillerie qu'il réalisa que sa mission, dans les circonstances, avait connu tout le succès possible. Alors, il se mit à chanter à tue-tête *Gens du pays* – ce qui lui arrivait pour la première fois de sa vie – et un sentiment de satisfaction si intense l'envahit qu'il passa près d'emboutir une auto à un feu rouge. « Il faut que je demande à Lucie quel est son gâteau préféré », se dit-il en faisant un signe d'excuse au conducteur furieux en avant de lui.

◆

L'incartade politique de Charles avait tellement ulcéré Victor Vanier que le lendemain matin, lorsqu'il arriva au bureau et que sa secrétaire lui fit remarquer qu'il paraissait un peu essoufflé, il faillit jeter son chapeau au visage de son employée. Puis, un peu plus tard, lorsqu'il voulut se pencher sur la comptabilité, des picotements aux orteils extrêmement désagréables l'empêchèrent de se concentrer. Enfin, vers onze heures, il passa près de virer un client venu demander une correction de facture. Mais, peu à peu, le calme revint et, avec lui, le bon sens.

Jamais, depuis la fondation de *La Sirène*, il n'avait eu un aussi bon journaliste que Charles. Ce dernier avait attrapé le métier comme on attrape un rhume dans une garderie. Victor Vanier aurait pu s'absenter plusieurs jours sans que le fonctionnement du journal en soit vraiment perturbé. Grâce à Charles, il pourrait sans doute jouer au golf l'été prochain *au beau milieu de la semaine*. Ç'aurait été pure folie que de le punir et folie encore plus pure que de le congédier. Aussi décida-t-il de ne pas le forcer à écrire de rétractation. Il s'en chargerait lui-même et le ferait en termes diplomatiques, de façon à n'offusquer personne.

Cette décision prise, les picotements disparurent comme par enchantement ! « Tout se passe dans la tête, observa encore une fois le fondateur de *La Sirène*, émerveillé. Je ne suis pas loin de croire, ma foi, qu'une femme pourrait tomber enceinte rien qu'en le voulant. L'Immaculée Conception, après tout, c'est peut-être ça... »

Il s'installa devant son ordinateur et, en cinquante-trois minutes, pondit un éditorial qui commençait ainsi :

> Le geste malheureux posé par nos amis d'Alliance Ontario est regretté par tous, et sûrement par ceux qui en sont l'origine. De partout viennent des réactions d'indignation, qu'on ne saurait évidemment condamner, même si parfois elles y vont un peu fort. Il y en eut même une dans le journal que vous tenez présentement dans la main. Cependant, du calme, les amis! Il ne faut tout de même pas s'énerver pour quelques mots un peu trop épicés. La modération exige qu'on évite les excès et, si on ne parvient pas à le faire, c'est elle qui en souffre...

Quand Charles réapparut au journal le mardi suivant, Vanier lui trouva l'air renfrogné et s'efforça tout au long de l'avant-midi de montrer par toutes sortes de petites attentions qu'il ne lui tenait plus rigueur de son geste. Comme l'autre demeurait plongé dans le mutisme, vaquant à ses occupations avec l'enthousiasme d'un condamné à mort qu'on aurait forcé à laver la vaisselle un quart d'heure avant son exécution, il fit demander Charles à son bureau, ferma soigneusement la porte et lui annonça avec solennité qu'il n'exigeait plus de rétractation écrite, car il venait de s'en charger lui-même. Charles aurait-il l'obligeance de la lire ? Il était curieux de connaître sa réaction.

Ce dernier parcourut le texte et, pour la première fois de la journée, un sourire apparut sur ses lèvres :

— C'est très bien. Je n'y changerais pas un mot.

— Bon. Je suis content que tu sois de mon avis. Je crois, en effet, que j'ai bien cerné le problème – tout en restant dans les limites de l'acceptable.

Il lui tendit la main et crut avoir réussi une réconciliation dans l'honneur.

Mais, le lendemain, Charles continua d'avoir l'air bizarre. Un doute se mit à grignoter tout doucement Victor Vanier : son employé avait décidé de le quitter ; il s'était mis à la recherche d'un nouveau travail ; on allait peut-être lui en offrir un bientôt et il se réserverait le malin plaisir de lui annoncer son départ à la dernière minute pour l'embêter au cube. Comment parer le coup ? L'unique solution qui vint à son esprit lui parut extraordinairement douloureuse : il fallait lui offrir une augmentation de salaire. Devrait-il le faire passer de quarante à quarante-cinq ou même à cinquante dollars par jour ? C'était comme décider de se faire amputer le bras à la hauteur du coude ou à l'épaule ! Choix ridicule ! Monstrueux !

Du coup, les picotements aux orteils revinrent, accompagnés de trémulations et de crampes aux mollets. Les murs de son bureau semblèrent se resserrer lentement autour de lui et l'air commença à lui manquer. Allait-il se trouver mal ?

— Francine ! lança-t-il d'une voix moribonde.

La secrétaire accourut à la porte :

— Mon Dieu ! Qu'est-ce qui se passe, monsieur Vanier ? Vous n'allez pas bien ?

— Va... me chercher... un verre d'eau, s'il te plaît.

Il en but deux, se sentit mieux. Ses idées s'éclaircirent. La nécesssité s'imposait, impitoyable. Il fallait plier. Il plierait.

— À présent, fais venir Charles.

Ce dernier apparut, ennuyé, car il partait pour une entrevue. Mais c'est avec un grand sourire qu'il quitta le bureau quelques minutes plus tard. La marque d'estime qu'on venait de lui témoigner d'une façon inattendue par ces dix dollars d'augmentation avait beau venir d'une tarte, elle lui donnait la délicieuse illusion d'être devenu irremplaçable.

31

Un soir, après s'être assuré de l'absence de Céline, Charles remplit enfin sa promesse et rendit visite à ses parents adoptifs. Il fut accueilli comme le général de Gaulle dans Paris libéré ou, si l'on préfère, comme l'inventeur de l'insuline dans un groupe de diabétiques. Lucie, après l'avoir embrassé, avoir admiré sa bonne mine et s'être épongé les yeux en se moquant de son *petit cœur de couventine*, déposa sur la table le gâteau qu'elle avait depuis longtemps préparé en prévision de sa visite et mis à décongeler quelques heures plus tôt sur le comptoir de la cuisine. Son statut d'homme commandait à Fernand plus de retenue; il se contenta de recevoir Charles avec un énorme « salut, mon gars ! », de lui serrer la main avec énergie, puis de se moucher bruyamment, au grand effroi de la perruche qui observait la scène depuis le perchoir de sa cage.

— Ton gâteau préféré : chocolat et caramel ! Comme tu vois, on t'attendait ! Vingt minutes encore, et tu pourras te régaler, mon Charlot. Fernand, prépare donc du café. Tu bois toujours du café, Charles ?

— Oui, bien sûr.

— Je te pose la question parce que je me disais qu'avec ton nouveau métier – qui doit être si stressant ! – tu avais peut-être décidé de couper le café, on ne sait jamais. Mais pourquoi l'aurais-tu coupé, au fond? Tu es jeune et solide, et à l'épreuve de tout. Ça, j'en suis sûre!

— Pas moi, répondit Charles en riant.

Il l'écoutait babiller, tout ému de la retrouver, après plus de deux ans, aussi vive et chaleureuse qu'avant, et le visage aussi frais malgré la cinquantaine avancée, qui se faisait deviner par un début d'embonpoint.

— Oh! je suis un régime depuis presque un an, soupira-t-elle. Mais ce que je perds une semaine, je le reprends la semaine suivante, et un peu plus, on dirait.

— Je te l'ai toujours dit: t'es trop nerveuse, déclara Fernand, défendant une de ses théories favorites. La nervosité fait engraisser. C'est l'exercice qui fait maigrir.

— Pourtant, Dieu sait si je n'en manque pas, avec les courses, le ménage, mon travail à la quincaillerie et tout le reste!

C'était l'âge, sans doute, et peut-être aussi ces plats de cuisine péruvienne qui ne cessaient d'affluer en témoignage de reconnaissance de la famille Alvarado.

— Des gens extraordinaires, assura Fernand. Je ne comprends pas grand-chose à ce que dit le père – sa femme se débrouille un peu mieux en français –, mais si tu voyais les enfants! Beaux! Beaux comme des anges qu'on aurait fait griller un petit cinq minutes en enfer! La peau aussi dorée qu'une feuille de tabac! Et ils parlent français comme toi et moi, sans aucun accent!

— C'est-à-dire qu'ils ont pris le nôtre, corrigea Lucie. Les trois plus grands réussissent très bien à l'école. Et Esperanza te ressemble, Charles: elle a toujours le nez dans un livre.

Il était venu pour une heure, en espérant que la conversation ne serait pas trop difficile à meubler, mais n'était reparti qu'après minuit. Ils avaient parlé de l'avenir de la quincaillerie, dont Fernand voulait remettre la gestion dans deux ou trois ans à Henri, qui allait bientôt se marier; puis ils avaient joué à la canasta, une passion qui s'était récemment emparée du quincaillier et de sa femme. Fernand avait tenu ensuite à faire goûter à Charles une de ses *bonnes bouteilles* (il s'était lancé un an plus tôt dans la fabrication du vin, se découvrant, disait-il, *un bon nez pour le raisin*), et ce dernier lui avait fait les compliments qu'on s'attend à recevoir en pareille occasion.

On avait brièvement parlé de Céline. Après avoir entrepris puis abandonné des études de soins infirmiers, elle avait opté pour la pédagogie et s'orientait vers l'enseignement des mathématiques au secondaire; elle venait de laisser son ami (au grand soulagement de Fernand) et s'en était fait un autre, étudiant à l'École des hautes études commerciales. Depuis quelque temps, elle parlait d'emménager avec une copine quelque part dans le quartier.

Charles écoutait ces nouvelles en s'efforçant de garder un air indifférent, mais il était envahi par le regret et voyait le même regret dans les yeux de ses interlocuteurs; cette vie, à laquelle il aurait pu mêler la sienne, lui échappait désormais, et pour toujours; Céline lui deviendrait de plus en plus étrangère et incompréhensible; un jour, lorsqu'on lui parlerait d'elle par hasard, il aurait l'impression d'une morte ou d'une inconnue; le sentiment d'une perte immense le submergea; son attachement pour Stéphanie, curieusement, n'arrivait pas à combler ce vide.

— Minuit dix! s'écria-t-il soudain.

Il se leva:

— Il faut que je parte, sinon, demain, je vais avoir les deux yeux dans le même trou... et vous aussi!

Lucie le serra dans ses bras:

— Promets-moi de revenir souvent, lui murmura-t-elle tendrement. Je me suis tellement ennuyée de toi! Et je n'étais pas la seule, tu sais ! Regarde Fernand : je ne l'ai pas vu de bonne humeur comme ça depuis des mois, sinon des années !

◈

Sa soirée lui avait tellement plu qu'il prit l'habitude de venir leur rendre visite de temps en temps. C'était généralement le jeudi, son jour de congé. Il annonçait toujours sa venue la veille.

Un soir, par une sorte de bravade et pour le plaisir de faire admirer son amie, qu'il trouvait fort mignonne, il demanda à Stéphanie de l'accompagner ; elle n'accepta qu'après s'être fait longuement prier, trouva Lucie charmante, quoiqu'un peu simplette, mais les manières directes et populaires de Fernand, sa voix tonitruante et cette façon qu'il avait de la regarder comme s'il évaluait de la marchandise lui déplurent. Cela se sentit, la gaieté devint forcée et on se quitta tôt, n'ayant plus rien à se dire.

— J'espère que tu vas revenir nous voir, dit Fernand à la jeune femme, avec l'impression d'avoir commis un impair, sans trop savoir lequel.

— Oui, bien sûr, répondit-elle poliment.

Lucie l'embrassa sur les deux joues en lui déclarant que Charles avait bien du goût. Le compliment eut l'air de la flatter.

— Charles pourrait faire tant de choses, soupira Stéphanie, si seulement il le voulait !

Lucie eut un sourire étonné :

— Mais il en fait déjà pas mal, non ?

L'autre détourna le regard en pinçant les lèvres dans un sourire contraint.

— Celle-là, elle ne m'aime pas, déclara Fernand après leur départ, et je ne l'aime pas non plus. C'est clair comme un doigt dans l'œil.

— Ça, mon cher, on s'en fiche. Et ne va jamais répéter une chose pareille à Charles; ce serait assez pour qu'on ne le revoie plus jamais!

Stéphanie ne revint qu'une fois chez le quincaillier et Charles lui sut gré de sa présence.

C'était un soir du début de juin, encore tout imprégné de la fraîcheur du printemps. Charles avait décidé de se présenter plus tôt qu'à l'habitude, car ils voulaient aller au cinéma. C'est Fernand qui vint leur ouvrir et, à son air, le jeune homme comprit qu'ils arrivaient au mauvais moment.

— Entrez, entrez, fit le quincaillier avec une cordialité de commande.

Ils pénétrèrent dans la cuisine. Six personnes étaient attablées. On en était au dessert. Henri avait invité sa grassouillette future femme, une blonde au regard doux et un peu fadasse. Et Céline parlait à voix basse avec un grand jeune homme d'allure militaire, aux cheveux en brosse et à la mâchoire décidée, portrait vivant de l'exécuteur de missions dangereuses. Elle se leva et, sans le moindre malaise, comme s'il s'agissait d'une formalité, le présenta à Charles, qui, à son tour, leur présenta son amie. Une bouteille de vin presque vide expliquait peut-être l'aisance de son ancienne petite amie.

Elle avait beaucoup embelli. Sûre d'elle-même, consciente de l'attrait qu'elle exerçait, mais assez fine pour ne pas le montrer, elle posa les questions d'usage aux deux jeunes gens sur leurs occupations, félicita Charles pour un article que sa mère venait de lui faire lire et fila bientôt avec son ami, qui avait gardé le silence souriant de celui qui ne veut pas se mettre les pieds dans les plats.

Charles, après avoir quitté les Fafard, ne fit aucune allusion à cette rencontre imprévue et Stéphanie, qui avait senti son malaise sans pouvoir se l'expliquer, ne lui posa pas de questions.

◆

Céline, depuis sa rupture avec Charles, n'avait pas été très heureuse, mais elle aurait vigoureusement contredit quiconque aurait affirmé pareille chose.

Elle menait une vie active et variée, s'était fait quelques nouvelles amies, pratiquait depuis peu le tennis, auquel elle prenait assez de plaisir, lisait beaucoup plus que durant son adolescence, et sur toutes sortes de sujets; elle avait connu plusieurs garçons, s'était éprise de quelques-uns, la plupart du temps pour une brève période, et croyait avoir enfin trouvé l'amour de sa vie.

Laurent Gadbois était un jeune homme sérieux et rangé, de caractère facile, fort agréable au lit, faisant montre d'une connaissance de l'anatomie féminine assez peu répandue chez les mâles, malgré toutes leurs vantardises, et très différent de Charles, qu'il aurait sans doute classé parmi les agités. C'était lui qui avait initié Céline au tennis, sport dans lequel il excellait; il éprouvait le même intérêt que son amie pour les mathématiques et partageait les idées politiques de Fernand Fafard, condition essentielle pour entretenir des rapports harmonieux avec celui-ci. Il adorait en Lucie d'abord et avant tout la cuisinière, ce qui laissait présager que sa vie se terminerait dans une confortable obésité. Il était peu prodigue de marques de tendresse, mais Céline se disait que, Dieu merci, contrairement à l'intelligence, c'était une qualité qu'on pouvait arriver à développer chez la plupart des hommes.

Elle le connaissait depuis six mois et, bien qu'il en eût exprimé le désir à quelques reprises, elle ne souhaitait pas pour l'instant vivre avec lui. L'amour qu'elle lui portait était déjà assagi, prêt aux combats et aux déceptions de la vie et se renforcerait sans doute avec la venue des enfants qu'ils auraient peut-être un jour. Cela n'avait pas grand-chose à voir avec son premier amour, ces années de passion et de turbulence qu'elle avait connues avec Charles, et dont elle gardait un souvenir à la fois ébloui et douloureux.

La visite-surprise de ce dernier chez ses parents l'avait bouleversée et elle se sentait fière d'avoir réussi, l'alcool aidant, à cacher son trouble; sa maîtrise d'elle-même augmentait avec les années; elle ne ferait jamais partie de ces femmes qui ne peuvent s'épanouir que dans le rôle de victime.

Elle étudiait avec ardeur, sortait beaucoup, faisait de la couture, suivait l'actualité avec attention et, de temps à autre, le samedi, allait prêter main-forte à ses parents vieillissants à la quincaillerie, où elle devait utiliser toute sa diplomatie pour éviter les accrochages avec Henri, qui se voyait déjà en grand patron.

La vie lui paraissait intéressante, mais sans grandes joies. Elle avait connu dans le passé des moments de bonheur intense, mais n'était pas loin de croire qu'ils appartenaient au temps de la jeunesse et disparaissaient peu à peu avec elle.

Ce n'était pas l'avis de sa mère, avec qui Céline avait eu un jour une discussion à ce sujet; Lucie considérait que toutes les époques de la vie apportent leur bonheur à celui qui sait le mériter – et elle s'inquiétait secrètement pour sa fille, qu'elle aurait aimé voir sourire un peu plus souvent.

◆

Le 4 novembre 1991

Mon pauvre Charles,

Ma lettre va te faire souffrir, hélas, et tu vas te demander pourquoi j'ai choisi de t'annoncer ma décision par écrit plutôt que de vive voix, mais, après y avoir longuement réfléchi, j'en suis venue à la conclusion qu'il valait mieux pour moi procéder de cette façon.

Il faut nous séparer, Charles. Je ne te rends pas heureux et je dois t'avouer que, malgré tes belles et nombreuses qualités, tu ne réponds pas à toutes mes attentes. Ce n'est pas de ta faute ni de la mienne. C'est ainsi. Nos caractères ne semblent pas compatibles. Nos aspirations divergent. Nos façons de voir la vie ne s'accordent pas. Et cela se répercute même sur le plan physique, tu ne trouves pas ? Continuer notre liaison ne mènerait à rien, je crois, sauf à de plus grandes souffrances.

Je t'écris pour éviter d'affronter ton éloquence, que je sais redoutable pour en avoir fait l'expérience à plusieurs reprises. En dix minutes, tu risquerais de m'embobiner de nouveau et cela ne ferait que reporter une rupture que je considère comme inévitable.

Merci pour tout ce que tu m'as apporté (ne ris pas, tu m'as apporté beaucoup). J'espère que, de mon côté, j'ai pu te rendre parfois heureux, malgré mes insuffisances. Je garderai toujours un bon souvenir de toi, de ton humour, de ta gaieté et de cette énergie sans bornes qui te fait foncer dans la vie comme un boulet de canon.

Je t'embrasse,
Stéphanie

P.-S. Si tu tiens à tout prix à ce qu'on se voie pour une explication, j'aimerais laisser d'abord passer quelques semaines et que notre rencontre se fasse dans un lieu public.

— Tu parles si je veux te revoir ! lança Charles en chiffonnant la lettre. J'aimerais mieux causer avec une vache crevée ! Ah ! tu vas faire toute une psychologue, toi ! Tes patients vont se jeter en bas des ponts ! Espèce de parvenue ! Lâche ! Snob ! Fesses de glace ! Ah ! si j'avais un diplôme, tu m'aurais chanté une autre chanson, bébé ! Si j'étais médecin ou dentiste, tu te serais pendue à mon cul ! Je regrette chaque minute que j'ai passée avec toi ! Va te trouver un snob qui te ressemble ! Vous ferez semblant d'avoir du plaisir !

Il ragea pendant trois jours, outragé. Malgré les efforts qu'il faisait pour simuler la bonne humeur, des collègues de *Vie d'artiste*, où il travaillait à plein temps depuis six mois, devinèrent son trouble.

— Ça ne va pas ? lui demandait de temps à autre Bernard Délicieux avec une compassion travaillée par la curiosité.

Charles, excédé, finit par lui dire de se mêler de ses affaires.

— Oh, monsieur a ses humeurs, murmura l'autre, offusqué. Monsieur a besoin de solitude. Alors on va lui en fournir. On va le gaver.

Et il ne lui reparla plus de la journée.

Régine Allaire, sa voisine de bureau, une vieille coquette qui naviguait depuis trente ans dans le monde du spectacle et avait jeté l'ancre dans bien des alcôves, procéda d'une tout autre façon, qui lui valut des dividendes.

— Toi, mon cher, fit-elle après avoir posé sur Charles un regard pénétrant, tu viens de te faire larguer. Est-ce que je me trompe ?

Il dut en convenir et, à la pause-café, lui fit même des confidences, qui excitèrent encore davantage sa colère et son chagrin. Pour le consoler, la journaliste l'invita à souper au Piémontais, où ils arrosèrent le repas de deux bouteilles de Salice Salentino, sans compter les apéritifs. Vers onze heures, Charles se retrouva sans trop savoir comment chez sa confidente, qui désirait ardemment poursuivre ses consolations mais dut patienter, car la puissance virile de son jeune compagnon était allée se cacher dans les bouteilles qu'ils avaient vidées et ne reparut qu'au petit matin. Il en fit alors dûment profiter la journaliste, avec le plaisir mitigé que procure l'amour quand on a une gueule de bois. La courailleuse à pattes-d'oie compensait la perte de ses charmes par beaucoup de technique et de gentillesse, et par un détachement philosophique devant les vicissitudes de la vie ; cela eut l'effet d'un baume sur le cœur émietté du pauvre Charles.

— Si jamais tu te sens trop triste un soir, lui dit-elle au moment de son départ, fais-moi signe, mon chou, et on essayera de s'amuser un peu.

Charles s'était promis d'oublier Stéphanie en six jours. Il lui en fallut douze. Un matin, il se réveilla avec le sentiment de mieux-être un peu hébété que procure la fin d'une migraine. Mais, du coup, il entra dans une phase d'amertume qui devait durcir son attitude envers les femmes. Blonblon, accaparé par sa boutique d'antiquités et toujours aussi follement amoureux d'Isabel, avait peine à le comprendre et ne pouvait donc lui être d'un grand secours.

— Les femmes ne sont bonnes que pour le cul, décréta Charles un soir, croyant avoir atteint le sommet de la sagesse.

Il eut des aventures. Son travail à *Vie d'artiste* lui en fournissait parfois l'occasion. Certaines n'étaient guère reluisantes. Et l'on peut considérer l'une d'elles comme franchement minable.

Un collègue du journal lui avait parlé d'un établissement spécial rue Sainte-Catherine, au coin de Saint-Laurent, où les amoureux en panne sèche pouvaient satisfaire leur fringale d'une façon assez originale et pour une somme très raisonnable. Cela s'appelait La Petite Belote, le propriétaire étant un amateur fort averti de jeux de mots. Contre le versement de trente dollars, on avait le loisir d'admirer dans l'intimité d'une cabine et le confort d'un fauteuil les danses lascives d'une jeune fille nue, avec le loisir d'exprimer son enthousiasme de la façon la plus crue qu'on puisse imaginer, à condition de ne pas toucher à la danseuse. C'était rigolo et sans aucun danger.

Charles, un soir d'ennui, décida d'aller y faire un tour par curiosité.

L'établissement, discrètement annoncé, était situé au-dessus d'une boutique de chaussures. Charles grimpa un escalier étroit et plutôt sale, et arriva devant une porte peinte en rose percée d'une petite fenêtre carrée sous laquelle on avait fixé une affiche en lettres bleues et roses :

DANSE EN PRIVÉE

sans doute pour spécifier que lesdites danses étaient exécutées par des femmes.

Il entra. Une grosse caissière derrière un comptoir l'accueillit avec son sourire le plus aimable. À sa droite se dressaient des rangées de petits écrans de télévision, chacun d'eux relié par une caméra à une cabine. C'était, avait-on expliqué à Charles, une mesure de protection pour les danseuses dans l'éventualité d'actes agressifs de la part de clients mal lunés, de même qu'une façon efficace de contrôler leur travail. Charles, intimidé, paya et se fit indiquer une cabine. Deux danseuses viendraient tour à tour y étaler leurs charmes. Il n'aurait qu'à choisir celle qui lui plairait davantage.

L'endroit paraissait tellement sordide que sa fringale tomba d'un coup ; il aurait bien voulu reprendre son argent, mais le tiroir-caisse l'avait déjà avalé et ne le rendrait pas. Alors Charles s'avança dans un étroit corridor bordé de portes, derrière lesquelles on entendait ici et là de vagues musiquettes entremêlées de soupirs et de grognements. Quelques instants plus tard, il avait choisi une mignonne petite blonde à l'air fort avenant, qui semblait avoir à peine vingt ans, si elle les avait. Que faisait-elle dans un endroit pareil? Tout en bavardant, elle se dévêtit, puis se mit à danser au son d'une radiocassette. Charles, assis dans son fauteuil, la contemplait, immobile. Il se sentait idiot, vaguement ignoble et souhaitait vivement se trouver ailleurs.

La danseuse s'étonna bientôt de son apathie.

— Mets-toi à l'aise, fit-elle en souriant.

Il comprenait le sens de l'invitation. Mais sa pudeur le retenait. Alors elle insista, très gentiment, comme on incite un ami à tenter une expérience dont on sait qu'il tirera beaucoup de plaisir. Il se décida enfin et la danse recommença. Au bout d'un moment, la jeune fille réalisa que son client semblait manquer cruellement d'enthousiasme. Alors, même si ce n'était pas inclus dans le prix, elle se porta à son secours avec une dextérité remarquable et une charmante simplicité.

— Merci, lui dit Charles, tout rouge, en rattachant sa ceinture, pris d'une grande hâte de partir.

Elle lui fit un clin d'œil:

— De rien. Tu reviendras.

Il s'en alla, rempli d'un curieux sentiment fait d'écœurement et de mâle satisfaction.

Quelques semaines passèrent. Un soir, après avoir travaillé très tard au journal, il entra dans un restaurant, rue Sainte-Catherine, tout près de chez lui, pour prendre une bouchée avant de se mettre au lit.

La petite danseuse était là, toute seule, en train de se moucher, assise devant un grand verre de Coke. Elle avait l'air épuisée et malheureuse.

Alors, sans plus penser, Charles s'approcha et lui demanda la permission de s'asseoir avec elle. L'ayant reconnu, elle accepta et lui reprocha gentiment de n'être pas revenu la voir.

— J'étais débordé de travail, répondit Charles par politesse.

Ils se mirent à causer. Charles faisait la roue, elle l'écoutait en se mouchant. Elle fut vivement impressionnée d'apprendre qu'il travaillait à *Vie d'artiste* et se mit à l'interroger sur la chanteuse Lola Malo et d'autres vedettes, croyant naïvement qu'il était à tu et à toi avec tout le monde. Charles la trouvait toujours aussi mignonne, avec ses yeux vifs et candides, sa petite bouche délicate et une peau d'un rosé exquis qu'on avait tout de suite envie de caresser; même son nez aux narines rougies et un peu enflées par le rhume était plaisant à regarder. Elle s'exprimait simplement et sans vulgarité. Son travail la fatiguait beaucoup, car les heures étaient longues et les clients pas toujours agréables. Une grippe de cheval l'avait retenue chez elle durant cinq jours, mais elle retournait au boulot le lendemain.

— Pourquoi fais-tu ce métier? lui demanda Charles avec douceur, en bon Samaritain poussé à la fois par la charité et le goût de la luxure.

— Pourquoi je ne le ferais pas? répondit-elle, étonnée. C'est payant.

Devant un argument aussi irréfutable, il dut s'incliner. Il avait une forte envie de passer la nuit avec elle et, après quelques hésitations, lui en fit part.

Elle se mit à rire:

— Tu vas attraper ma grippe.

— Je n'attrape jamais la grippe.

— Où demeures-tu ?

— À deux pas d'ici.

Elle réfléchit un instant, puis :

— C'est bien parce que t'es gentil et beau garçon. Normalement, je devrais refuser. Jamais avec les clients. Si c'était su, on me mettrait à la porte.

Tandis qu'ils se dirigeaient vers son appartement, Charles se demandait s'il devait lui offrir de l'argent. « Laissons-la venir », décida-t-il, non par mesquinerie mais parce qu'il lui répugnait de la traiter en prostituée. « Blonblon, lui, essaierait de la sauver. Et il se ferait sans doute rouler, le pauvre ! »

Arrivée chez lui, elle visita les pièces, qu'elle trouva très joliment décorées. Charles souriait, se disant qu'elle devait être d'origine bien modeste. Son nouvel ordinateur, tout juste sorti de l'emballage, l'impressionna au plus haut point. Elle lui demanda de l'allumer et s'installa au clavier. Pendant ce temps, il l'embrassait dans le cou et lui tendait des kleenex, car son nez coulait de plus belle.

— Dans un an ou deux, je vais me remettre aux études, annonça-t-elle en plissant le front, l'air décidé.

— Ça, c'est une bonne idée, répondit Charles, et il l'embrassa fougueusement.

Au lit, elle se montra exquise. Charles n'arrivait pas à croire que tant de délicatesse naturelle s'accommodât d'un métier aussi dégradant. Un peu plus et il allait tomber amoureux. Ç'aurait été pure folie.

Il se réveilla tôt le lendemain, car il avait une entrevue au début de l'avant-midi. Elle dormait encore, couchée sur le côté, la tête appuyée sur un bras, dans un abandon si charmant et enfantin qu'il ne se rassasiait pas de la contempler.

Il posa ses lèvres sur les siennes :

— Est-ce que tu dois te lever de bonne heure ?

Elle fit signe que non, les yeux fermés, avec un léger sourire.

— Alors, je te laisse dormir. Tu verrouilleras en partant. On peut le faire de l'intérieur. J'aimerais bien avoir ton numéro de téléphone.

— Je te le laisserai, murmura-t-elle avec un léger mouvement de tête, et elle lui caressa le menton.

Il s'habilla, déjeuna rapidement, s'efforçant de ne pas faire de bruit, et alla à son rendez-vous. Il pensa à elle toute la journée.

Quand il revint chez lui, en début de soirée, l'ordinateur avait disparu ainsi qu'une petite somme d'argent qu'il gardait dans un tiroir de sa commode. On n'avait touché à rien d'autre.

Il se rendit à La Petite Belote et demanda à la voir. La patronne, toujours aussi affable, lui répondit que malheureusement elle ne travaillait plus pour la maison.

Charles la traita de menteuse, de voleuse, frappa du poing sur le comptoir. Une pièce d'homme de cent kilos apparut soudain dans une porte, le crâne rasé, la moustache tombante et, faisant mouvoir lentement ses biceps, invita aimablement le jeune homme à partir.

Pendant trois jours, Charles ne fut pas parlable. Ses collègues de *Vie d'artiste*, rabroués les uns après les autres, commencèrent à jaser dans son dos. Ce fut Bernard Délicieux, généreux comme toujours, qui lui fit retrouver sa gaieté en lui offrant son ordinateur qu'il venait de remplacer par un modèle plus récent.

32

L'entrée de Charles comme journaliste permanent à *Vie d'artiste* s'était faite d'une façon aussi subite qu'originale.

Un matin qu'il était venu porter des textes au journal et bavardait avec Bernard Délicieux en prenant un café, un brusque changement d'atmosphère s'effectua dans la salle de rédaction. Le silence tomba comme une trappe de bronze et tout mouvement cessa.

Le patron, fraîchement peigné et le nœud de cravate impeccable, venait de pénétrer dans la salle avec un visiteur pour lequel il s'épuisait en sourires et en politesses. Ce visiteur s'appelait Pierre Péladeau, fondateur de Quebecor et du *Journal de Montréal* et propriétaire de *Vie d'artiste*, une des possessions les plus modestes de son vaste empire.

Les journalistes se remirent à leur travail avec un zèle qui aurait fini par leur valoir un prix Nobel s'ils l'avaient soutenu le moindrement. Charles avait subitement pâli et fixait les deux hommes qui s'avançaient dans l'allée en causant. Une idée l'avait saisi et seule la crainte l'empêchait de la mettre à exécution. Soudain, sous l'œil ahuri de Délicieux, il fonça droit vers le magnat.

— Monsieur Péladeau, demanda-t-il d'une voix que le trac rendait anormalement forte, est-ce que je pourrais vous parler une seconde ?

Tous les regards s'étaient braqués sur eux.

L'homme d'affaires, interrompu dans sa conversation, s'était tourné vers lui, surpris :

— T'es un p'tit qui, toi ?

La réplique avait sifflé, gouailleuse et presque inintelligible, car Pierre Péladeau parlait vite, d'une voix éraillée, et mangeait ses mots. Le sourire ambigu, il attendait. Alors le jeune homme, tout tremblant, se présenta de son mieux, puis, jouant le tout pour le tout, ajouta sur un ton de profonde déférence :

— Monsieur Péladeau, si c'était possible, j'aimerais vous rencontrer.

— Tu me rencontres, là.

Charles, interdit, le fixa un moment, privé de parole.

— Allons, qu'est-ce que je peux faire pour toi, mon gars? reprit l'homme d'affaires d'une voix un peu plus aimable.

— Euh... C'est que... Je dois vous dire... je me sentirais plus à l'aise si on pouvait se parler... mais vous devez être très occupé...

— Très. Mais j'ai deux oreilles pour écouter. Vas-y. Accouche! Je n'ai pas toute la journée!

— C'est que... j'aimerais travailler à temps plein à *Vie d'artiste.*

— J'en connais plusieurs qui aimeraient ça, mon garçon, avait répondu l'homme d'affaires avec un petit ricanement, sauf que les places sont limitées, que veux-tu. Je ne peux pas ajouter des pages à mon journal seulement pour tes beaux yeux!

Et s'adressant au patron :

— Est-ce qu'il est bon?

— Pas mal, répondit ce dernier, ulcéré de voir un employé lui passer ainsi par-dessus la tête mais forcé à la prudence, car il voyait bien que l'audace de Charles avait plu au magnat. C'est lui qui rédige le « Courrier de Maryse ».

— Ah. Bien faite, cette chronique. Aurais-tu du travail pour lui?

— Je peux voir.

— Essaye donc. S'il fait l'affaire, on le gardera. Sinon, il devra se contenter de son Courrier.

Charles se confondit en remerciements. Pierre Péladeau eut un petit mouvement de tête agacé, lui donna une tape sur l'épaule et s'éloigna à pas pressés en compagnie du patron.

Bernard Délicieux, ébloui par l'audace du jeune homme, lui conseilla de faire parvenir au plus vite à Péladeau ses meilleurs textes parus dans *La Sirène*, accompagnés d'un exemplaire d'*Arnaque dans l'ombre* et, bien sûr, d'une lettre vraiment bien tournée. L'homme d'affaires, c'était connu, répondait toujours aux lettres qu'on lui adressait, même à celle du plus modeste citoyen. Le lendemain, Charles faisait parvenir un colis au siège social de Quebecor, rue Saint-Jacques. Deux semaines plus tard, *Vie d'artiste* l'engageait comme reporter et le propriétaire de *La Sirène* perdait si brusquement son unique journaliste qu'il n'eut même pas la satisfaction de l'engueuler.

Charles remporta bientôt beaucoup de succès dans ses nouvelles fonctions; le patron, qui avait espéré secrètement qu'il s'aplatisse le museau, changea d'attitude à son égard. Après deux semaines d'efforts, le nouveau reporter réussit à arracher une entrevue à la chanteuse Lola Malo, réputée inaccessible derrière ses monceaux de dollars; l'entrevue, qui fit beaucoup de bruit, obtint les honneurs de la une et suscita la jalousie de quelques confrères et un mot de félicitations de Pierre Péladeau lui-même. La semaine d'après, le témoignage touchant qu'il obtenait de l'humoriste en déclin Pierre Lapierre amenait une avalanche de lettres au journal et vingt-deux offres d'aide à l'artiste.

Il fallait désormais compter avec Charles Thibodeau – du moins aussi longtemps qu'il aurait du succès.

La boutique de Blonblon, avenue du Mont-Royal, connaissait une période plutôt difficile. Sur la jolie enseigne en bois sculpté, qui lui avait coûté une petite fortune, on pouvait lire :

LA VIEILLE ARMOIRE

ANTIQUITÉS

AUBAINES • CURIOSITÉS

NOUS RÉPARONS

Blonblon travaillait de quatorze à seize heures par jour, réparant et restaurant des meubles, de la vaisselle et les objets les plus hétéroclites pourvu qu'ils fussent anciens, dans l'espoir de les revendre avec un profit raisonnable ; cela se produisait parfois, mais pas aussi souvent qu'il l'aurait souhaité ; il prenait également des meubles et divers objets en consignation. En ouvrant cette boutique, il avait en quelque sorte renoué avec l'atelier de son enfance.

— Blonblon ne change pas, disaient ses amis et connaissances avec un grand sourire.

Et tout le monde semblait content qu'il en fût ainsi.

Par souci d'économie, il demeurait encore chez ses parents, qui l'aidaient de leur mieux, mais il aspirait de toute son âme à vivre en appartement avec Isabel et à lui faire trois ou quatre enfants, car, depuis quelque temps, pour une raison obscure, un pressant désir de paternité s'était emparé de lui, intensifiant l'amour qu'il éprouvait pour son amie. Chez celle-ci, par contre, l'instinct de procréation était vigoureusement tempéré par des considérations d'ordre pratique ; elle allait bientôt obtenir son diplôme d'infirmière et avait déclaré avec une calme fermeté à Blonblon qu'il faudrait que son commerce rapporte autrement plus avant qu'elle ne se lance dans des maternités à répétition.

— Et ne compte pas sur moi pour m'enterrer le reste de mes jours à la maison. Je suis une femme moderne. J'adore les enfants, mais je veux une vie professionnelle, entends-tu ?

— Mais oui, mais oui, c'est tout à fait normal. Il n'y a rien là pour me surprendre. Ma mère est exactement comme toi. Elle a toujours travaillé à l'extérieur.

— Parce que ton père est invalide.

— Elle aurait agi de la même façon, je t'assure, s'il ne l'avait pas été. Ça ne date pas d'hier, les femmes « modernes », comme tu dis.

À présent, quand Charles venait voir son ami, il avait l'impression de se trouver dans un autre monde, de plus en plus étranger au sien. Par réaction, il adoptait alors une attitude cynique et désabusée à l'égard de l'amour et des femmes, prenant soin toutefois de s'assurer qu'Isabel était absente ou ne pouvait l'entendre, car il avait un peu honte de ses propos, même s'il les croyait réalistes et sensés.

Blonblon l'écoutait en souriant avec une patience et une compassion un peu attristées. Son ami filait un mauvais coton; dans quelque temps, il redeviendrait lui-même; il fallait le laisser exprimer sa souffrance, expulser ce jus empoisonné qui lui brûlait les entrailles. Charles aurait voulu discuter avec lui, et même se lancer dans une engueulade; il ne le pouvait pas. Bientôt, il eut l'impression de ne plus avoir rien à dire à celui qui avait été son confident durant tant d'années.

Il se sentait de plus en plus seul. Bernard Délicieux et ses autres collègues de travail ne pouvaient remplacer ses amis; les rapports qu'il avait avec eux étaient trop superficiels et gâtés par une secrète rivalité. Régine Allaire était gentille, maternelle et de bon conseil. Ah! si elle avait pu se contenter d'être seulement une amie! Mais, à chacune de leur rencontre, il devait passer par son lit et il avait alors la curieuse impression de faire l'amour avec quelqu'un qui aurait pu être sa mère; cela ne satisfaisait aucun de ses fantasmes. Elle finit par s'en apercevoir, se piqua et, un soir qu'ils avaient bu un peu de vin, elle le mit à la porte en lui enjoignant d'aller rejoindre ses jeunes dindes, qui s'y connaissaient autant en amour qu'en physique nucléaire.

L'aigreur le gagnait. Un soir, il se mit à penser à Steve. Voilà bien longtemps qu'il ne l'avait vu. Que d'heures ils avaient passées à rigoler ensemble! Et dire qu'ils s'étaient brouillés pour une simple histoire de femme! Comme c'était ridicule!

Après quelques hésitations, il décida de lui téléphoner. Tel qu'il le connaissait, le grand nono devait encore vivre chez sa mère. Et, effectivement, c'est sa voix qu'il reconnut au bout du fil.

— Salut. Devine qui t'appelle.

Il y eut un silence, puis:

— Eh ben! tabarnac!

— Qu'est-ce qui se passe?

— Tabarnac! répéta Steve d'une façon encore plus appuyée.

— Mais quoi?

— Je pensais justement à toi, Charlot.

— Ça t'arrive de ne pas penser à moi? plaisanta Charles pour cacher son malaise.

— Je n'en reviens pas! poursuivit l'autre, toujours ahuri. C'est à se demander, des fois, si... Qu'est-ce que tu me veux? s'interrompit-il brusquement.

La rudesse du ton cachait une joie enfantine dont Charles avait souvent observé les effets chez son ami et qui s'accompagnait parfois des pitreries les plus invraisemblables comme des délicatesses les plus inattendues.

— J'avais le goût de te voir, figure-toi donc, répondit-il un peu embarrassé.

L'autre se mit à rire. Il y avait dans ce rire un peu de sarcasme :

— T'es plus en crisse contre moi ? Qu'est-ce qui t'arrive ?

— Je te parlerai de ça devant une bonne bière... si tu bois toujours.

— De plus en plus, *chum !* J'ai le foie gros comme une citrouille, mais je suis toujours de bonne humeur !

« Serait-il devenu alcoolique ? » se demanda Charles, inquiet.

Ils s'entendirent pour se retrouver une heure plus tard au Faubourg Saint-Denis, tout près de l'appartement de Charles. Steve s'y présenta en retard. C'était sa mère qui l'avait retenu, expliqua-t-il en s'excusant ; il y avait une montagne de vaisselle sale à laver, qui grossissait depuis quelques jours, et, comme c'était sa « semaine de ménage » – un engagement stupide qu'il avait pris deux mois plus tôt –, elle avait menacé de le mettre à la porte s'il ne s'acquittait pas de sa tâche avant de partir.

— J'ai assez hâte de crisser le camp de chez la vieille, Charlot, soupira-t-il en serrant la main de son ami. Tu ne peux pas savoir !

Il n'avait pas changé, ne souffrait pas d'hypertrophie du foie, n'était pas alcoolique et semblait toujours aussi drôle. Sa vie amoureuse avait enfin démarré, et comment ! Il s'était fait *deux* petites amies, qu'il voyait alternativement (sans que ni l'une ni l'autre ne sache qu'elle avait une rivale, bien sûr !). C'était une combine très tripante, qui lui permettait de rattraper le temps perdu, car il avait longtemps souffert du manque de femmes. Il songeait même à prendre une *troisième* petite amie, mais hésitait, car cela risquait d'entraîner des collisions d'horaire fatales.

— Mais si tu la voyais, Charles : une de ces poupounes, avec un beau petit visage... et des totons ! Elle me ferait bander jusqu'à Sorel !

Puis, sur un ton blagueur où transparaissait une admiration naïve, il déclara à Charles qu'il était devenu pour lui une sorte d'idole; il avait appris son engagement à *Vie d'artiste* par sa mère, lectrice assidue de ce genre de publications et devenue sa fan, comme lui. Aussi l'appel de Charles l'avait-il rempli de joie; il était bien curieux d'apprendre ce qui l'avait motivé.

— Rien, répondit Charles, un peu embarrassé. J'avais envie de te voir, c'est tout. T'as toujours été mon crétin favori.

— Et toi, mon slomo préféré!

Il ne fut pas question de Céline, comme si elle n'avait jamais existé. Peut-être, un jour, aborderaient-ils l'épisode pénible qui avait entraîné leur brouille, si jamais leur amitié parvenait à se ressouder. Ils se mirent à échanger des nouvelles sur des connaissances communes. Et c'est ainsi que Charles apprit le décès de Ginette Laramée, l'institutrice qui lui avait donné en cadeau *Alice au pays des merveilles*, ce livre qui avait marqué un tournant dans sa vie. Le chagrin de Charles étonna Steve, qui ne gardait de ses années du primaire que des souvenirs de taloches, d'oreilles pincées et de retenues, et avait rangé toutes ses maîtresses d'école dans la catégorie des gardes-chiourme en talons hauts.

— Que veux-tu, expliqua Charles, l'œil humide, elle m'a beaucoup aidé, cette femme, quand j'étais un petit bout de cul. Tu ne peux pas savoir, toi... Elle avait peut-être des manières un peu rudes, mais c'était un bon cœur, je t'assure... Avoir su qu'elle était malade, j'aurais été la voir; ça lui aurait fait plaisir, elle m'aimait beaucoup. Et puis, je serais allé à ses funérailles, bon sang... Je lui devais bien ça!... Mais toi, reprit-il en secouant la tête comme pour chasser la tristesse qui venait de l'envahir, qu'est-ce que tu deviens?

— Tu ne devineras jamais.

— Encore aux études ? Pas possible !

— Non. Tu me connais mal, mon vieux.

Il attendit quelques secondes, souriant à l'avance de la surprise que sa révélation allait causer :

— Je fais des ménages.

— Tu fais des ménages ? répéta Charles, sans trop comprendre.

— Je suis homme de ménage, quoi ! Et je gagne bien ma vie, à part ça !

— Allons donc... Tu veux rire ! Tu passes ta vie au bout d'un balai ?

— C'est bien moins chiant que tu pourrais le croire, bonhomme. Et je pourrais même te dire que c'est souvent *cool*. Les gens ne savent pas, mais c'est une combine du tonnerre. Si les gens savaient, tout le monde se garrocherait dans le métier ! Heureusement, il n'y a que les petits malins comme moi qui en profitent.

Et il se mit à lui décrire les avantages de ce boulot. Il y en avait cinq. On travaillait seul, sans patron. On choisissait son horaire. On profitait d'un milieu de travail agréable : de beaux appartements, de la belle musique, etc. On profitait aussi de la compagnie des animaux domestiques, qui devenaient rapidement des amis. Mais, surtout, on gagnait entre quinze et vingt dollars l'heure !

Devant l'incrédulité de son compagnon, il dut étayer son affirmation : la première visite à un appartement demandait de sept à huit heures de dur travail, car il fallait, bien sûr, que l'endroit reluise comme la salle de bains de Céline Dion. Mais, les fois suivantes, on n'avait qu'à *voir à l'entretien* : cela demandait deux ou trois heures, tout au plus. Or, il était payé *à la journée*. Il fallait être niaiseux pour ne pas s'être rendu compte d'une chose aussi simple, mais la quantité de niaiseux qui traînaient sur la planète en gaspillant leur argent était inépuisable. Tant mieux pour lui, tant pis pour eux !

Charles souriait, amusé mais secrètement attristé de voir la tournure que prenait la vie de son camarade, auquel il était resté attaché, malgré toutes leurs différences.

— Et ça ne te fatigue pas trop ? demanda-t-il en pensant aux séquelles de son terrible accident.

— Je travaille à mon rythme – et quand la jambe se met à m'élancer, je prends une pilule. Mais toi, fit-il avec une soudaine gravité, comment vas-tu ?

— Bien.

— Ah oui ? T'es sûr ? Je te regarde la face depuis tout à l'heure, et ça n'a pas l'air d'aller si bien que ça.

— Bah ! ma blonde vient de me larguer, mais, au fond, elle m'a rendu service : j'étais sur le point de la larguer moi-même. On allait ensemble comme une pelle et un chausson.

— Il ne faut pas prendre les femmes au sérieux, décréta gravement Steve. Quand tu le fais, t'es cuit.

— Oui, mais elles *s'arrangent* pour que tu les prennes au sérieux : un de ces bons soirs, elles te font faire un enfant.

— Capote et recapote, mon vieux, même si ça casse un peu le plaisir. Il ne faut surtout pas se fier à la pilule : elles te disent qu'elles la prennent – et elles ne la prennent pas ! Ça, c'est pour t'avoir par la pitié. Moi, je les ai à l'œil, bonhomme.

— Oui, bien sûr, t'as raison. Mais qu'est-ce que tu fais le jour où t'as *toi-même* le goût d'avoir un petit braillard ?

— Ah çà, fit Steve.

Et il leva les mains pour signifier que l'homme assez fou pour entretenir de pareils désirs devait supporter les conséquences de sa décision.

Puis, faisant signe au garçon, il commanda d'autres bières et ils continuèrent de bavarder. La joie insouciante des bons vieux jours semblait revenue, comme si le temps, dans un accès de miséricorde, avait accepté de s'abolir lui-même pour faciliter leurs retrouvailles. Charles eut soudain un bâillement et consulta sa montre; il approchait onze heures :

— Dommage, il faut que je file. Le boulot m'attend demain matin.

— Moi aussi, il faut que je parte, répondit Steve sans la moindre conviction.

Ils sortirent, traversèrent le boulevard de Maisonneuve et s'arrêtèrent devant la bouche de métro qui s'ouvrait dans un édifice de l'UQAM. On n'était qu'au début de décembre, mais, depuis plusieurs semaines, des guirlandes électriques égayaient de leurs lueurs multicolores les devantures de la plupart des commerces, donnant à la rue presque déserte une allure bon enfant, presque familiale; mais le vent humide et coupant venu du fleuve n'incitait pas à y rester trop longtemps. Et Steve savait qu'une exposition au froid le moindrement prolongée risquait de réveiller pour toute la nuit les douleurs à sa jambe gauche.

— Alors... à bientôt? fit-il en tendant la main à Charles, un billet de métro fiché dans le coin de la bouche.

— À bientôt, mon vieux, répondit celui-ci en souriant, secoué par un frisson.

L'autre allait tourner les talons pour s'engouffrer dans la tiédeur du métro, mais quelque chose le retenait devant Charles; il hésitait, embarrassé.

— Est-ce que... est-ce qu'on va pouvoir redevenir des amis comme avant, même si je fais des ménages? demanda-t-il enfin avec une gravité inquiète.

Charles se mit à rire :

— Nono! Bien sûr! Pourquoi pas? Qu'est-ce que ça change?

Et il était tout fier de son ouverture d'esprit.

33

À force de nager dans les divorces, coups de foudre, faillites et trahisons des stars locales et moins locales, Charles commençait à s'imbiber d'un certain cynisme et, n'eût été la vie relativement stable de certains de ses collègues de travail ou encore l'exemplaire fidélité amoureuse que pratiquaient Isabel et Blonblon, ou Fernand et Lucie – mariés depuis vingt-huit ans et ne donnant aucun signe de désunion –, l'humanité lui serait sans doute apparue en proie à la confusion frénétique d'une colonie de têtards dans un étang.

Le patron l'avait miséricordieusement libéré du « Courrier de Maryse ». Il pondait maintenant ses articles avec plus de facilité, essayant d'éviter clichés, truismes, redites et banalités, et parvenait souvent à y mettre de l'esprit; mais il fallait user de prudence et éviter de prendre trop ouvertement comme cible la personne interviewée; cela aurait tué la vache à lait.

Faute de temps, il avait dû abandonner tout projet littéraire et en ressentait du remords, comme s'il s'était trahi lui-même. En plus des humoristes et comédiens, il devait *faire* les vedettes et aspirantes vedettes de la chanson, mais y prenait beaucoup moins de plaisir. Quelque peu contaminé par la musique classique du notaire Michaud, il éprouvait pour la chanson populaire une certaine condescendance, quand ce n'était pas du mépris; malgré tout le bon argent que la *musique pop* rapportait aux Ginette Reno, Céline Dion ou Lola Malo, il n'enviait pas leur sort et se moquait en privé de leur quétainerie. La qualité de son travail s'en ressentait; le patron s'en aperçut, en chercha la cause et conclut que Charles était trop *intellectuel*. À *Vie d'artiste*, c'était presque une tare, qu'on devait se faire pardonner par un travail effréné ou des mérites immenses. Malgré leurs efforts ou leur talent, ceux qui étaient affligés d'une pareille infirmité se retrouvaient plus près de la porte que les joyeux tâcherons du métier. « Le public ne veut pas des *idées*, lançait parfois le patron sur un ton de mise en garde, mais du *divertissement*. Il faut que ça pleure, que ça rie, que ça saigne (pas trop, tout de même) ou que ça baise. En dehors de ça, *on n'est plus en affaires*. Et surtout, sainte miséricorde, *pas de politique !* C'est aussi bon pour nous qu'un coup de canon dans un salon ! »

Un matin, Charles reçut une affectation inusitée ; on interviewait en public à dix heures, au centre commercial Place Versailles, trois chanteurs pop *doyens* : un membre de l'ancien groupe des Glowsels, un des Alarmes et le chanteur-vedette de César et ses Copains.

Charles devait les attraper au sortir de leur interview et leur soutirer des *tranches de vie*, tandis qu'un photographe les mitraillerait sans complaisance. Ce fut un jeu d'enfant. En entendant le nom de *Vie d'artiste*, ils s'agglutinèrent autour de lui, affamés d'une publicité qui les avait délaissés depuis longtemps, et se firent intarissables. Pathétiques et vieillis dans leurs costumes tape-à-l'œil démodés, ils parlaient carrière en essayant de donner le change, mais la misère suintait de leurs mensonges tandis qu'ils prenaient des poses coquettes et s'interrompaient les uns les autres, pleins d'entrain et pitoyables.

Charles, penché sur son calepin, notait leurs propos, ému, un peu dégoûté, se disant que, vraiment, lorsque la vie se met à se ficher de nous, elle ne nous épargne aucun coup bas. Pourquoi n'avaient-ils pas changé de métier en voyant qu'il n'y avait plus de tapis sous leurs pieds ? Camelots, promeneurs de chienchiens, vendeurs d'encyclopédies, tout était préférable à cette survie humiliante qui les confinait aux réseaux de l'âge d'or, où ils faisaient demi-salle deux fois sur trois et devaient se contenter de cachets minables.

Charles retourna au journal pour écrire son article, partagé entre la compassion et une envie de ridiculiser ces épaves à trémolos, et il venait de trouver un *angle* qui lui permettrait d'amuser le lecteur sans trop massacrer l'ego des principaux intéressés lorsque, coup sur coup, le destin lui envoya deux signaux pour l'inciter à réfléchir.

Le premier lui parvint par l'entremise de la réceptioniste du journal.

— Une dame un peu bizarre est en ligne, lui annonça-t-elle, mais elle ne veut pas se nommer. Elle dit que ce n'est pas nécessaire, que vous allez la reconnaître aussitôt qu'elle aura ouvert la bouche.

— Envoie-la promener, je n'ai pas de temps à perdre, répondit Charles avec humeur. Je commence un papier.

Puis le sentiment de commettre une gaffe le fit brusquement changer d'idée :

— Bon. Passe-la-moi, plutôt. C'est peut-être important.

— Charles, fit une voix aigrelette qu'il ne reconnut pas d'abord. C'est moi.

— Vous ? Qui ?

— Amélie, voyons !

— Amélie Michaud ?

— Il n'y a plus d'Amélie Michaud, comme tu le sais fort bien, et depuis longtemps. C'est Amélie Bourque, à présent, depuis que Parfait m'a mise à la porte.

— Comment allez-vous, Amélie ? reprit Charles, joyeux et embarrassé.

— Je vais bien.

— Votre santé... est bonne ? insista-t-il, connaissant la passion de son interlocutrice pour le sujet.

— Je ne suis pas malade. Je suis vieille. Comme mon perroquet. Tu sais que je possède maintenant le perroquet de monsieur Victoire ?

— On me l'avait dit.

— C'est sans intérêt. Je ne t'appelle pas, d'ailleurs, pour te parler de perroquet ou d'autre chose, mais pour te dire que je voudrais te voir. Tu es très occupé, je le sais, mais peut-être pourrais-tu trouver quelques minutes pour venir prendre un café chez moi un de ces jours ?

— Mais bien sûr, répondit Charles, sensible au reproche secret contenu dans ces paroles. Aujourd'hui même, si vous voulez. Il y a si longtemps qu'on ne s'est vus !

— Aujourd'hui ? Euh... ça pourrait aller. Vers quelle heure ?

— En fin d'après-midi, ça vous conviendrait ?

— Euh... je fais une sieste vers cinq heures. Mais je peux la déplacer.

— Vers trois heures, alors ?

— Non, non. La fin de l'après-midi, ça me va très bien. Je t'attends à la fin de l'après-midi.

Elle lui donna son adresse, puis ajouta :

— J'ai des choses très importantes à te dire, des choses qui te concernent. Le téléphone ne vaut rien pour ça. C'est mieux de se rencontrer.

— J'ai hâte de vous voir.

— Je l'espère.

Et elle raccrocha.

Après cette étrange conversation, Charles en était à rassembler ses idées pour se remettre à la rédaction de son papier lorsque la réceptionniste l'appela de nouveau. Cette fois, c'était le patron qui voulait lui parler.

Refoulant ses soupirs et s'accrochant un air affable au visage, il alla le trouver.

Depuis deux ou trois mois, une partie de l'abdomen de son supérieur avait tendance à prendre appui sur son bureau et sa gorge se confondait de plus en plus avec son menton. Mais il avait la même vivacité dans le regard et prenait toujours des décisions aussi imprévisibles.

— Faubert est cloué au lit avec la grippe, annonça-t-il à Charles. J'aurais un service à te demander.

Charles, comme tout le monde, savait fort bien que cette dernière phrase était la traduction polie de : « J'ai un ordre à te donner », mais, feignant de l'ignorer, il commanda à son visage une intense expression de serviabilité.

— As-tu vu la dernière pièce au Théâtre du Nouveau Monde ?

Charles fit signe que non, puis sentit une légère contraction dans le ventre, sans trop savoir pourquoi.

— On joue *La Danse de mort*, ou quelque chose comme ça, une pièce pas terriblement drôle, paraît-il, d'un nommé Steinberg.

— *Strindberg*, corrigea Charles en retenant un sourire, mais de plus en plus nerveux.

— C'est ça. Et Faubert devait rencontrer au début de l'après-midi Brigitte Loiseau, qui tient un des rôles principaux, mais comme je viens de te le dire, il est cloué au lit avec la grippe. Le remplacerais-tu ?

— J'aurais aimé avoir vu la pièce.

— Personne ne s'en apercevra, tu le sais bien. Madame Ouellette de la rue Montcalm et sa voisine madame Duquette de la rue Wolfe ne fréquentent pas le TNM. Elles ne sauraient même pas comment s'y rendre. Ce qui compte, c'est Brigitte Loiseau, à cause des téléromans. D'accord ?

— D'accord, fut forcé de convenir Charles.

— Alors, c'est tiguedou. Salut.

Et Charles retourna à son bureau avec la certitude, cette fois, de ne pouvoir rassembler ses idées avant au moins une heure, sinon plus. Car si une éventualité soulevait des craintes en lui depuis son engagement à *Vie d'artiste*, c'était bien celle d'avoir à rencontrer Brigitte Loiseau. Trop de souvenirs pénibles étaient rattachés à elle, celui de l'amour ridicule qu'il lui avait voué à dix-neuf ans n'étant pas le moins amer. Mais il ne pouvait refuser cette affectation sans encourir les plus graves ennuis et décida, en conséquence, de se préparer pour son entrevue en consultant le volumineux dossier que le journal avait constitué sur la comédienne, puis se rendit à la bibliothèque municipale pour lire la pièce. Car il tenait à faire bonne figure.

À deux heures, il se présenta rue Sherbrooke pour l'entrevue. Brigitte Loiseau habitait, suivant une mode de plus en plus répandue, un de ces condos aménagés dans un ancien couvent que la communauté religieuse, par pénurie d'effectifs, avait été forcée de vendre à des promoteurs et dont on avait essayé de préserver le cachet. Plutôt que de prendre l'ascenseur, il emprunta le monumental escalier de chêne qui menait aux étages et se retrouva dans un large corridor aux sombres boiseries, dont le calme solennel acheva de le troubler. L'instant d'après, il frappait à la porte de la comédienne.

En six ans, elle n'avait guère changé. Son visage était un peu plus en chair et sa taille avait peut-être perdu de sa gracilité, mais elle rayonnait de la même beauté royale qui la mettait à part de tout le monde.

Elle le reçut cordialement mais le visage soucieux et, l'ayant fait entrer dans un boudoir, le pria d'attendre quelques instants car elle avait une conversation téléphonique à terminer.

Elle ne semblait pas l'avoir reconnu. Il en fut soulagé et déçu à la fois, et même un peu irrité, car il ne pouvait s'agir que d'une amnésie diplomatique. « Elles sont bien toutes pareilles, ronchonna-t-il intérieurement. Un peu de succès à la télé, la une des journaux deux ou trois fois, et elles perdent la tête – ou plutôt le cœur. » Il regretta de s'être préparé avec tant de soin pour son entrevue et se promit d'écrire un article sans complaisance.

La pièce était décorée avec goût, dans le style dépouillé mis à la mode par le courant zen : murs blancs et nus, fauteuils bas aux lignes sobres, recouverts de tissus unis aux teintes sages, un minuscule tapis au milieu du plancher de bois verni qui brillait comme du cristal, un pot de fleurs séchées sur l'appui de la fenêtre sans rideaux. Un décorateur en vogue avait dû passer par ici, laissant une note salée.

Il tendit l'oreille. Des chuchotements lui parvenaient dans un bruit confus. Le débit était précipité, nerveux, entrecoupé d'exclamations sourdes; les choses n'allaient manifestement pas au goût de la comédienne et Charles en éprouva une certaine satisfaction. Qu'on soit vedette ou emballeuse de légumes, la vie, qui est juste à sa façon, ne se gêne pas pour vous en faire baver parfois – et la mort, au bout du chemin, vous attend, le regard ailleurs, se fichant bien de qui lui tombe sous la patte.

Il fut tiré de ses réflexions philosophiques par un éclat de rire, qui les réduisit en miettes. L'instant d'après, Brigitte Loiseau pénétrait dans la pièce, s'excusait de nouveau de l'avoir fait attendre et prenait place devant lui dans un fauteuil; tandis qu'il glissait une cassette dans son magnétophone, elle se mit aimablement à parler du temps pour meubler le silence, puis s'arrêta tout à coup, troublée.

— Il me semble vous connaître, non? N'êtes-vous pas... n'êtes-vous pas...

Il fit un léger mouvement de tête, écarlate, défaillant de plaisir.

— Charles Thibodeau, madame.

— Mais où est-ce que j'avais la tête ? s'exclama-t-elle en riant. Charles ! C'est bien vous, Charles ?

Elle se leva et lui saisit les mains, radieuse, fébrile, mais sa joie, crut-il remarquer, n'était pas sans malaise. Il était facile d'en deviner la cause.

— Ce n'est pas toi qu'on m'avait annoncé, poursuivit-elle en passant au tutoiement, ce qui aviva le plaisir du jeune homme. Mon Dieu ! comment ai-je pu... Ça fait combien d'années ?

— Qu'on s'est vus la dernière fois ? Six ans.

— C'est que tu as quand même pas mal changé, vois-tu... Et pourtant non... je te regarde, et je retrouve... mon petit sauveur... et aussi le grand jeune homme timide de L'Express... Tu es toujours aussi beau garçon, ma foi... Quel âge as-tu ?

La conversation se poursuivit ainsi quelques minutes. Quand elle apprit qu'il travaillait à *Vie d'artiste* depuis déjà plusieurs mois à titre de journaliste permanent, elle se montra étonnée et lui demanda d'excuser son ignorance, car elle ne lisait pas souvent ces journaux, non par manque d'intérêt, se hâta-t-elle d'ajouter, mais plutôt par manque de temps, sa vie professionnelle l'accaparant d'une façon incroyable. Charles ne fut pas dupe de ses mensonges polis mais se garda bien de le laisser paraître, car elle avait tout à fait raison, bien sûr, de ne pas faire grand cas de ces feuilles de chou tartinées de commérages stupides et de scandales montés en mayonnaise.

L'entrevue commença, car il fallait bien se mettre au travail. Charles aurait voulu lui dire qu'il l'avait aimée passionnément et que son amour, cet après-midi, venait de renaître, plus fou que jamais, mêlé, cette fois, de reconnaissance. Mais elle aurait tourné la chose en plaisanterie et vitement changé de sujet. Qui était-il, en effet, petit folliculaire sans expérience, pour aimer cette grande comédienne restée humble (ce dont il avait douté !) qui venait de le remercier encore une fois de l'avoir aidée dans un épisode peu glorieux de sa vie ?

Jamais il n'avait mené une entrevue avec autant de sérieux et de brio, s'efforçant, chaque fois que l'occasion se présentait et au risque d'avoir l'air prétentieux, de mettre en évidence son esprit, sa curiosité, sa culture et son souci du détail ; il prit un soin particulier de lui montrer la connaissance toute neuve qu'il avait du texte de Strindberg, car il tenait à se distancer, à ses yeux, du journal qui l'employait ; il ne s'agissait là que d'un emploi passager, son ambition visait bien plus haut.

Le téléphone les interrompit à quelques reprises. Chaque fois, elle quittait la pièce plutôt que de laisser son répondeur prendre la relève, car elle attendait un appel important. Au bout d'une heure, il perçut, à certains signes, que d'autres occupations la requéraient.

Il se leva, s'excusant de lui avoir pris tout ce temps.

— Mais non, voyons, ce fut très agréable au contraire.

Elle le reconduisit à la porte et lui tendit la main :

— J'espère que nous allons nous revoir.

— Moi, j'aimerais bien, répondit-il naïvement et de nouveau il devint écarlate.

Elle feignit de ne pas remarquer son trouble, ou peut-être même ne le vit-elle pas, car, immobile sur le seuil, elle semblait hésiter, l'esprit ailleurs, comme si elle cherchait ses mots pour faire une observation délicate.

— Charles, dit-elle enfin, est-ce que tu me permettrais – même si ça ne me regarde pas le moins du monde ! – de te faire une remarque... ou plutôt une suggestion, enfin... je ne sais trop comment dire... un conseil d'amie, quoi...

— Oui, bien sûr, répondit-il avec une grimace d'appréhension.

— Je ne voudrais surtout pas t'offenser, d'aucune façon... Il faut me promettre de ne pas te fâcher à cause de ce que je vais te dire, car je le fais par amitié, crois-moi.

Et elle lui effleura la joue d'un geste gracieux.

— Je promets de ne pas me fâcher, répondit-il avec docilité, un début de sourire aux lèvres.

— C'est au sujet de ton travail, Charles...

— Tu trouves que le journal qui m'emploie est miteux, hein ? lança-t-il d'un air de bravade.

— En effet, ce n'est pas un très bon journal. Il me semble qu'il ne convient pas tout à fait au genre de garçon que tu es... Tu vaux plus que ça, Charles, crois-moi... Je l'ai toujours su, même si je ne te connais pas beaucoup, mais cet après-midi la chose m'est apparue avec tellement de clarté ! Il faut que tu quittes ce journal... Tu vas y gaspiller ton talent... Tu es quelqu'un de très bien, Charles, et des gens comme toi, il n'en pleut pas. Ne ris pas, c'est vrai... Je n'en ai pas rencontré plus de deux ou trois dans ma vie... J'aurais beaucoup de peine si on t'abîmait, comprends-tu ?... Et on peut très facilement abîmer quelqu'un, je l'ai appris à mes dépens, comme tu sais...

Charles l'écoutait, ravi. Le même *conseil d'ami* donné par quelqu'un d'autre aurait sans doute valu à l'intéressé une réplique cinglante, mais, sur les lèvres de Brigitte Loiseau, il s'était transformé en compliment, un délicieux compliment qu'il savourerait pendant des semaines et qui, sans valoir une déclaration d'amour, lui permettrait au moins de se consoler un peu de son absence, d'ailleurs tout à fait normale, car il voyait bien à présent la vanité de ses aspirations.

— Ne t'inquiète pas, répondit-il doucement, je n'ai pas l'intention de croupir à *Vie d'artiste*, mais il faut bien gagner sa croûte, n'est-ce pas, et, pour l'instant, je n'ai rien trouvé de mieux.

Elle le regardait en souriant et il lui sembla que ses yeux exprimaient à ce moment-là une tendresse toute particulière :

— Je suis sûre que tu vas y arriver, Charles. Si je peux t'être utile en quoi que ce soit, fais-moi signe, je t'en prie, cela me ferait tellement plaisir. Après tout, je connais pas mal de gens.

Elle s'avança et l'embrassa sur les deux joues.

C'était la première fois dans sa jeune carrière de journaliste qu'une entrevue se terminait d'une façon aussi délectable.

34

À quatre heures quarante-cinq, le destin lui fit signe pour la deuxième fois, mais d'une façon beaucoup plus énergique et, pour tout dire, presque désagréable.

Après avoir passé une heure dans un café de la rue Van Horne à Outremont à écouter son entrevue avec Brigite Loiseau en prenant des notes pour son article, il s'était rendu avenue de l'Épée pour rencontrer Amélie Michaud redevenue Bourque. Elle habitait un immeuble de deux étages plutôt modeste, mais l'entrée principale en plein cintre avec sa porte de bois verni à carreaux biseautés et son encastrement de granit montrait que l'ex-épouse du notaire conservait certains avantages de son ancien rang social.

Charles la trouva terriblement vieillie sous son éternel turban, tandis que, du fond de l'appartement, une voix enrouée lançait un « trou de cul ! » retentissant.

— Tu arrives un peu en retard, remarqua-t-elle avec froideur.

— Est-ce qu'on n'avait pas convenu de se voir vers la fin de l'après-midi ? fit-il, étonné.

— Pour moi, comme pour beaucoup de gens sensés, la fin de l'après-midi commence à quatre heures, répondit-elle en lui faisant signe d'entrer. Mais ce n'est rien, ce n'est rien... des crottes de mouche !

— CROTTES DE MOUCHE ! CROTTES DE CHIEN ! lança la voix enrouée.

Elle fit quelques pas dans une pièce conçue pour être un salon mais convertie en une sorte d'entrepôt où s'empilaient plusieurs dizaines de grosses boîtes de carton, puis elle se retourna, examina Charles en silence, et soudain un large sourire mit en mouvement les sillons et les rides de son visage jaunâtre aux pommettes rougies par le fard et, pendant quelques secondes, elle retrouva un air de jeunesse :

— Qu'attends-tu pour m'embrasser ?

— Vous embrasser ? Mais j'en meurs d'envie, voyons, fit-il en la pressant contre lui. Je m'ennuyais de vous, Amélie, vous savez... Oui, c'est vrai, je vous jure ! Je ne comprends pas que je ne sois pas venu vous voir plus tôt. Vous avez toujours été tellement gentille avec moi...

Et il lui caressa tendrement la joue.

Voilà sans doute longtemps qu'un homme lui avait manifesté une marque d'affection. Le visage d'Amélie prit une expression d'étonnement ravi, mais cela ne dura qu'un instant :

— Chanteur de pomme, va ! lança-t-elle, gouailleuse, en se dégageant. Les femmes doivent tomber dans tes bras par douzaines à chaque jour que le Bon Dieu amène.

— Pourquoi dites-vous ça, Amélie ? répondit Charles, peiné. Si je ne vous aimais pas, je ne serais pas ici, non ? Rien ne me forçait à venir, après tout.

— Bon, bon, marmonna-t-elle, on sait tout ça, on sait tout ça.

Ses pensées s'étaient de nouveau portées ailleurs. Elle se mit à contempler Charles, tout attendrie :

— Comme tu as changé ! Comme tu as pris de la force ! Tu pourrais jouer au cinéma, si tu le voulais, ou prononcer des sermons ! Tout le monde se convertirait.

Charles se mit à rire :

— Merci pour les sermons, j'en ai eu mon plein !

— PLAINS-TOI DONC ! lança la voix.

— Que veux-tu dire ? demanda Amélie.

— Figurez-vous donc que j'ai travaillé pour un *preacher* pendant six mois. Ça m'a vacciné à tout jamais contre la religion ! Je vous raconterai ça un de ces jours.

La vieille femme l'écoutait à peine, replongée dans sa contemplation :

— Tu es plus beau que jamais, murmura-t-elle avec ravissement. Dire que, si je n'avais pas pris la peine de t'appeler, je ne t'aurais jamais revu, sans-cœur ! Pourquoi n'es-tu pas venu me voir ?

— Mais j'avais l'intention de le faire bientôt, Amélie, je vous jure ! C'est mon travail, mon maudit travail ! Je travaille comme vingt Turcs et quarante Arabes. C'est à peine si j'ai le temps de prendre ma douche et de dormir.

— Menteur.

— VOLEUR ! appuya la voix. LES VAINCUS PERDRONT !

Et on entendit des frémissements saccadés.

— Ah ! cet Édouard est fatigant, aujourd'hui ! Il a dû encore me chiper des grains de café. À propos, je t'en sers un ?

— Je veux bien.

— Alors, suis-moi à la cuisine. C'est habituellement là qu'on le prépare, non ?

« Ouf! ça va être long, soupira intérieurement Charles en jetant des regards inquiets sur les nombreuses taches sombres qui maculaient la moquette et qui ressemblaient à de la fiente. Qu'est-ce qu'elle peut bien vouloir m'annoncer? »

La cuisine, contrairement à ses craintes, se trouvait dans un état de propreté acceptable, quoique encombrée elle aussi de boîtes, mais, cette fois, de boîtes de conserves dont les piles occupaient presque toute la surface du comptoir et s'élevaient le long des murs. Au-dessus de l'une d'elles pendait une cage contenant un hideux perroquet à demi déplumé qui observait Charles, immobile, de ses gros yeux ronds remplis d'une fureur éberluée et dont les paupières se rabattaient de temps à autre comme des rideaux d'acier.

— Vous faites des provisions? s'enquit Charles en montrant les conserves.

— Est-ce qu'on a le choix par les temps qui courent? J'espère que tu fais comme moi. Tiens, débarrasse cette chaise et assieds-toi. Non, celle-ci plutôt. Je vais prendre l'autre, moi. J'évite toujours de m'asseoir le dos à une fenêtre.

Charles, attristé, l'observait en train de s'affairer devant l'évier, rinçant tasses et cafetière avec une précipitation et une agilité singulières, comme si elle avait travaillé toute sa vie dans un café. Quel terrible effondrement avait dû se produire dans son esprit pour l'amener à un pareil état? Et dire qu'au moment présent elle était sans doute sous médication!

Elle mit le moulin en marche et sa voix grêle réussit à percer le tapage :

— C'est Parfait qui t'a défendu de venir me voir?

— Mais voyons! protesta Charles en riant. Où allez-vous chercher ça? J'en prends toute la responsabilité!

— RESPONSABILITÉ! répéta le perroquet. SAUVE QUI PEUT! MÊME LES PNEUS!

Et il se rua contre les barreaux de sa cage, les attaquant à coups de bec féroces.

— C'est sans doute ce qu'il t'a dit de me dire, ajouta-t-elle comme pour elle-même. Ah ! c'est tout un marlot, allez... S'il avait pu s'arranger pour que je reste enfermée jusqu'à la fin de mes jours, il l'aurait fait... Mais, hé, hé ! il n'a pas pu.

Charles adorait les animaux. Cependant, l'œil fixé sur le perroquet, il serrait les mains, imaginant qu'il était en train de l'étrangler.

Amélie, tenant un plateau, s'approcha de la table et y déposa deux tasses, des cuillères, un sucrier, un pot à lait et une assiette de biscuits, les disposa soigneusement et contemplait le couvert d'un œil satisfait lorsqu'elle eut un brusque sursaut et se frappa le front du plat de la main :

— Mais où est-ce que j'ai la tête ? Voilà dix minutes que nous parlons et je ne t'ai pas encore... Tu dois bien te demander pourquoi...

Elle quitta vitement la pièce et revint avec une coupure de journal :

— Tiens, Charles, lis-moi ça. Je suis sûre que ça t'a échappé. C'est paru il y a trois jours dans *La Trompette d'Outremont*. J'ai pensé que ça t'intéresserait.

Et elle lui tendit l'article avec un grand air de jubilation.

CHIEN SAMARITAIN

Lausanne – Un villageois qui avait pris l'habitude de nourrir le chien de son voisin a vu sa gentillesse récompensée par la bête de façon spectaculaire. Grièvement blessé après une chute dans une crevasse lors d'une excursion, il doit la vie à la diligence de son ami canin qui est allé chercher du secours.

Platonov, un berger allemand de dix mois, aucunement formé pour le sauvetage en montagne, est devenu une vedette en Suisse.

Courant jusque chez son maître, il n'a cessé de japper tant que celui-ci n'est pas venu sur les lieux de l'accident.

Albert Wintzner, qui souffre de fractures multiples et de lésions internes, se remet lentement à l'hôpital des suites de sa mésaventure.

Charles lut l'article deux fois, puis posa un regard ahuri sur la vieille femme :

— C'est, en effet… très intéressant… Une brave bête, ce… Platonov… très intelligente…

Il avala sa salive et d'une petite voix timide :

— Vous m'avez fait venir pour… ça ?

Amélie Bourque éclata de rire :

— Es-tu fou ? ! Je n'ai quand même pas perdu complètement la tête ! Je sais, par exemple, qu'on ne dérange pas les gens occupés pour des niaiseries. Non. J'avais conservé cet article parce que je pensais qu'il t'intéresserait, voilà tout.

— Il m'intéresse beaucoup.

— Eh bien, moi aussi, figure-toi… mais peut-être pour d'autres raisons… Je me suis dit, après l'avoir lu, que les chiens sont des êtres… magnifiques… supérieurs à bien des hommes, vois-tu… Tellement bons, fidèles, secourables… Ah ! si les hommes leur ressemblaient ! On serait si bien ! On n'aurait pas besoin d'avocats, de notaires, de policiers, de généraux, de soldats, ni même… de médecins…

Et sa voix se brisa sur ce dernier mot. Elle s'assit à la table et appuya sa tête dans ses mains.

Charles l'observait, atterré. Passant derrière elle, il se mit à lui caresser les épaules. Elle eut un léger sourire et leva la tête, regardant droit devant elle, l'œil sec :

— Tu es bon, toi. J'ai bien fait de te demander de venir.

— VENISE ! VENISE ! VENISE-EN-QUÉBEC ! lança le perroquet. UNE MAUDITE BELLE PLACE ! CASSE LA GLACE !

— Ta gueule, toi ! hurla Amélie en se dressant, furieuse. Un de ces jours, tu vas te retrouver dans la poubelle, ordure !

— Pourquoi gardez-vous cette affreuse bête, Amélie ? Je n'aurais pas la patience de vivre avec elle une demi-heure, moi. Monsieur Victoire devait en avoir par-dessus la tête.

La remarque déclencha tout un remue-ménage chez Amélie. Elle se calma instantanément, haussa les épaules, serra les lèvres et alla chercher la cafetière. Le dos tourné, elle remplissait lentement les tasses :

— Monsieur Victoire m'a donné cette affreuse bête, comme tu l'appelles, répondit-elle froidement, parce qu'elle était trop vieille et lui coûtait trop cher. Les vétérinaires ne donnent pas leurs pilules, n'est-ce pas... Édouard fait partie du troisième âge, comme moi. Je l'ai recueilli, je l'ai soigné, je lui donne tout l'amour et toute l'attention qu'on ne m'a pas donnés, et il va beaucoup mieux. En veux-tu la preuve ?

Elle s'approcha de la cage, ouvrit la porte et tendit le bras :

— Viens, mon chouchou, roucoula-t-elle d'une voix flûtée, viens voir ta maman qui t'aime beaucoup, beaucoup. Montre au monsieur que t'es gentil-gentil, mon joli-joli.

L'oiseau eut comme un sursaut, puis, après avoir roulé des yeux terribles, se percha sur son bras en poussant une sorte de miaulement étranglé.

L'instant d'après, il voletait frénétiquement dans la cuisine et finit par aller se poser sur le dessus du réfrigérateur, d'où il se mit à fixer la nuque de Charles, les ailes parcourues de frémissements.

— C'est à présent mon seul compagnon, soupira Amélie en prenant une gorgée de café. Tout le monde m'a abandonnée. Que veux-tu, je ne suis plus bonne à rien.

— Voyons, Amélie, vous dites des sottises. Et puis, je ne vous ai pas abandonnée, moi. Je me rappelle toujours votre chambre de Noël et toutes les bonnes choses que vous me donniez à manger. Il y a si longtemps qu'on se connaît !

— Eh oui. Mais tu m'as abandonnée quand même, comme les autres. Peut-être que je réussirai un jour à te reconquérir, mais ce n'est pas chose faite, ah çà, non !

Charles, troublé, ne sut que répondre. La compassion et l'agacement luttaient en lui. Devait-il aider cette pauvre toquée ? Oui, bien sûr, car, à sa façon, elle avait été bonne pour lui. Que pouvait-il faire ? Pas grand-chose. Qu'aurait-elle accepté qu'il fasse ? Encore moins.

Il lorgna le corridor qui menait à la sortie, mais jugea que partir tout de suite aurait été en dessous de tout. Il glissa sa main vers celle de la vieille femme ; elle la retira aussitôt.

— Amélie, je vous en prie, cessez de voir tout en noir... Je suis très occupé depuis quelque temps, j'essaie de me tailler une place, comme on dit. Et puis, j'ai changé d'emploi plusieurs fois, j'ai connu des chagrins d'amour, enfin, je me débats, quoi... Tout ça prend du temps, je vous assure. Je vous ai peut-être négligée, mais pas abandonnée. Je vais revenir, je vous le promets.

— On verra bien. Changeons de sujet, veux-tu ? Je ne t'ai pas fait venir pour te chanter des jérémiades, mais pour te parler de *toi*.

— De moi ?

— DE MOI ! lança le perroquet, et il se remit à voleter.

— Oui, c'est bien ça. Je ne te cacherai pas que je ne suis pas très satisfaite de toi.

— Et pourquoi donc ? répondit Charles en retenant un soupir.

Elle se leva, quitta la pièce et revint avec une grosse pile de journaux ; il reconnut aussitôt *Vie d'artiste*. Elle déposa la pile sur la table et resta debout un moment à reprendre son souffle.

— Je te lis depuis que tu as commencé à écrire dans ce journal, mon cher. Je n'ai pas raté une semaine.

— Vous me flattez.

— Je ne te flatte pas du tout, au contraire.

— FLATTE MON CUL ! cria le perroquet en atterrissant avec tant de bruit sur la pile que Charles eut un mouvement de recul.

— Édouard, s'il te plaît, pas de grossièretés ! Et le voilà qui fait ses besoins sur mes journaux, à présent ! Allons, va-t'en, va-t'en !

L'oiseau poussa un cri et quitta la pièce, au grand soulagement de Charles.

— Je ne te flatte pas parce que je considère que tu perds ton temps dans ce journal de *millième* ordre, où on ne parle que de pognon, de grosses cabanes et de fesses, pardonne-moi l'expression.

« Tiens, deux fois dans la même journée, se dit Charles. C'est curieux, ça. »

— Est-ce que vous n'exagérez pas un peu, Amélie ? On y traite aussi, il me semble, de chansons, de spectacles, de films, d'émissions de télé et même de pièces de théâtre. Tiens, tout à l'heure j'étais chez Brigitte Loiseau...

— On traite de tout ça à condition que tout ça donne l'occasion de parler de pognon, de grosses cabanes et de fesses... et la plupart du temps d'une façon incroyablement vulgaire. Tu es un peu mieux que les autres, j'en conviens, et même je trouve parfois que tu écris très bien, presque aussi bien que dans ton roman...

Charles sourit :

— Vous l'avez lu ?

— Tu ne me l'as pas offert, mais je l'ai lu. Cependant, je dois te dire, mon garçon, que le fait de bien écrire n'arrange pas du tout ton affaire; cela ne fait au contraire que l'empirer. Tu enfouis ton talent dans la boue, Charles. Pour tes collègues, ce n'est pas grave: ils ne font qu'enfouir de la boue dans de la boue. Mais toi! toi!... Chaque fois que je lis un de tes articles dans ce torche-cul – pardonne-moi l'expression –, je deviens si triste, si triste que je reste plantée devant la fenêtre pendant des heures à ne pouvoir rien faire...

Charles, tout ému, lui prit la main, et cette fois-ci elle ne la retira pas. Il lui fit la même réponse qu'à Brigitte Loiseau, mais s'étendit davantage, l'assurant qu'il n'avait pas abandonné ses projets littéraires (en cela, il mentait presque), qu'il ne demeurait à *Vie d'artiste* que pour prendre de l'expérience, qu'il ambitionnait en fait de travailler dans un journal beaucoup plus sérieux et qu'il songeait même à reprendre ses études à mi-temps.

— Ah oui? Et en quoi?

— Je veux d'abord obtenir mon diplôme du collégial, puis m'inscrire ensuite à l'université en littérature ou en sciences po, je n'ai pas encore décidé.

— Dépêche-toi, Charles, le temps passe. Quel âge as-tu? Vingt-cinq ans, je crois? Bientôt, tu seras vieux, comme moi.

Ce rappel de la fugacité du temps lui fit jeter un coup d'œil à sa montre. Il devait partir sur-le-champ pour rédiger le texte de son entrevue avec Brigitte Loiseau, car l'heure de tombée approchait.

— Mon Dieu! s'écria Amélie, consternée. Tu n'as pas mangé de biscuits! Tes biscuits favoris!

Il ne put se lever de table avant d'en avoir avalé six. Quel-ques années plus tôt, il en aurait facilement vidé une boîte à lui seul. Il s'agissait de biscuits oblongs, aux bouts arrondis, recouverts d'une épaisse couche de chocolat, cette dernière garnie de zébrures blanches de glace à la vanille qui leur avaient valu dans le quartier le surnom de *bêtes puantes*. Il les trouvait toujours aussi outrageusement sucrés, mais toujours aussi délectables. Au sixième, Édouard fit irruption dans la cuisine, alla se percher sur son épaule et y enfonça cruellement ses griffes.

Amélie se trémoussait de plaisir :

— Tu vois ? Tu vois ? Il commence à s'habituer à toi ! Bientôt, il va t'aimer !

Charles crut pouvoir enfin partir. Mais il dut d'abord accepter deux cadeaux. Amélie lui remit un petit livre à couverture verte intitulé *Le Bonheur par la pensée transéologique* d'un certain docteur Uri Numène :

— Ce livre m'a beaucoup aidée, Charles, et je peux même te dire qu'il m'a sauvée.

— Je le lirai, promit Charles de son ton le plus convaincu.

Amélie, avec un sourire mystérieux, lui tendit ensuite une boîte de carton :

— Ne l'ouvre que chez toi, je t'en prie, quand tu seras seul. Je crois qu'il va te faire plaisir.

« Pauvre femme, soupira Charles en retournant au journal. Elle a toujours été bizarre, mais, à présent, je crois qu'elle est vraiment craquée. Je vais retourner la voir. Ah ! si son maudit perroquet pouvait crever ! Je lui payerais un cercueil en bois de rose ! »

Buvant café sur café, il travailla d'arrache-pied à son texte sur Brigitte Loiseau, arriva chez lui un peu avant minuit et ouvrit aussitôt la boîte de carton. Elle contenait la crèche électrique qu'il avait tant admirée autrefois dans la fameuse chambre de Noël. Il éteignit les lumières et la brancha. Des lueurs bleues et roses se répandirent dans la pièce, tandis que la Sainte Vierge se remettait à bercer doucement l'Enfant Jésus sur ses genoux et que l'âne et saint Joseph hochaient alternativement la tête. Il lui fallut bien du temps pour s'arracher à cette naïve contemplation.

— Ouais... il faut que je me grouille... Après tout, dans cinq ans, j'en aurai trente...

35

À quatre heures du matin, il décida de se lever et s'attabla dans la cuisine devant *Le Maître et Marguerite*, un roman de Boulgakov que lui avait prêté Bernard Délicieux en lui disant que ceux qui n'avaient pas lu ce livre avaient, sans le savoir, un trou dans la tête qui ne se remplirait jamais.

Dès les premières lignes, il fut transporté. Comment? On pouvait écrire ainsi malgré la maladie, la terreur stalinienne et l'incertitude d'être publié un jour?

La lecture, au lieu de l'apaiser, le surexcita. Vers cinq heures trente, il referma le livre et décida d'aller faire une promenade. Souvent, marcher le calmait.

On était au début de juin. Le soleil se levait et déjà ses rayons avaient commencé à pomper la fraîcheur de l'air. La rue Saint-Denis, encore déserte à cette heure, était bleue et rouge, avec des zones d'ombre où la nuit livrait un dernier combat. Il se dirigea vers la rue Sainte-Catherine, contemplant le clocher de l'Université du Québec, vestige de l'église Saint-Jacques que, pour se donner bonne conscience, on avait intégré aux nouveaux bâtiments comme on donne une pièce de monnaie à un mendiant qui gèle au grand vent.

« Ouais... l'université, se dit Charles avec une grimace désabusée. Voilà un endroit où je ne suis pas près d'aller user le fond de ma culotte... »

Un vieux griffon beige au poil sale apparut au coin de la rue et, comme s'il connaissait Charles, se dirigea droit sur lui en boitillant. Le jeune homme fouilla dans la poche de sa veste et, par bonheur, trouva un morceau de biscuit.

Le chien s'était arrêté devant lui et attendait, assis, l'œil amical, battant le trottoir à grands coups de queue.

— Tiens, mon vieux. C'est tout ce que j'ai. Tu viens d'où? T'as l'air perdu.

L'animal happa le biscuit d'un coup de gueule, puis attendit, avec l'air de dire : « Rien que ça ? »

Au bout d'un moment, comme Charles ne semblait avoir rien d'autre à offrir que des caresses, il lui lécha poliment la main et s'éloigna, le nez au vent, plein d'entrain malgré sa patte blessée.

Charles reprit sa marche, fixant toujours la flèche du clocher. Crânement dressée dans le ciel qui bleuissait de minute en minute, elle semblait le narguer : « Beau finfin ! Tu es parti à la conquête de Montréal, dis-tu ? Ha ! Belle conquête ! Barbouilleur de papier dans un journal à potins ! Félicitations ! »

Charles se mordait les lèvres. Ces sarcasmes méritaient une réplique.

La rue Sainte-Catherine commençait à s'animer. Des piétons apparaissaient, la démarche languissante, ou alors le pas pressé, presque à la course, sans doute en retard à leur travail. Des camions de livraison circulaient, s'arrêtaient avec des grincements, faisaient claquer leurs portières. À un feu rouge, deux autos faillirent se heurter. Il y eut des coups de klaxon.

Charles traversa la rue et continua sur Saint-Denis, travaillé par un sentiment de dépit qui ne cessait de croître et allait éclater en colère, à son grand étonnement. Comment pouvait-on se mettre en colère contre un clocher ? Cela ressemblait à de la folie. Décidément, l'insomnie ne lui allait pas !

Soudain, il heurta du coude un piéton; l'inconnu poussa un grognement.

— Excusez-moi, monsieur. Je ne vous avais pas vu.

— Je le vois *bin*, répondit l'homme en s'éloignant, sans un regard.

Charles se trouvait devant le portail de l'ancienne église Saint-Jacques, encore fermé à cette heure. Il leva la tête à nouveau, les yeux braqués sur la flèche surmontée d'un coq qui brillait au soleil. Comme il aurait aimé secouer un peu ces cloches, là-haut, ou même leur donner quelques bons coups de masse! Pourquoi? Il aurait été bien embêté de l'expliquer.

— Dis donc, chose, lança une voix éraillée, est-ce que ta blonde est enfermée dans le clocher?

Un mendiant, surgi d'un coin d'ombre, s'approcha, le sourire jaunâtre, deux incisives manquantes, les souliers crevés, mais vêtu d'un long manteau de lainage vert bouteille assez propre et de bonne coupe qui jurait avec son visage ratatiné de quadragénaire brûlé par l'alcool.

Charles, surpris, l'examinait, un peu dégoûté. De longues mèches noires et crasseuses s'échappaient de sa tuque blanche parsemée de taches.

— Tu me réponds pas? insista l'inconnu en se plantant devant le jeune homme, l'œil fébrile et moqueur.

— Ma blonde couche avec le bedeau ce matin, répondit Charles, railleur. Ils feraient sûrement pas ça dans le clocher! Mais moi, ajouta-t-il, j'aurais le goût d'y monter.

— Pour quoi faire?

— Pour voir.

— Je peux t'arranger ça, capitaine. Dix piastres, et je te fais monter.

Charles eut une moue d'incrédulité.

— Tu me crois pas ? Dix piastres, et dans cinq minutes tu te retrouves en haut. La vue est belle en crisse !

Et, pour appuyer son affirmation, l'homme sortit de la poche de son manteau un petit trousseau de clés :

— Ça, c'est pour ouvrir la grille, que tu vois ici, à droite. Et ça, c'est pour la porte J-1825. Derrière, y a des escaliers qui vont nous mener *drette* aux cloches, et même plus haut si tu veux.

— Et le système d'alarme ?

— Je m'en occupe, capitaine, t'inquiète pas.

Charles eut comme un frémissement, tandis que son regard s'allumait. Il venait d'avoir une idée si folle, si saugrenue et en même temps si majestueuse qu'il en était transporté.

Le robineux se dirigea vers la grille qui fermait un des portails de l'ancienne église et, après avoir jeté un coup d'œil du côté de la rue, fit signe au jeune homme d'approcher :

— Dépêche-toi, capitaine. Faut pas qu'on nous *voye*.

Il y eut un déclic, puis un léger grincement. L'homme se glissa vitement derrière la grille, suivi de Charles, la referma et la verrouilla. L'instant d'après, il s'était réfugié dans un coin avec son compagnon à l'abri des regards.

— Comment as-tu eu ces clés ? demanda Charles, méfiant.

— Ça, c'est mon secret, capitaine. C'est ça qui vaut dix piastres.

Il s'approcha d'une porte doublée de tôle noire et glissa la seconde clé dans la serrure.

— Et t'es sûr, demanda Charles, que le système d'alarme ne se déclenchera pas ?

L'autre se retourna :

— Me prends-tu pour un fou, capitaine ? Si j'étais pas sûr, penses-tu que j'ouvrirais la porte ?

— Arrête de m'appeler « capitaine ». Ça m'énerve.

— Comment veux-tu que je t'appelle, *boss* ?

— Charles.

— Tiens, on a le même prénom.

Charles pâlit. Le destin continuait de lui faire signe. Quel terrible avertissement ! Même prénom, et peut-être un jour, s'il n'y prenait garde, même destin ?

— Je m'appelle Charles Dion, reprit le robineux. Mais tout le monde m'appelle Squeezy, ajouta-t-il, sentant que quelque chose venait de déplaire à son interlocuteur et qu'il risquait peut-être de perdre ses émoluments.

Il entrebâilla la porte massive et entra. Charles voulut le suivre, mais l'autre lui bloqua le passage, la main tendue :

— Les dix piastres d'abord, cap... euh... Charles, pardon... Merci *bin* !

Ils s'engagèrent dans un escalier de maçonnerie faiblement éclairé et parvinrent bientôt à un large palier.

— La salle des boiseries, chuchota Squeezy d'un air respectueux en pointant l'index vers une porte percée d'une petite fenêtre carrée. Maudite belle place ! Les gros *boss* se réunissent là de temps à autre. J'aimerais bien pouvoir y coucher, le tapis est épais de même ! Trop risqué. Je me contente du clocher. C'est quand même pas si mal.

Ils continuèrent leur ascension, grimpant des escaliers tantôt de métal, tantôt de bois. De temps à autre, Squeezy, qui commençait à s'essoufler, soulevait une lourde trappe pour accéder à l'étage suivant.

Il se tourna soudain vers Charles avec un sourire hideux :

— Ouais, murmura-t-il, haletant, t'es en train... de me faire gagner mes dix piastres pour de vrai, *boss*... Je monte jamais si haut d'habitude.

Ils se déplaçaient à présent dans une quasi-obscurité, enveloppés d'odeurs étranges, comme si quelque chose d'une époque depuis longtemps révolue était resté emprisonné entre ces murs massifs. Des poutres gigantesques, perlées de suintements, s'élançaient en un jet vertical au-dessus de leurs têtes pour se perdre dans l'ombre.

Ils arrivèrent enfin au pied d'une longue échelle à cerceaux fixée à la paroi.

— Tu fais attention, hein? fit Squeezy, la main sur un barreau. Si le pied te manque, tu risques de te péter la gueule pas mal fort, mon Charles.

Après avoir grimpé une quinzaine de mètres, le robineux, gémissant sous l'effort, souleva une dernière trappe. Un coin de ciel apparut. L'instant d'après, ils s'avançaient à l'air libre sur une galerie quadrangulaire à balustrade qui entourait la base de l'énorme flèche du clocher.

Au loin, on voyait le pont Jacques-Cartier jeté majestueusement au-dessus du fleuve qui flambait. Charles poussa un cri de joie et se mit à parcourir la galerie tandis que son compagnon, appuyé contre un flanc de la flèche, sortait de sa poche un gros briquet doré et s'allumait une cigarette.

— Parfait, parfait, murmurait Charles, tâtant la tôle de zinc de la balustrade, puis allongeant la main dans le vent qui charriait des effluves de houblon et de café fraîchement torréfié.

À ses pieds, la ville aplatie allait buter vers l'ouest contre un hérissement de gratte-ciel que le soleil commençait à faire miroiter.

Charles vint se planter devant Squeezy au moment où il jetait son mégot dans le vide.

— Je voudrais remonter ici demain. Pour prendre des photos.

Une expression rapace apparut dans le visage osseux du mendiant:

— Ça, ça va être vingt piastres, *boss.*

— Vingt piastres!

— Écoute, *boss*, plus on vient souvent icitte, plus les risques augmentent. Le prix doit faire de même.

— Allons donc, tu dors dans le clocher chaque nuit !

— Oui, mais tout seul. C'est pas pareil.

Il y eut une courte discussion. Squeezy rabattit cinq dollars. Ils prirent rendez-vous pour le lendemain matin à six heures trente.

— Mais joue-moi pas dans les pattes, *boss*, prévint le robineux. C'est haut ici pour tomber !

Le lendemain matin, à six heures cinquante-deux, les passants du centre-ville qui se trouvaient dans les environs de l'Université du Québec eurent la surprise de voir s'agiter au sommet du vénérable clocher une longue banderole noire où on pouvait lire en grosses lettres blanches :

CHARLES VA RÉUSSIR... MÊME SANS DIPLÔME !

Il y eut de petits attroupements ici et là. On riait, le doigt pointé en l'air, on se perdait en conjectures sur l'identité de ce Charles ; certains croyaient à un canular d'étudiants, d'autres pensaient à un signal de grève, tout le monde trouvait l'affaire amusante. Des agents de sécurité enlevèrent bientôt la banderole, mais trop tard pour empêcher les photographes de faire leur boulot.

De sorte que le lendemain matin, Pierre Péladeau, l'empereur de Quebecor, faillit s'étouffer avec son café en voyant la banderole flotter à la une du *Journal de Montréal*.

Il tendit l'exemplaire à sa jeune et jolie compagne occupée à tartiner une rôtie :

— Regarde-moi ça, ma belle, tu vas rire ! Je me demande bien quel marsouin a eu l'idée de...

Une crainte le saisit. Il s'empara d'un numéro de *La Presse*, son rival de toujours, pour constater avec agacement que la banderole flottait à la une là aussi, et avec un effet tout aussi heureux.

Vers la fin de ce même avant-midi, dans la salle de rédaction de *Vie d'artiste*, Bernard Délicieux, debout devant Charles, déployait depuis une demi-heure les ruses les plus tordues pour lui faire avouer qu'il était bien le Charles de la banderole, mais ce dernier n'en avait nulle envie et éludait ses questions en riant.

— Fine mouche, va ! Tu devrais te lancer dans l'espionnage, Bernard. Tu as tout pour réussir, je te jure... Allons, penses-tu que j'ai du temps à perdre pour grimper dans les clochers ?

— Ça te ressemble trop pour ne pas être toi.

— Bon, ça va, ça va, j'avoue, j'avoue à genoux, mon père, donnez-moi l'absolution, je vous en prie... C'est moi aussi qui ai fait sauter le Parthénon et coulé le *Titanic*... Est-ce que le bon Dieu va me pardonner ?

Délicieux poussa un soupir de découragement et s'éloigna en hochant la tête.

Charles se remit à la rédaction de son article. La banderole s'agitait joyeusement dans sa tête, triomphe de l'audace et de l'imagination. Faire la une des deux plus grands journaux de Montréal ! Quel coup d'éclat ! Quelle revanche !

Une demi-heure passa. Il pondait de la copie avec une facilité pleine d'allégresse. Soudain sa bouche se crispa et ses doigts quittèrent le clavier. Une idée noire s'était plantée dans son entrain, qui venait de crever.

— Ouais... C'est bien beau d'afficher ses ambitions au bout d'un clocher... Maintenant il faut passer à l'action, mon vieux.

FIN DE LA DEUXIÈME PARTIE

Longueuil, 28 avril 2005